華厳経入法界品

（中）

梶山雄一・丹治昭義
津田真一・田村智淳 訳注
桂　紹隆

岩波書店

凡例

一　本書は、『大方広仏華厳経《だいほうこうぶつけごんきょう》』の終品「入法界品《にゅうほっかいぼん》」(Gaṇḍavyūhasūtra)のサンスクリット語原典から現代語への初めての全訳の試みである。

二　翻訳にあたっては、ヴァイディヤの校訂本(P. L. Vaidya, ed., *Gaṇḍavyūhasūtra,* Buddhist Sanskrit Texts, No. 5, Darbhanga, 1960)を底本とした。常時、鈴木大拙・泉芳璟校訂本(京都、一九三四―三六年、改訂版一九四九年)、三種の漢訳(『大正新脩大蔵経』二七八、二七九、二九三)、チベット語訳(『東北目録』四四、「影印北京版」七六一)を参照して、必要に応じてサンスクリット語テキストを修正したが、一々注記することはしなかった。対照の便宜のために、訳文の下欄にヴァイディヤ本の頁数を記した。

三　通読を容易にするため、しばしば( )の中に訳者の説明の語句を補った。

　固有名詞や仏教用語には、三種の漢訳の中から最も現存サンスクリット語テキストの表現に近いものを適宜選択し、やや小さい活字で漢訳語と時には日本語訳をも〔 〕

の中に挿入した。

四　長い章には、内容を理解しやすくするために、ゴシックの小見出しを適宜挿入した。

五　本翻訳は、梶山雄一・丹治昭義・津田真一・田村智淳・桂紹隆の共同作業の結果であるが、最終的な訳語や文体の統一は梶山雄一が行なった。

六　本書は、『さとりへの遍歴　華厳経入法界品』(上・下、中央公論社、一九九四年一・二月刊)を底本として、文庫(全三巻)としたものである。文庫化にあたり、丹治昭義と桂紹隆が、改めて校正作業を行なった。

七　上巻、中巻の「解説」は、『さとりへの遍歴』に収載された梶山雄一による「解説」を再録した。下巻には、丹治昭義・桂紹隆による文庫版「解説」を新たに収載した。

目　次

全巻目次

下巻

善財童子が歴訪する善知識たち

（漢訳名に異同がある場合は、六十巻／八十巻／四十巻の順で示す）

上　巻

マンジュシュリー（文殊師利《もんじゅしり》）菩薩《ぼさつ》　ダニヤーカラ大都城（覚城／福城／福生城）の東、ヴィチトラ・サーラ・ドヴァジャ・ヴューハという林（荘厳幢娑羅林）において「法界《ほっかい》の真理の光輝」という経を説く。善財童子《ぜんざいどうじ》に目をとめて、善知識《ぜんちしき》歴訪の旅に旅立たせる。

1　**メーガシュリー（功徳雲／徳雲／吉祥雲）比丘《びく》**　ラーマーヴァラーンタ（可楽／勝楽／勝楽）国のスグリーヴァ（和合／妙峰／妙峰）山で「一切（諸仏）の境界《きょうがい》を顕現させ（その）集合する様を（照らし出す）普門《ふもん》の光明」という念仏門を得て、十方《じっぽう》の多数の諸仏を真正面に見ることができる。

2　**サーガラメーガ（海雲）比丘**　サーガラムカ（海門）地方において、「普《あまね》き眼」という法門を得、その法門を受持する。

3　スプラティシュティタ（善住／善住／妙住）比丘　ランカー島への途上にあるサーガラ・ティーラ（海岸国／海岸聚落／海岸聚落）において、「無礙《むげ》の門」という菩薩の解脱《だつ》を得、「無礙の究極」という智の光明を獲得し、十方を普く疾走する。

4　ドラヴィダ人メーガ（弥伽）　ヴァジュラプラ（自在城／自在城／金剛層）というドラヴィダ人の町において「弁才陀羅尼《べんざいだらに》の光明」を得、あらゆる言語に通暁する。

5　ムクタカ（解脱）長者　ヴァナ・ヴァーシン（住林）国において「無礙の荘厳《しょうごん》」という如来《にょらい》の解脱を得、十方の諸仏世尊を見ることができる。

6　サーラドヴァジャ（海幢）比丘　ジャンブ州の先端にあるミラスパラナ（荘厳閻浮提頂国／閻浮提畔摩利伽羅国／閻浮提遍無垢住処）で「普門清浄の荘厳」という三昧《さんまい》を得、体中から不可思議な神変《じんぺん》を現じる。

7　アーシャー（休捨／休捨／伊舎那）優婆夷《うばい》　サムドラ・ヴェーターディー（海潮／海潮／海潮処）地方のマハープラバ（円満光）城の東、サマンタ・ヴューハ（普荘厳）園林において「憂いなき平安の旗印」という菩薩の解脱を得、常に十方の諸仏にまみえる。

8　ビーシュモーッタラ・ニルゴーシャ（毘目多羅／毘目瞿沙／大威猛声）仙　サムドラ・ヴェーターディーのナーラユス（那羅素）国において「無敵の旗印」という菩薩の

解脱を得、十方諸仏の足下に住する。

9 **ジャヨーシュマーヤタナ**(方便命／勝熱／勝熱)**婆羅門**《ばらもん》　イーシャーナ(進求／伊沙那／伊沙那)国において「無尽の輪《マンダラ》」という菩薩の解脱を得、金剛焔三昧の光明によって呼び集めた神々などに教えを説く。

10 **マイトラーヤニー**(弥多羅尼／慈行／慈行)**童女**　シンハ・ヴィジュリンビタ(師子奮迅／師子奮迅／師子頻申)城のシンハ・ケートゥ王の毘盧遮那蔵《びるしゃなぞう》宮殿の屋上において、「普き荘厳」という般若波羅蜜門《はんにゃはらみつもん》の転回を得、普門陀羅尼などを知る。

11 **スダルシャナ**(善現／善見／妙見)**比丘**　トリナヤナ(救度／三眼／三目)国の林の中で、「消えることのない智の燈火」という菩薩の解脱を知り、一発心ですべてを知る。

12 **インドリエーシュヴァラ**(釈天主／自在主／根自在主)**童子**　シュラマナ・マンダラ(輪那／名聞／円満多聞)国のスムカ(妙門)城の河の合流点近くで、「あらゆる法の知識である技術の神通《じんずう》を具《そな》えた」という菩薩の智の光明を得、菩薩の算法を知る。

13 **プラブーター**(自在／具足／弁具足)**優婆夷**　サムドラ・プラティスターナ(海住／海住／海別住)城の住いにおいて、「無尽の荘厳の福徳の宝庫」という菩薩の解脱を得て、一個の壺ですべての衆生《しゅじょう》を飽食させる。

14 **ヴィドヴァーン家長**(甘露頂長者／明智長者／具足智長者)　マハーサンバヴァ(大

興／大興／大有）城において、「心の宝庫から生じる福徳」という（菩薩の）解脱を知り、天穹《てんきゅう》から無量のものを得て、すべての衆生に与える。

15 **有徳の長者ラトナチューダ**（法宝周羅長者／法宝髻長者／尊法宝髻長者） シンハポータ（師子重閣／師子宮／師子宮）城において、「無礙なる誓願の輪《マンダラ》の荘厳」という菩薩の解脱に通じ、十層の館に住む。

16 **香料商サマンタネートラ**（普眼妙香／普眼／普眼） ヴェートラ・ムーラカ（実利根／藤根／藤根）国のサマンタムカ（普門／普門／普遍門）城において、「一切の衆生を満足させ、普き方位の諸仏にまみえ、供養し、奉仕できる香玉」という法門を知り、病の治療など衆生のあらゆる望みを満たす。

17 **アナラ**（満足／無厭足／甘露火）**王** ターラ・ドヴァジャ（満幢／多羅幢／多羅幢）城において、「幻」という菩薩の解脱を得、無法の衆生を調御《じょうご》する。

中　巻

18 **マハープラバ**（大光）**王** スプラバ（善光／妙光／妙光）城の王宮において、「大慈の旗印」という菩薩行の智の光明の門を知り、すべての恐怖や災難を鎮める。

19 **アチャラー**（不動）**優婆夷** 王都スティラー（安住城）の父母の家において、「無敵の智の蔵」という菩薩の解脱門を得て、不可思議な奇蹟を示す。

20　**遊行者サルヴァガーミン**(随順一切衆生外道／遍行外道／遍行外道)　アミタ・トーサラ国のトーサラ(不可称国知足／無量都薩羅／都薩羅)城の北のスラバ(善得)山の経《きん》行所《ひんしょ》で、「あらゆる衆生に合わせる」という菩薩行によって、「あらゆる普門を観察する光明」という三昧門を具え、すべての衆生の利益《りやく》を図る。

21　**香料商ウトパラブーティ**(青蓮華香長者／優鉢羅華鬻香長者／具足優鉢羅華鬻香長者)　プリト・ラーシュトラ(甘露味／広大／広博)国において、すべての香料のことを知り、すべての衆生を金色の華で飾る。

22　**船頭ヴァイラ**(自在海師／婆施羅船師／婆施羅船師)　クーターガーラ(楼閣)城の門前の海岸において、「大悲《だいひ》の旗印」という菩薩行を得て、すべての衆生の利益を叶える。

23　**ジャヨーッタマ**(無上勝／無上勝／最勝)**長者**　ナンディハーラ(可楽／楽瓔珞)城のヴィチトラ・ドヴァジャー(大荘厳幢)無憂樹林において、「あらゆる所に赴く」という菩薩行の門を知り、世間で教えを説く。

24　**シンハヴィジュリンビター**(師子奮迅／師子頻申／師子頻申)**比丘尼《びくに》**　シュローナーパラーンタ(難忍／輸那／無辺際河)国のカリンガヴァナ(迦陵迦婆提／迦陵迦林／羯

陵迦林）城の日光園において、「一切の慢心を打ち破る」という菩薩の解脱を得、十方世界の諸仏に供養し、奉仕する。

25 遊女ヴァスミトラー（婆須蜜多女人／婆須蜜多女人／伐蘇蜜多女人）　ドゥルガ（険難）国のラトナヴューハ（宝荘厳）城の大邸宅において、「離欲の究極を究めた」という菩薩の解脱を得、すべての衆生が離欲するように説法する。

26 ヴェーシュティラ家長（安住長者／鞞瑟胝羅居士／毘瑟底羅居士）　シュバ・パーランガマ（首婆波羅／善度／浄達彼岸）城の住いにおいて、「不涅槃の果て」という菩薩の解脱を得て、すべての如来を眼前にする。

27 アヴァローキテーシュヴァラ（観世音／観自在／観自在）菩薩　ポータラカ（光明／補怛洛迦／補怛洛迦）山において、「遅滞のない大悲の門」という菩薩行の門を知り、衆生たちをすべての恐怖から解放する。

28 アナニヤガーミン（正趣／正趣／正性無異行）菩薩　東方から空を飛んで、サハー（娑婆《しゃば》）世界の鉄囲《てっち》山《せん》の山頂（金剛山頂／輪囲山頂）に降り立ち、「普門より速やかに赴く」という菩薩の解脱を得て、すべての仏の国土に入る。

29 マハーデーヴァ神（大天天／大天神／大天神）　ドヴァーラヴァティー（婆羅波提／堕羅鉢底／門主）城において、「雲の網」という菩薩の解脱を得て、善法の修行に向かわせる。

30　大地の女神スターヴァラー（安住道場地神／安住主地神／自性不動主地神）　マガダ（摩竭提）国の菩提道場において、「不屈の智の蔵」という菩薩の解脱を得て、菩薩の心の動きを知る。

31　第一の夜の女神ヴァーサンティー（婆娑婆陀夜天／婆珊婆演底夜神／春和主夜神）マガダ国のカピラヴァストゥ（迦毘羅婆／迦毘羅／迦毘羅）城の上空の獅子座において、「一切衆生の痴闇《ちあん》を破る法の光明により世の衆生を教化《きょうけ》する門」という菩薩の解脱を得、一切衆生の避難所となる。

32　第二の夜の女神サマンタ・ガンビーラ・シュリーヴィマラ・プラバー（甚深妙徳離垢光明夜天／普徳浄光夜神／普遍吉祥無垢光主夜神）　マガダ国の毘盧遮那仏《びるしゃなぶつ》の菩提道場において、「静寂な禅定《ぜんじょう》の安楽を普く歩行する」という菩薩の解脱を得、あらゆる如来の本来の相に悟入する。

33　第三の夜の女神プラムディタ・ナヤナ・ジャガッド・ヴィローチャナー（喜目観察衆生夜天／喜目観察衆生夜神／喜目観察一切衆生夜神）　第二の女神のすぐ横にいて、「普く優れた喜びの広大で無垢の勢いの幢」という菩薩の解脱を得、あらゆる衆生を教化し成熟させる。

34　第四の夜の女神サマンタ・サットヴァ・トラーノージャッハ・シュリー（妙徳救護衆生夜天／普救衆生妙徳夜神／普救衆生威徳夜神）　第三の女神のすぐ隣にいて、「一切世間に現前して（如来が）世の衆生を教化する様子を示現する」菩薩の解説を得、無数の仏に奉仕する。

35　第五の夜の女神プラシャーンタ・ルタ・サーガラヴァティー（寂静音夜天／寂静音海夜神／具足功徳寂静音海夜神）　第四の女神のすぐ隣にいて、「広大な歓喜の衝動を生じる心刹那の荘厳」という菩薩の解脱を得、一切衆生に法を説き、彼らを防護する。

36　第六の夜の女神サルヴァ・ナガラ・ラクシャー・サンバヴァ・テージャッハシュリー（妙徳守護諸城夜天／守護一切城増長威力夜神／守護一切城増長威徳主夜神）　同じ菩提道場の毘盧遮那仏の説法会《せっぽうえ》の中の獅子座において、「心に適った音声の深遠な神変に入る」という菩薩の解脱を得、無上の法を摂取し、法を説く。

37　第七の夜の女神サルヴァ・ヴリクシャ・プラプッラナ・スカ・サンヴァーサー（開敷樹華夜天／開敷一切樹華夜神／能開敷一切樹華安楽主夜神）　毘盧遮那仏の足下、第六の女神の隣で、「広大な喜びを産みだす大満足の光明」という菩薩の解脱を得、如来の徳により衆生を包容する智慧と方便の光明をもつ。

38　第八の夜の女神サルヴァ・ジャガッド・ラクシャサー・プラニダーナ・ヴィーリ

ヤ・プラバー（願勇光明守護衆生夜天／大願精進力救護一切衆生夜神／大願精進力守護一切衆生光明夜神）　同じ説法会の獅子座において、「あらゆる衆生を願いに応じて成熟させ、善（根）を産み出すように勧告する」という菩薩の解脱を得、一切法の自性《じしょう》の平等性に目覚める。

下　巻

39　**森の女神ステージョー・マンダラ・ラティシュリー**（妙徳円満林天／妙徳円満林神／妙徳円満愛敬林神）　ルンビニーの森（嵐毘尼林）の中の楼閣で、「無量劫《むりょうごう》に亘り一切の境界における菩薩誕生の神変《じんぺん》を示現する」という菩薩の解脱を得、毘盧遮那仏誕生の神変の海に悟入する。

40　**シャカ族の女ゴーパー**（瞿夷釈迦女／瞿波釈種女／瞿波釈種女）　カピラヴァストゥ城の普現法界光明という菩薩の講堂の蓮華座において、「すべての菩薩の三昧の海の真理の観察の境界」という菩薩の解脱を得て、衆生たちの行なうすべての業やその果報を知る。

41　**菩薩の母マーヤー王妃**（摩耶夫人《まやぶにん》）　毘盧遮那仏の足下の蓮華座において、「偉大な誓願の智の幻の荘厳」という菩薩の解脱を得、菩薩の生母となる。

42 天の娘スレーンドラーバー（天主光童女） 三十三天の王宮において、「無礙の憶念の清浄なる荘厳」という菩薩の解脱を得、無数の如来にお仕えする。

43 ヴィシュヴァーミトラ童師（遍友童子師） カピラヴァストゥ城において、次の善知識を紹介する。

44 長者の子シルパービジュニャ（善知衆芸童子） カピラヴァストゥ城において、「工《く》巧《ぎょう》に通じた」という菩薩の解脱を得、四十二字門に通暁している。

45 バドローッタマー（賢勝／賢勝／最勝賢）優婆夷 マガダ国のケーヴァラカ（有義）地方のヴァルタナカ（婆咀那／婆咀那／婆怛那）城において、「無依所の輪《マンダラ》」という法門を知って、無礙三昧を体得する。

46 金細工師ムクターサーラ（堅固解脱） バルカッチャ（沃田）城において、「無礙の憶念の荘厳」という菩薩の解脱を知り、十方の如来の足下で法を探求する。

47 スチャンドラ（妙月）家長 同じバルカッチャ城において、「汚れなき智の光明」（浄智光明／浄智光明／無垢智光明）という菩薩の解脱を体得する。

48 アジタセーナ（無勝軍）家長 ロールカ（出生／出生／広大声）城において、「無尽の相」という菩薩の解脱を得、仏にまみえる無尽の蔵を体得する。

49 シヴァラーグラ（尸毘最勝／最寂静／最寂静）婆羅門 ダルマ（法／法／達磨）村にお

いて、真実語による決断を行ない、あらゆる目的を成就する。

50 **シュリーサンバヴァ**（**徳生**）**童子とシュリーマティ**（**有徳**）**童女**　スマナームカ（妙意華門）城において、「幻」という菩薩の解脱を得、一切世界は幻なりと見る。

51 **マイトレーヤ**（**弥勒**《みろく》）**菩薩**　一生補処《いっしょうふしょ》の菩薩の「三世《さんぜ》のすべての事物の智に入って忘失しない憶念の荘厳蔵」という解脱を得、善財の願いに応えて、故郷のマーラダ国（摩離／摩羅提／摩羅提）から、サムドラ・カッチャ（海潤／海岸／海岸）国の大荘厳園林の毘盧遮那荘厳蔵という大楼閣に来て、あるがままにすべてのものの本来の姿を示す。

52 **マンジュシュリー**（**文殊師利**）**菩薩**　スマナームカ城（普門城／蘇摩那城／普門国蘇摩那城）にいる善財童子の頭に千ヨージャナのかなたから手を置き、「普賢行《ふげんぎょう》の輪《マンダラ》」に悟入させる。

53 **サマンタバドラ**（**普賢**《ふげん》）**菩薩**　毘盧遮那如来の獅子座の前、大宝蓮華蔵獅子座にいて、善財童子に種々の神変を示し、神変に悟入させ、普賢行の誓願（普賢行願讃）を説く。

梵文和訳

華厳経入法界品

（中）

第十八章　マハープラバ王

そこで善財童子は、㈠その幻の智を憶持《おくじ》し、㈡その幻の菩薩の解脱《げだつ》に心を集中し、㈢その幻の法性《ほっしょう》を観察し、㈣その業《ごう》が幻と等しいことを洞察し、㈤その法が幻と等しいことを思惟《しゆい》し、㈥その法の成熟が変化《へんげ》と等しいことを証悟し、㈦智から現れるかの不可思議の光明に随順し、㈧その幻の無限の誓願の実現を成就し、㈨その無礙《むげ》の(菩薩)行の変化の法性を清浄《しょうじょう》にし、(一〇)その(過去、現在、未来の)三世《さんぜ》の幻の相を熟考しながら、彼は次第に、国から国を訪ね歩き、探しまわり、見まわし、四方、八方の道、窪地、乾地、平坦地、凹凸地、水路、陸路、山、山中の洞窟、村落、都城、都市、国、王国、王都のすべてを心に倦《う》むことなく、身に疲労を覚えることなく、ことごとく探索して、スプラバ大都城の近郊に近づいて、「かのマハープラバ王はどこにおられるのか」と尋ねた。

大衆は彼に告げた。「善男子よ、あれがマハープラバ王の住んでおられるスプラバ大都城です」

そこで善財童子は、スプラバ大都城に近づき、その大都城を見た。見て、またもや、満足し、感動し、喜悦し、歓喜し、喜びと楽しみを生じて、こう考えた。「ここに私の善知識はおられる。今日、私はその善知識にお目にかかり、彼から菩薩行を聞くであろう。菩薩の出離《しゅつり》の門、不可思議な菩薩の法性、不可思議な菩薩の功徳《くどく》、不可思議な菩薩の境界《きょうがい》、不可思議な菩薩の威厳、不可思議な菩薩の三昧《さんまい》の暮らし、不可思議な菩薩の解脱の遊戯《ゆげ》、不可思議な菩薩の大事業の清浄な完成(についてお聞きするだろう)」

このように思惟、思考して、彼はスプラバ大都城の方に近づいた。近づいてスプラバ大都城を見晴かした。

(その都城は)金、銀、瑠璃《るり》、玻璃《はり》、赤珠、瑪瑙《めのう》、琥珀《こはく》という七宝ででき、色とりどりで見て快く、深く水をたたえ、底には金砂が敷きつめられ、天上の青蓮華、赤蓮華、黄蓮華、白蓮華で覆われ、カーラーヌサーリンという栴檀《せんだん》の(粉)泥の混じった水をたたえた七重の(七)宝製の深い濠《ほり》によって周囲が囲まれ、七列の七宝製のターラ樹の並木で周囲が囲まれ、七重の金剛宝石の城壁が四方を取り巻いていた。即ち、師子光明金剛の城壁、無能超勝金剛の城壁、不可沮壊金剛の城壁、精進難伏金剛の城壁、堅固無礙金剛の城壁、勝妙網蔵金剛の城壁、離塵清浄金剛の城壁が取り巻いていた。それらすべての金剛宝石の大城壁は、無量の摩尼宝石《まにほうせき》でちりばめられ、(一)ジャンブ河産の黄金の笠石《かさいし》がまばゆい象牙の列で飾られ、(二)銀の摩尼(の笠石)もまばゆい象牙の列で飾られ、(三)瑠璃の摩尼(の笠石)もまばゆい象牙の列で飾られ、(四)玻璃の摩尼(の笠石)もまばゆい象牙の列で飾られ、(五)珊瑚《さんご》の摩尼(の笠石)もまばゆい象牙の列で飾られ、(六)赤珠(の笠石)もまばゆい象牙の列で飾られ、(七)海蔵真珠の摩尼(の笠石)もまばゆい象牙の列で飾られていた。

その大都城には十ヨージャナの間隔の八つの(大)門があった。(それらの門は)七宝でき、色とりどりで見て快かった。そして、その大都城は縦横ともに広大で、様々な八つの部分に整然と区分され、青い瑠璃でできた大地の上に建設されていた。その大都城の中には十コーティの大街路があり、各々の大街路の両側には種々の宝石ででき、多くの様々な宝石の荘厳《しょうごん》で飾られ、宝石の傘蓋《さんがい》、幢《はた》、幡《のぼり》、旗が立てられ、あらゆる家具に満ちあふれ、多くのニユタ数の衆生《しゅじょう》が住んでいる百千の大きな家が建築されていた。

その大都城は無数の美しい色の摩尼宝石の高楼で飾られていた。即ち、(一)瑠璃の摩尼の網で覆われ、不可思議な宝石の荘厳で飾られた無数のジャンブ河産の黄金の楼閣があり、(二)赤珠の網で覆われ、不可思議な宝石の荘厳で飾られた無数の銀の楼閣があり、(三)妙蔵摩尼の網で覆われ、不可思議な宝石の荘厳で飾られた無数の瑠璃の楼閣、(四)広博妙蔵摩尼王(の網)で覆われ、不可思議な宝石の荘厳で飾られた無数の玻璃の楼閣、㈤日蔵摩尼王の網で覆われ、不可思議な宝石の荘厳で飾られた無数の光照世間摩尼宝石の楼閣、㈥妙光摩尼王(の網)で覆われ、不可思議な宝石の荘厳で飾られた無数のインドラニーラ〔帝青〕の宝石の楼閣、㈦焰光明摩尼王(の網)で覆われ、不可思議な宝石の荘厳で飾られた無数の衆生海摩尼王の楼閣、㈧無能勝幢摩尼王の網で覆われ、不可思議な宝石の荘厳で飾られた無数の金剛の楼閣、㈨天上の曼陀羅華《まんだらげ》の網で覆われ、不可思議な(宝石の)荘厳で飾られた無数の沈水《じんすい》栴檀の楼閣、㈩多種の天上の華の網で覆われ、不可思議な宝石の荘厳で飾られた無数の無等香王の楼閣があり、(それらの宝石の楼閣の各々は)多くの宝石の笠石で飾られ、七重の宝石の欄楯《らんじゅん》で囲まれ、(七重の)宝石のターラ樹の並木で取り巻かれていた。

それらすべての宝石の笠石と宝石のターラ樹は相互に宝石の紐で結ばれ、その宝石の紐のすべては金の鈴の列で飾られ、それらすべての金の鈴の列には色とりどりの宝石の紐の房が結びつけられ、それらすべての宝石の紐の房には宝石の小さな鈴の網がかけられていた。

また、その大都城全体が無数の摩尼宝石の網で普《あまね》く覆われ、宝石の小鈴の無数の網で普く覆われ、天上の香りのする無数の網で普く覆われ、天上の色とりどりの華の無数の網で普く覆われ、宝石の像の（ついた）無数の網で普く覆われ、無数の金剛の天幕で普く覆われ、無数の宝石の天幕で普く覆われ、無数の宝石の傘蓋の天幕で普く覆われ、無数の宝石の楼閣の天幕で普く覆われ、無数の宝石の布の天幕で普く覆われ、無数の宝石の華の華鬘《けまん》の天幕で普く覆われ、種々の宝石の幢や幡が（風に）翻っていた。

そのスプラバ大都城の中央にマハープラバ王の宮殿は造営されていた。周囲は全周で四ヨージャナあり、七宝づくりで、種々の宝石製の七重の欄楯に囲まれ、周りは快く甘美な調べを奏でる宝石の鈴の七重の網で飾られ、七宝製の七重のターラ樹の並木に取り巻かれ、種々の宝石製の不可思議な百千の楼閣の配置によって飾られ、水面は天上の青蓮華、赤蓮華、黄蓮華、白蓮華で覆われ、八種の功徳を具《そな》えた水をたたえ、底は黄金の砂で敷きつめられ、あらゆる宝石の華や果実をつけた樹々で飾られ、四方にはよく調和のとれた宝石の煉瓦が積み上げられた階段のある、多くの宝石でできた蓮池で飾られ、天上の、声の甘美な、美しい種々の群なす鳥がさえずり、神々の王の宮殿に匹敵するものであった。その中央に形のよい、すばらしく、見て快い、無数の摩尼宝石の不可思議な荘厳で燦然と輝く正法の宝庫〔正法蔵〕という衆生楽見摩尼宝石の楼閣がマハープラバ王によって建設されていた。

しかし、善財童子は、㈠宝石の濠に心を惹かれることもなく、㈡宝石の城壁に対し

30

て驚嘆の念をいだくことなく、㈢ターラ樹の並木に魅せられることもなく、㈣宝石の鐘や鈴の網の音に聞きほれもせず、㈤天上の楽器の調べや合唱の甘美な音声に心が捉われることもなく、㈥種々で多彩な宝石の大邸宅や楼閣の観賞に心をとめず、㈦楽しげな男女の群に法悦の喜びを喜び、㈧色、声、香、味、感触の快楽から心は離れ、㈨法の熟思に没頭し、近づいてきた衆生に誰彼となく善知識についてたえず尋ね続けて、次第に都城の交差点に近づいた。近づいて辺りくまなく見まわした。彼は（正法蔵から）あまり遠くない都城の交差点にある塔廟《とうびょう》の堂宇の真中に、青い瑠璃の摩尼宝石の脚をもち、白い瑠璃づくりで獅子の上に置かれ、ジャンブ河産の金線の網で覆われ、天上のそれにまさる色とりどりの宝石の衣がよく敷き重ねられ、無数の宝像の飾りが飾られ、不可思議な摩尼宝石の荘厳をもつ網で覆われ、天上の宝石のさまざまな縞があり、色とりどりのジャンブ河産の金の布の天蓋が広げられ、如意王摩尼宝石の蓮華台をもつ、大荘厳に飾られた吉祥な座席である大きな法座にマハープラバ王が結跏《けっか》して座っているのを見た。（その王の）身体は三十二の大丈夫の相で飾られ、身体の各部は種々の八十種好《はちじっしゅごう》で飾られ、㈠黄金の山のように、種々の宝石の飾りつけが燦然と輝き、㈡太陽の日輪のように灼熱の光がぎらぎら輝き、㈢満月の月輪《がちりん》のように見て楽しく、㈣梵天《ぼんてん》の集会における梵天（王）のようにひときわ輝きまさり、㈤海のように深遠な法と無限の功徳の宝石の集積を具《そな》え、㈥大きな雲のように法の本性の雷鳴を鳴らし、㈦虚空のように法の真理の天体〔星象〕によって飾られ、㈧須弥山《しゅみせん》のように四種の階級の衆生の海の心に影像《ようぞう》を現し、㈨宝島のように表面には智という種々の宝石が敷きつめられていた。

彼の面前には多くの黄金、摩尼、真珠、瑠璃、真珠母、珊瑚、金、銀、宝石の堆積、種々の色の天上の宝石の衣の堆積、多種の天上の宝石の装飾品の堆積、種々の飲食物の堆積、種々の特別に最上の味覚物の集積が別々に割りあてられた場所に整然と置かれているのを見た。

また多くの百千コーティの天上の宝石の車、多くの百千コーティの天上の楽器、多くの百千コーティの種類の天上の香料、多くの病に用いる薬や日用品、多くのふさわしくて非の打ち所ないすべての特別に優れた家具が、望みのままに衆生が享受するように、また、金の角と蹄をもち、真鍮の牛乳入れが用意された多くの百千の乳牛が貧しい衆生たちをもてなすために留め置かれているのを見た。また美しく、可愛らしく、見て快く、あらゆる装身具で身を飾り、天上の衣裳を身にまとい、天上のウラガサーラ栴檀香を身に塗り、六十四種の技芸[1]〔六十四術〕の方法を知り、あらゆる愛の行ないと技巧に通暁した幾百千コーティ・ニユタの女性がいるのを見た。か(の王)の面前におけるように、あらゆる街路、十字路、三叉路、門、市場の入口においても同じで、各々の街路の両側には二十コーティの、あらゆる家具で満ちた高楼が建造されているのを見た。いうまでもなく、衆生をもてなし、衆生を摂取《せっしゅ》し、衆生を喜ばせ、衆生に満足を生じさせ、衆生の心をはればれとさせ、衆生の心を楽しませ、衆生の煩悩《ぼんのう》を鎮め、衆生が法の本来の真実を実行し、衆生が一切智者の状態と同じ事柄を行ない、衆生の他者への加害心を止め、身体と言葉のあらゆる悪行を止め、衆生のいだく邪見の矢を抜き取り、衆生の業道を清浄にするためであった。

そこで善財童子は、マハープラバ王に五体投地によって礼拝し、王の周りを幾百千回となく右遶《うにょう》して、面前に合掌して立って、次のように言った。「聖者よ、私は無上正等覚《むじょうしょうとう》に発心《ほっしん》いたしております。しかし、菩薩はどのように菩薩行を学ぶべきか、どのように修行すべきかを私は知りません。ところで、私は聖者が菩薩たちに教訓と教誡《きょうかい》を与えられると聞きました。聖者は私に、どのように菩薩は菩薩行を学ぶべきか、どのように修行すべきかお教え下さい」

（王は）答えた。「善男子よ、私は大慈の旗印という菩薩行（大慈幢行《だいじどうぎょう》）を清浄にし、実現している。善男子よ、私は幾百と知れぬ仏、幾千と知れぬ仏、幾百千と知れぬ仏、幾百千コーティ・ニユタとも知れぬ仏を初めとし、不可説不可説数に至るまでの諸仏世尊の下でこの大慈の旗印という菩薩行を問い、質問し、清浄にし、荘厳し、観察し、考察し、追求し、探求し、多様化し、広大にした。善男子よ、それゆえに私はこの大慈の旗印という菩薩行を行なって、(一)法によって王国を統治し、(二)法によって世間の人々に恵みを与え、(三)法によって世間を巡行し、(四)法によって衆生を導き、(五)法によって衆生に対処し、(六)法の輪《マンダラ》において衆生を回転させ、(七)法の真理を衆生に説明し、(八)法によって衆生を修習《しゅじゅう》させ、(九)衆生に法の修行を実行させ、(一〇)法の本性の観察に衆生を導き、(一一)慈しみの心、大慈の統御、慈しみの力、利益《りやく》の心、安楽の心、慈愛の心、寵愛の心、衆生を摂取する心、衆生を包んで捨てない心、あらゆる苦しみを除去するという誓願が断絶することのない心に、また絶対的な安楽に安住させる間断なき行ないに衆生を入れるのである。(一二)軽快さと安らかさを生じさせて、それらの(衆生の)身心を爽快にさせ、(一三)輪廻《りんね》の快楽《かいらく》への執着《しゅうじゃく》から彼らの心の蔓《つる》を離れさせ、(一四)彼らの心の相続を法悦や(法)楽に転向させ、(一五)あらゆる煩悩の垢から清浄にさせ、(一六)あらゆる不善の法から清浄にさせ、(一七)輪廻の流れから離れさせ、(一八)法界《ほっかい》の真理の海に転じさせ、(一九)あらゆる生存の境遇への出生を断ち切るために彼らの心の無明《むみょう》を焼き尽くし、(二〇)一切智者性という結果を得させるために彼らの心の芽を生じさせ、(二一)心変りすることなき信力を生じさせるために彼らの心の海を清澄にする。

善男子よ、このように私は(大)慈の旗印という菩薩行を行なって、法によって世間を統治する。善男子よ、私の領国に住む衆生は私の前で恐怖し、おののき、驚倒し、毛髪の逆立つことはない。善男子よ、貧しく、様々な生活の資をもたない衆生で、食物を求め、飲物を求め、衣を求め、乃至《ないし》、(種々の生活の資の)すべてを求めて私の下に来る(すべての者)、彼らに私は、過去に集められた王の宝庫を開いて、「お前たちは取りなさい」と(言って)、取ることを許す。「お前たちが、それが欲しくて悪行——殺生《せっしょう》、与えられないものを取ること、邪淫《じゃいん》の行ない、妄語《もうご》、二枚舌、悪口《あっく》、綺語《きご》、貪欲《とんよく》、瞋恚《しんに》、邪見《じゃけん》(の十不善業《じゅうふぜんごう》)——を行なうか、それとは別の様々な見解に執着するでもあろうもの、(それを)このスプラバ大都城の城門、街路、大街路の入口、十字路、三叉路(に積まれているもの)から、欲しい人が欲しいものを、私が既に与えているのだから、(その欲しいものを)取りなさい」と(言って取ることを許す)。

さらにまた、善男子よ、スプラバ大都城の城内に住む衆生たちはすべて菩薩であり、大乗に進み出ている。(それゆえ)このスプラバ大都城は彼らの志願の清浄さに応じて顕《けん》現《げん》する。即ち、ある人々には狭小(な都城)として(顕現し)、ある人々には広大(な都城)として、ある人々には地面が土でできた(都城)として、ある人々には地面が瑠璃の摩尼宝石で覆われた(都城)、ある人々には土の城壁で囲まれた(都城)、ある人々には無能勝金剛宝石でつくられた大城壁に囲まれた(都城)、ある人々には小石や砂利が厚く撒かれ、起伏が激しく、割れ目や険しい岩石が多い(都城)、ある人々には多くの大きな摩尼宝石で地面が覆われ、(美しく)飾られ、地面が掌のように平坦な(都城)、ある人々には(建物が)土でできた都城、ある人々には無数の宝石の多彩で見て快い住宅、大邸宅、宮殿、楼閣、屋上、櫓、円窓、建物の半月型の装飾、獅子の檻窓のある(都城)として顕現する。城外の住民でも、私がかつて菩薩行を行じていたとき、四摂法《ししょうぼう》によって摂取した、清浄な志願をいだき、善根《ぜんこん》をつくり、多くの仏に奉仕し、一切智者性に向かい、一切智者性を庇護の場所とする者たちには宝石でできた(都城)として顕現するが、それ以外の者には土でできた(都城)として顕現する。

しかし、善男子よ、私の領国に住む衆生たちが、(あらゆる)場所や地域において、(即ち)村落、都城、都市、王国、王都において(命《みょう》、見《けん》、煩悩《ぼんのう》、衆生《しゅじょう》、劫《こう》の)五種の汚れ〔五濁《ごじょく》〕で汚れた(悪)世において、その時代の本性として(心が)乱されて、十の不善業道を行なおうとするとき、そのとき私は彼らへの慈愛のために大慈を主とする世間の人々の能力を回転する〔順世《じゅんせ》〕という菩薩の三昧に入る。善男子よ、私がこの三昧に入るや否や、それらの衆生のかの恐怖、かの悩み、かの確執、かの喧嘩口論、かの心の散乱、かの害意は、いうまでもなくまさにこの大慈を主とする世間の人々の能力を回転するという菩薩の三昧の法性を獲得することによって、鎮まり、寂静《じゃくじょう》し、寂滅し、消滅する。そこで善男子よ、汝が目の当りに見るまで、しばらく待ちなさい」

そこでマハープラバ王はそのとき、大慈を主とする世間の人々の能力を回転するという菩薩の三昧に入った。マハープラバ王がこの大慈を主とする世間の人々の能力を回転するという菩薩の三昧に入るや否や、まさにそのとき、スプラバ大都城はどの場所もどの地域も、村落、都城、都市、国、王国、王都の周辺ともども六種に震動した。それが震動したとき、かの宝石の城壁、宝石の宮殿、宝石の後宮、宝石の家、宝石の住宅、宝石の大邸宅、宝石の楼閣、宝石の櫓上の小塔、宝石の屋上、宝石の円窓、宝石の欄楯、宝石の龕《がん》、宝石の半月型の装飾、宝石の獅子の檻窓、宝石の笠石、宝石の像、宝石の天幕、宝石の紐に通された小鈴の網、宝石の鐘、宝石の幢、宝石の幡、宝石のターラ樹も普く動き、普く吼え、普く震えた。そして、それらは普く震え、愛らしい、快い、聞いて楽しい音を響かせながら、マハープラバ王の方に向かって身を屈めて礼拝した。スプラバ大都城の中に住む(衆生たち)、彼らのすべては、心が歓喜と満足で満たされ、マハープラバ王のおられる方に向かって全身で礼拝した。彼の領国に住む衆生たち、すべての村落、都城、都市、国、王国、王都に(住む衆生たち)、彼らもすべて身心ともに爽快で、歓喜と満足を生じ、マハープラバ王のおられる方に向かって礼拝した。畜生道に属する衆生のすべても、相互に慈しみの心をいだき、利(他)の心をいだき、マハープラバ王のおられる方に向かって礼拝した。山の頂やその他の高い地所、そのすべてもマハープラバ王のおられる方に向かって礼拝した。華樹、果樹、葉樹、種子の集積、成木の群、穀物、草、茂み、薬草、森の巨木、そのすべてもマハープラバ王のおられる方に向かって礼拝した。彼の領国内にあるすべての泉、湖、貯水池、池、流れ、河、蓮池、井戸、それらすべてがマハープラバ王のおられる方に向かって激流を発した。

また、一万の龍王たちは、多様な叉状《さじょう》電光の光を閃《ひらめ》かせ、雷鳴を轟かせ、微細な香水《こうずい》のほとばしる大きな黒い沈水香の(煙霧の雲)塊をもった香水の雲によって雨を四方に降りそそぎ、帝釈《たいしゃく》、忉利《とうり》、兜率《とそつ》、善変化《ぜんへんげ》、(他化《たけ》)自在天王《じざいてんのう》を主とする一万の天子たちは、中空にあって威神力《いじんりき》によって天穹《てんきゅう》を、(一)百千コーティ・ニユタの天上の楽器の雲を演奏し、(美しい旋律が)広汎に鳴り渡る楽の音で飾り、(二)無数のアプサラス天女の群の天上の合唱の雲の、音声の快い甘美な響きで飾り、(三)無数の天上の多彩な宝石の華の雲からの散華《さんげ》で飾り、(四)種々の色をもった天上の香料の雲から降る無数の(香雨)で飾り、(五)天上の宝石製の色とりどりの華鬘の雲から降る無数の(華鬘の雨)で飾り、(六)色とりどりの抹香の雲から降る無数の(抹香の雨)で飾り、(七)天上の宝石製の色とりどりの装飾品の雲から降る無数の(装飾品の雨)で飾り、(八)天上の宝石製の種々の無垢で微細で多様な色の衣の雲から降る無数の(衣の雨)で飾り、(九)天上の宝石製の様々な色とりどりの傘蓋の雲から降る無数の(傘の雨)で飾り、(一〇)天上の獅子の愛好物という宝石製の幢の雲から降る無数の(幢の雨)で飾り、(一一)天上の宝石の光の火焰を放つという宝石製の幡の雲から降る無数の(幡の雨)で飾った。マハープラバ王を供養するためであった。

アイラーヴァナ大象王は不可思議な象の王者としての尊厳と神変《じんぺん》を現す能力によって、天穹全体を、(一)天上の種々の宝石製の無数の蓮華の雲で包まれたものとして威神力で現しだし、天穹全体を、(二)無数の天上の摩尼宝石の瓔珞《ようらく》がかけられ、(三)無数の天上の宝石の絹布、帯、紐が飾りとしてかけられ、(四)無数の色とりどりの天上の宝石の華鬘の紐が飾りとしてかけられ、(五)無数の色とりどりの天上の宝石の装飾品の華鬘が飾りとしてかけられ、(六)無数の色とりどりの天上の宝石の華の紐をかけて飾りとし、(七)無数のあらゆる方角に充満する芳香を放つ種々の色の天上の香料の王の雲に包まれていることを飾りとし、(八)無数の天上の宝石製の衣から成る種々の色の雲から降る(衣の雨)で飾られ、(九)無数の天上の薫香の煙霧の(雲)塊をもつ雲から降る(香雨)で飾られ、(一〇)無数の天上の種々の色をした抹香の雲から微細に煙る(抹香の雨)で飾られ、(一一)無数のアプサラス天女の群による天上の楽器を用いた合唱の甘美で快い音声で歌われた賞讃の雲に包まれた(音声の雨)を降らすことで飾られたものとして、威神力で現しだした。

無数の百千のラークシャサの王たちは、大洋に住む者も、四州から成る世界の依り所である地表に住む者も、肉や血を貪る者も、魚、野獣、家畜、鳥、牛、馬、象、驢馬《ろば》、男女の群の吸精鬼も、心に邪悪な企みをもつ者も、常にすべての世の衆生に危害や傷害を加える者もすべて、最高の慈愛と利(他)の心を具え、大変明るい顔色をし、すべての世の衆生を害せず傷つけぬことのみを心がけ、後世をおもんぱかり、合掌して、最高の歓喜の心をいだいて、マハープラバ王のおられる方に向かって礼拝し、比類のない広大な身心の安らぎを体験した。

多くの百千のヤクシャ、クンバーンダ、ピシャーチャ、(2) ブータの君主たちも最高の慈愛と利(他)の心をいだき、大変明るい顔色をし、あらゆる衆生を害せず傷つけぬことのみを心がけ、後世をおもんぱかり、合掌して、最高の歓喜の心をいだいて、マハープラバ王のおられる方に向かって礼拝し、比類のない広大な身心の安らぎを体験した。同じようにすべての四州から成る世界において、すべての衆生は、あらゆる恐怖、災厄、悩み、確執、喧嘩、口論、心の散乱、害意が鎮まり、寂静し、静止し、停止し、消滅した。四州から成る世界におけるのと同じように、すべての三千大千世界を初めとして十方《じっぽう》にある十百千コーティ・ニユタ世界にいるすべての衆生のあらゆる恐怖、災厄、不幸、確執、喧嘩、口論、心の散乱、邪悪な害意が鎮まり、寂静し、静止し、停止し、消滅した。

40 いうまでもなく、それは大慈を主として世間の人々の能力を回転するという菩薩の三昧の法性の体得によってである。

そこでマハープラバ王は、その三昧から立ち上がって、善財童子にこう語った。「善男子よ、私はこの大慈を旗印とするという菩薩行の智の光明の門を知っているが、菩薩方は、(一)すべての世界の安楽への願いに満ちているので、大慈の無量の傘蓋であり、(二)無差別に従者とするので、すべての世の衆生を従者とし、(三)上《じょう》(品《ぼん》)、中《ちゅう》(品《ぼん》)、下《げ》(品《ぼん》の人々に)平等に働きかけることによってすべての世の衆生の救護を実行し、(四)すべての世の衆生の支持を行なうので、大地のような慈愛の心を具え、(五)福徳と智の光明がすべての世の衆生に平等に広がるので、満月の月輪と等しく、(六)すべての智の対象を智の光によって照らし出すので、太陽の日輪に等しく、(七)すべての衆生の心の濃い闇黒を一掃するので、大燈明《だいとうみょう》にも似たものであり、(八)すべての衆生の心の湖から欺《ぎ》瞞《まん》や奸詐《かんさ》の濁りを払拭するので水清摩尼宝石のようであり、(九)すべての衆生の願いや誓願を叶えるので如意王摩尼宝石のようであり、(一〇)(速かに)すべての衆生を三昧と等《とう》至《じ》の宮殿と一切智者性の大都市に安住させるので、大風のような方々である(から)、どうして私に(その菩薩方の)行を知り、功徳を語り、福徳の山を量り、功徳の星群がちりばめられた虚空を見上げ、大きな誓願の風輪の限界を限り、法の平等性の力を量り、大乗の荘厳の賞讃を述べ、普賢行《ふげんぎょう》の道《ナヤ》の特色を説き、菩薩の三昧の修習の大きな門扉を開き、大悲《だいひ》の雲を賞嘆することができようか。

行け、善男子よ。この同じ南の地方にスティラー〔安住《あんじゅう》〕という王都があり、そこにアチャラー〔不動《ふどう》〕という優婆夷《うばい》が住んでいる。彼女の下に行って、菩薩はどのように菩薩行を学び、どのように修行したらよいかを尋ねなさい」

そこで善財童子は、マハープラバ王の両足に頂礼《ちょうらい》し、王の周りを幾百千回となく右遶して、何度も仰ぎ見たうえで、マハープラバ王の下を去った。

第十九章　アチャラー優婆夷

そこで善財童子は、スプラバ大都城を出立し、しばしの間、道に沿って歩いて、(一)マハープラバ王の教誡を思いめぐらし、(二)かの大慈の旗印という菩薩行の道《ナヤ》を憶念し、(三)世間の人々の能力を回転する大きな三昧の門の光明を修習し、(四)菩薩の身体の清浄に飾られたかの不可思議な種々の獅子座の荘厳を実現し、(五)かの不可思議な菩薩の誓願と福徳の最勝力を増大し、(六)菩薩が衆生を成熟させるかの不可思議な智の体系《ナヤ》を堅固にし、(七)かの不可思議で不共《ふぐう》の菩薩の威厳のある享受について思いめぐらし、(八)かの不可思議な菩薩の上品性を形状として(心に描き)、(九)菩薩が衆生を成熟させるかの不可思議な清浄さを憶念し、(一〇)かの不可思議で清浄な菩薩の従者の完全さを思惟し、(一一)菩薩が衆生の行為を深く瞑想するかの不可思議な光の道に深信《じんしん》をいだいているとき、心に喜びと晴ればれとした気持ちがほとばしり、歓喜せる心、高揚せる心、愉悦せる心、濁りなき心、清く輝く心、堅い(決)心、広やかな心、無尽の心を獲得した。

彼はこのように、善知識に心をとどめ、心を傾注することに努め、感涙を流し、（次のように）考えた。「ああ、善知識にまみえるこのことは、あらゆる功徳の宝石の鉱脈であり、あらゆる菩薩行の浄化の完成（の原因）であり、すべての菩薩の憶念を清浄にし、すべての菩薩の陀羅尼《だらに》の輪《マンダラ》を浄化し、菩薩のあらゆる三昧の光明を産みだし、あらゆる仏にまみえることの獲得を生じ、あらゆる仏の法の雲から雨を降らせ、あらゆる菩薩の誓願の真理《ナヤ》を教示し、不可思議な智慧と智の光明を産みだし、菩薩の強固な能力《インドリヤ》の芽〔根芽《こんが》〕を育てて下さる。

善知識方は私があらゆる悪しき境遇へ転落して行くことから救護される方、善知識方は私が法の平等性の真理に随順するように導かれる方、善知識方は私に平坦と険阻な道を指示される方、善知識方は私に大乗を教示される方、善知識方は私に普賢菩薩行を勧告される方、善知識方は私に一切智者性の都城への道を教えられる方、善知識方は私を一切智者性の都城に案内される方、善知識方は私を法界の真理の海に入れられる方、善知識方は私に三世にある認識対象の海の真理を見せられる方、善知識方は私にあらゆる聖者の集団の輪を示される方、善知識方は私の清浄なすべての徳性〔法〕を増大される方です」

彼がこのように涕泣《ていきゅう》し慟哭《どうこく》し、感泣していると、天穹にいる神々の群と（彼に）常に付き従って、燃え上がらせる仏の使者である菩薩の神々はこう語った。「善男子よ、善知識の教誡を修行した菩薩に諸仏世尊は好意をいだき、善知識の言葉に違反しない境地にいる菩薩に一切智者性が近づき、善知識の言葉に疑惑をいだかない菩薩に善知識が近づき、善知識へ留意を欠かさない菩薩にはあらゆる利益が現前する。

善男子よ、スティラー王都のアチャラー優婆夷の下に行きなさい。あなたは彼女から菩薩行を聞くであろう」

そこで善財童子は、かの三昧の智の光の中から出で立って、次第に、スティラー王都の方に近づき、アチャラー優婆夷を探し求めた。大衆はみな彼に告げた。「善男子よ、その優婆夷のアチャラーは自分の家で父母と一緒に暮らし、子供であるが、自分の一族の群に囲遶《いにょう》されて、大衆に法を説いています」

そこで善財童子は、大きな喜び、晴ればれとした気持ち、歓喜で心が満たされた。彼はアチャラー優婆夷の家に近づき、近づいて、アチャラーの家の戸口に立つと、その家全体が身心を爽快にする黄金の色をもった光によって満たされ輝いているのを見た。

善財童子がその光を浴びるや否や、(彼は)あらゆる感受の自在な統御の旗印という三昧をはじめとし、寂静に入る三昧をはじめとし、すべての衆生を離れる三昧をはじめとし、普く公正に見る眼をもつ三昧をはじめとし、如来の宝庫の三昧をはじめとする、数にして五百の三昧門に入った。(それらの三昧門はすべてみな)玄妙で柔軟であった。たとえば最初に母胎に入った識《しき》のように、そのように微細で柔軟なこれらの三昧の門が生じた。

また、(彼は)次のような芳香を嗅いだ。それは神々の(香り)でもなく、神々の娘のでもなく、龍、龍の娘、ヤクシャ、ヤクシャの娘、ガンダルヴァ、ガンダルヴァの娘、アスラ、アスラの娘、ガルダ、ガルダの娘、キンナラ、キンナラの娘、マホーラガ、マホーラガの娘、人間、人間の娘のでもない(芳香であった)。

彼女の容色に匹敵する女性は十方の世界におらず、ましてや凌駕する者がいないことはいうまでもなかった。如来の色の輝きと灌頂《かんじょう》を受けた菩薩(1)の色の輝きを別にすれば、彼女の色の輝きに匹敵する色の輝きは十方の世界に存在しないし、まして凌駕するものがないことはいうまでもなかった。如来の体軀や容姿と灌頂を受けた菩薩の体軀や容姿を別にすれば、彼女の体軀や容姿に匹敵する体軀や容姿は十方の世界に存在しないし、まして凌駕するものがないことはいうまでもなかった。如来の光明の荘厳や灌頂を受けた菩薩の光明の荘厳を別にすれば、彼女の光明の荘厳に匹敵する光明の荘厳は十方の世界に存在しないし、まして凌駕するものがないことはいうまでもなかった。彼女の口中から発する芳香に匹敵する香りは十方の世界の神々の宮殿にも、龍、ヤクシャ、ガンダルヴァ、アスラ、ガルダ、キンナラ、マホーラガ、人、鬼神の宮殿にも存在しないし、まして凌駕するものがないことはいうまでもなかった。如来の生計の資や灌頂を受けた菩薩の生計の資を別にすれば、彼女の住宅の荘厳や生計の資に匹敵する住宅の荘厳や生計の資は十方の世界に存在しないし、まして凌駕するものがないことはいうまでもなかった。如来の従者の完全さや灌頂を受けた菩薩の従者の完全さを別にすれば、彼女の従者の完全さに匹敵する従者の完全さは十方の世界に存在しないし、まして凌駕するものがないことはいうまでもなかった。

アチャラー優婆夷を愛欲の心で見つめることのできる衆生は、十方の世界の衆生の集団の中に一人もいなかった。アチャラー優婆夷を見るや否や煩悩が鎮まらないような衆生は、十方の世界にいる衆生の集団の中にもいなかった。十百千の自在者である大梵天(王)には欲界《よっかい》の煩悩が起こらないように、それとまったく同じように、アチャラー優婆夷を見るや否や、衆生たちには煩悩は起こらなかった。智慧に満ち足りた者を別にすれば、アチャラー優婆夷を見てすぐ飽いてしまうような衆生は、十方の世界における衆生の集団の中にも存在しなかった。

そこで善財童子は、合掌して、アチャラー優婆夷の不可思議な身体の威徳力、不可思議な形、色、形態、体軀、あらゆる地表、都城、大山に妨げられない不可思議な光の網の荘厳を見て、あらゆる毛孔から発して衆生の利得を行なう不可思議な芳香を嗅ぎ、無限の従者の完全さを見、住いの大邸宅の荘厳の抗い難い完全さを見つめ、無量の功徳の海に沈潜して、アチャラー優婆夷を次の詩頌《しじゅ》で讃えた。

あなたは常に無垢の戒を守り、非常に広大な忍辱《にんにく》を修習し、あなたは金剛のように堅い精進を保っておられる。ですから、あなたは山《アチャラ》の王のように世間を超出して輝いておられます。

そこで善財童子は、アチャラー優婆夷をこの詩頌で賞讃したうえで次のように言った。「聖者よ、私は無上正等覚に向けて発心いたしておりますが、菩薩はどのように菩薩行を学ぶべきか、どのように修めるべきかを知りません。ところで、私は聖者が菩薩たちに教訓と教誡を与えられると聞きました。ですから、聖者は私に、菩薩がどのように菩薩行を学ぶべきか、どのように修めるべきかお教え下さい」

そこでアチャラー優婆夷は、柔らかく快く愛らしい菩薩の言葉で善財童子に親しく挨拶を返したうえで、次のように語った。「善いことです、善いことです、善男子よ、あなたが無上正等覚に向けて発心したとは。善男子よ、私は無敵の智の蔵〔智慧蔵《ちえぞう》〕という菩薩の解脱を得ています。堅い誓いに基づく菩薩行の門を学び、あらゆる法の平等性の位の陀羅尼門を得ております。私はあらゆる法の地平を明らかに示す弁才の智の光明の

48

門に入り、倦むことなき法の追求の荘厳という三昧門を得ております」

（善財は）問う。「聖者よ、その無敵の智の蔵という菩薩の解脱門の境界はどのようなものでしょうか。堅い誓いに基づく菩薩行の門、あらゆる法の平等性の位の陀羅尼門、あらゆる法の地平を明らかに示す弁才の智の光明の門、倦むことなき法の追求の荘厳という三昧門の境界はどのようなものでしょうか」

（アチャラーは）答える。「善男子よ、この事柄は信じ難いものです」

（善財は）問う。「聖者よ、説明して下さい。私は仏の威力と善知識の援助によって信じ、悟入し、理解し、考察し、随順し、瞑想し、観察し、吟味し、修習し、違背せず、分別せず、妄想せず、等しくするでしょう」

そのとき、アチャラー優婆夷は善財童子に次のように語った。「善男子よ、昔、過去《かこ》世《ぜ》に、ヴィマラ・プラバ〔離垢光〕という劫《こう》に、プラランバ・バーフ〔修臂〕という名の如来が世間に出現されました。そのとき、私はヴィデュッド・ダッタ〔電授〕王の一人娘でした。その私は、夜の静寂の中で、王城の門は閉ざされ、父母も休み、男女の群も眠り、鐃《にょう》やターラーヴァチャラ打楽器の音も止み、私と行をともにする五百人の女性も眠ったとき、寝具の上にいて、天穹を星群が運行する夜（空）を眺めていますと、（そのとき）上空に多くの神々、龍、ヤクシャ、ガンダルヴァ、アスラ、ガルダ、キンナラ、マホーラガの従者や、不可思議な無数の菩薩の集団に囲遶された、かの如来・応供《おうぐ》・正等覚のプラランバ・バーフ世尊が山の王、須弥山のように、あらゆる方角に妨げられない光網で身体を包んでおられるのを見ました。その如来のすべての毛孔からは、私が身心ともに爽快になり、心が歓喜するような、そのような芳香が漂いました。寝具の上から立ち上がり、十指《じっし》を合わせて合掌し、地上に降り、その世尊・応供・正等覚のプラランバ・バーフ如来に礼拝したうえで彼の頭頂を見つめていましたが、私は果てを見出すこともできず、左右の点でも大きさを知ることができず、(三十二)相と(八十種)好の完全さに思いを凝らして飽きることがありませんでした。善男子よ、その私に次のような考えが浮かびました。

いったい、どのような行ないをなさって、このような身体の完全さを得られ、相好《そうごう》の完全さを生じられ、光の荘厳の完全さを生じられ、従者の完全さを実現され、心でできた宮殿の享受の完全さを現しだされ、福徳の完全さを生じられ、智の完全さを清浄にされ、不可思議な三昧の神変の完全さを成就され、陀羅尼の完全さを完成され、弁才の完全さを自在に統御されるようになられたのであろうか、と。

そのとき、善男子よ、かの世尊、プラランバ・バーフ如来は私の道心を知って、こう説かれました。「娘よ、あなたはあらゆる煩悩を除くために無敵の心を起こしなさい。

あらゆる執着を離れるために不敗の心を、深遠な法の真理《ナヤ》をさとるために畏縮せぬ心を、邪悪な願いをいだく衆生の海の渦巻に落ちても動揺せぬ心を、あらゆる生存の境遇への出生の場所においても迷わない心を、あらゆる仏にまみえようとの願望が止むことなく続くために飽くことのない心を、あらゆる如来の雲のような法を受容するために決して満足してしまわない心を、あらゆる仏の法の真理の光明を会得するために沈思の心を、あらゆる如来の法輪を保つために保持の心を、如来の口から発せられた〔言葉の〕知識はいうまでもなく、世間の慣用的な言葉で得られた〔知識〕にでさえも迷わぬ心を、娘よ、あなたは願いのままにすべての衆生に法の宝をことごとく分ち与えるために、分ち与える心を起こしなさい」

善男子よ、それゆえ私はその世尊・応供・正等覚のプラランバ・バーフ如来の下で、このような法の真理に関する教誡の門を聴聞し、一切智者の智を欲求し、十力《じゅうりき》の境地を求め、仏の弁才を切望し、仏の光明の荘厳を清浄にしようと欲し、仏の身体の完全さを完成しようと欲し、仏の相好の清浄を欲求し、仏の説法会《せっぽうえ》の完全さを求め、仏国土の清浄を切望し、仏の威厳ある起居動作〔威儀〕の完全さを欲求し、仏の寿量《じゅりょう》の完全さを希求し、あらゆる煩悩、あらゆる声聞《しょうもん》、独覚《どっかく》によっても損なわれず、すべての山や武器の力をもってしても刃の立たない金剛のような心を起こしています。

善男子よ、(一)そのときからこのかた、この発心(の力)によってジャンブ州の微塵《みじん》の数に等しい劫の間すらも、私は交接はいうまでもなく、愛欲を享受することをまったくしていません。善男子よ、(二)そのときからこのかた罪なき他の衆生の中ではいうまでもなく、自分の親族の中でも憤怒の心を一度たりとも起こしたことはありません。(三)そのときからこのかた、自我ありとの見解を伴った心を起こしたことは一度たりともありません。それ以外の、家具に対する私のものという執着はいうまでもありません。私は、意識しているときはいうまでもなく、死ぬとき、再生するとき、母胎にいるときでさえも、心の迷いによる種々性の想念をいだいたり、心の空白状態に陥ったことはありません。それほど多くの劫の間、私は一人の仏にまみえることを、夢で見る幻影としてでさえも失念したことはありませんから、菩薩の十種の眼〔十眼《じゅうげん》〕(の見る)影像として得られた(仏のお姿)についてはいうまでもありません。(四)そのときからこのかた、私はあらゆる如来の雲のような法を受け取っているのですが、(その)教えの一句(一)文をも、(日常的な)言葉に(分節)されたものでさえも、心で忘却したことはありませんから、如来の言葉の宝庫〔金口《こんく》〕から現れたものについてはいうまでもありません。(五)そのときからこのかた、私はそれほど大きな教えの海を飲みほしていましたが、(その教えの)一句も、世間の事象〔法〕に関するものでさえ熟考しなかったり観察しなかったりしたことはありません。(六)そのときからこのかた、それほど多くの法の真理の海の中で、私がそれに関して三昧を成しとげなかったような、法の真理の門は世間的な技術の知識の真理に関するものでさえも、一つもありません。(七)そのときからこのかた、それほど多くの如来方の法輪《ほうりん》を保持していますが、保持している通りに一句(一)文をも、衆生の教化《きょうけ》のためでなければ、(除去することが)構文上の知識に適っている場合でも、落としたことはありません。(八)そのときからこのかた、それほど多くの仏にまみえる海の中で、私がすべての衆生の海の清浄のために果たさなかった誓願は、変化(身)の仏〔化仏《けぶつ》〕の誓願に従事する場合でさえも一つもありません。(九)そのときからこのかた、それほど多くの仏の海の中で過去の菩薩行の海の中の菩薩行で、私が自己の行の清浄のために成就しなかったものは一つもありません。(一〇)そのときからこのかた、(私の)視界に入った衆生で、私が無上正等覚に励まさなかった者は一人もおりません。(一一)そのときからこのかた、声聞や独覚への思惟と結びついた発心を一度でも生じたことはありません。善男子よ、(一二)そのときからこのかた、ジャンブ州の微塵の数に等しい劫の間、一句一文にさえも疑問を起こしたり、疑惑〔二想《にそう》〕、分別の意識、種々性の意識、解らないという意識、優劣の意識、愛憎の意識を起こしたことはありません。

善男子よ、それゆえ私はその後、諸仏の出現と離れたことはありません。諸仏世尊と離れず、菩薩方と離れず、真の善知識方と離れず、仏の誓願の聴聞と離れず、菩薩行の聴聞と離れず、菩薩の波羅蜜《はらみつ》の道《ナヤ》の聴聞と離れず、菩薩地の智の光明の真理《ナヤ》の聴聞と離れず、菩薩の陀羅尼と三昧の無尽の蔵、宝庫に関する聴聞（の機会）を得ることと離れず、周辺も中央もない世界の網に入る入り方《ナヤ》の聴聞と離れず、周辺も中央もない衆生界の生起の原因を聴聞（する機会）を得ることと離れず、あらゆる衆生の煩悩の網の輪《マンダラ》を滅尽する智の光明と離れず、あらゆる衆生の善根の生起の原因の智の獲得と離れず、あらゆる衆生の願いに適った身体を示現《じげん》することと離れず、あらゆる衆生を教育する音声の輪の清浄と離れたことはありません。

善男子よ、私はこの無敵の智の蔵という菩薩の解脱門とこの倦むことなきあらゆる法の追求の荘厳という三昧門に到達しており、この堅い誓いに基づく菩薩行の門を熟慮し、このあらゆる法の平等性の位の陀羅尼門やこのあらゆる法の地平《タラ》を明らかに示す弁才の智の光明の門を熟考していますので、不可思議な奇蹟があるのです。善男子よ、あなたはそれを目の当りに見ることを欲しますか」

（善財は）答える。「聖者よ、見たいと思います」

そこでアチャラー優婆夷は、座ったままで、無敵の智の蔵という菩薩の解脱門を初めとし、飽くことなきあらゆる法の追求の荘厳という三昧門を初めとし、空しくない（法の）輪《マンダラ》の荘厳という三昧門を初めとし、十力の智の輪に向かう三昧門を初めとし、仏の系譜の尽きない宝庫の三昧である解脱門を初めとした十百千の三昧門を観察し、考察し、随順し、瞑想した。

アチャラー優婆夷が三昧に入るや否や、善財童子は十方にある十不可説数の仏国土の微塵の数に等しい世界が六種に震動し、清浄な瑠璃でできているのを見た。各々の世界にある百コーティの四大州《しだいしゅう》から成る世界に百コーティの如来がおられるのを見た。ある（如来）は兜率天《とそってん》のすばらしい宮殿におられ、乃至、ある（如来）はまさに涅槃《ねはん》されているのを見た。いうまでもなく、清浄な瑠璃でできた世界に障害がないから（見えるのである）。一人一人の如来があらゆる法界を満たす光線の網と光の輪を具え、一人一人の如来がきわめて整然とした説法会の海（に囲遶されている）のを見、一人一人の如来の、音声の輪があらゆる法輪を明らかに教示し、あらゆる衆生の耳に知らしめているのを聞いた。

そこでアチャラー優婆夷は、その三昧から立ち上がって、善財童子にこう語った。

「善男子よ、あなたは見ましたか、聞き、知りましたか」

（善財は）答えた。「聖者よ、見ました。聞き、知りました」

（アチャラーは）語った。「善男子よ、私はこのように堅い誓いに基づく菩薩行を学び、倦むことなきあらゆる法の追求の荘厳という三昧に入り、無敵の智の蔵という菩薩の解脱門に安住し、あらゆる法の平等性の位の陀羅尼門をさとり、あらゆる法の地平を明らかに示す弁才の智の光明に巧みなすばらしい話によってすべての衆生を満足させますが、(菩薩方は)(一)最も優れた鳥〔烏灑婆鳥《うしゃばちょう》〕のように天穹において止宿する所なく遊行《ゆぎょう》し、(二)大ガルダ王のように充分に菩提《ぼだい》に成熟した衆生を救出するためにすべての衆生の海に潜り、(三)貿易商のように十力の智という宝石を求めて一切智者性の宝島に行き、(四)力ある漁師のように(聞いて)快い法輪の輪《マンダラ》の網を手にして、渇愛(の水)から生じた衆生を成熟させ救出するために輪廻《りんね》の海に入り、(五)神々の王のように煩悩のアスラの拡大する騒擾《そうじょう》を鎮めるために三界《さんがい》の都市に一面に広がって行き、(六)日輪のように衆生の渇愛の水の煩悩の泥を乾かすために法界の天穹に昇り、(七)満月の月輪のように教化されるべきものの心の紅蓮華《ぐれんげ》を開華させるために智の虚空に昇り、(八)地表のようにあらゆる衆生の善き機根《きこん》の芽〔根芽〕を育て生長させるために愛憎の上り下りの平坦でない世間において平等を保って存在し、(九)風のようにあらゆる衆生の煩悩の樹木の森や妄見の蔓草の園を根絶するために妨げられることなくあらゆる方角を遊行し、(一〇)転輪《てんりん》(聖《じょう》王《おう》)のように、四種の(衆生を)摂取するもの〔四摂事《ししょうじ》〕である日用品や家具によってすべての衆生をひきつけるために世間を遊行されます。(そういう)不可思議にして無量の功徳を具備された菩薩方の行を知り、功徳を語ることがどうして私にできましょう。行きなさい、善男子よ。この同じ南の地方にあるアミタ・トーサラ〔無量都薩羅《むりょうとさら》〕という国にトーサラ〔都薩羅《とさら》〕という都城があり、そこにサルヴァガーミン〔遍行《へんぎょう》〕という遊行者が住んでいます。彼の下を訪ねて、菩薩はどのように菩薩行を学ぶべきか、どのように修めるべきか尋ねなさい」

そこで善財童子は、アチャラー優婆夷の両足に頂礼し、彼女の周りを幾百千回となく右遶して、何度も仰ぎ見たうえで、彼女の下を去った。

第二十章　遊行者サルヴァガーミン

そこで善財童子は、アチャラー優婆夷を心にありありと思い描き、アチャラー優婆夷の教誡を憶念し、アチャラー優婆夷が説き、聞かせ、教え、讃え、総合し、分析し、修習し、展開して説いた、そ(のすべて)を信受し、随順し、熟考し、悟入し、修習し、沈潜し、沈思し、輝かせ、等しくしながら、次第に場所から場所へ、国から国へ順に経めぐり、通過して、アミタ・トーサラ国に向かっていった。近づいて、トーサラ都城を尋ね探しながら、ようやくトーサラ都城に到着した。日没時に彼はトーサラ都城に入って、都城(の中央)の交差点の真中に立って、道の門から道の門、十字路から十字路、馬車道から馬車道を遊行者サルヴァガーミンを探し求めて歩きまわっていると、トーサラ都城の北の方角にスラバ〔善得《ぜんとく》〕という名の山があり、その(山の)種々の草、灌木、薬草、樹林の遊園が設けられている峰に、大光明が夜の静寂の中にあるのを見出した。(それは)あたかも太陽が昇ったかのようであった。その光明を見て、彼は広大な歓喜の衝動を起こしてこう考えた。私は疑いもなくこの山の峰で善知識に会えるであろうと。

彼はその都城を出て、スラバ山のある所へ近づき、スラバ山に登って、かの大光明のある山の峰に近づくと、彼は遠くからさえも、大梵天（王）にまさる顔色をし、威光で光り輝き、一万の梵天に囲遶され、経行所《きんひんしょ》で経行している遊行者サルヴァガーミンを見た。（彼の下に行って、善財は）彼の両足に頂礼し、彼の周りを幾百千回となく右遶したうえで、面前に合掌して立ち、次のように言った。「聖者よ、私は既に無上正等覚に向けて発心いたしておりますが、私はどのように菩薩は菩薩行を学ぶべきか、どのように修めるべきか知りません。私は聖者が菩薩たちに教訓と教誡を授けられると聞きました。聖者はどのように菩薩は菩薩行を学ぶべきか、どのように修めるべきか私にお教え下さい」

（サルヴァガーミンは）答えた。「善いかな、善いかな、善男子よ。あなたが無上正等覚に進み出ているとは。善男子よ、私はサルヴァガーミン、即ち遍行者で、あらゆる（衆生）に合わせる（至《し》一切処《いっさいしょ》）菩薩行を行なって、普門を観察する光明という三昧門、無を依り所とし、業をつくることのない神通力《じんずうりき》、および普く法界の地平を貫く（普門法界際）般若波羅蜜《はんにゃはらみつ》の智の光明の門を具えている。善男子よ、それゆえに私は、あらゆる衆生（世間）と（環境である）器世間《きせけん》の観察、あらゆる衆生の境遇の観察、あらゆる衆生の死の門、あらゆる衆生の生の門、あらゆる異なる生存の境遇において、種々の出生の場所、様々な世間の住処にいて、様々な色、形、体軀をもち、様々な生の枷《かせ》に縛られ、様々な行ないをし、様々な深信をいだく衆生たち、即ち神々の境遇に属し、龍の境遇に属し、ヤクシャの境遇に属し、ガンダルヴァの境遇に属し、アスラの境遇に属し、ガルダの境遇に属し、キンナラの境遇に属し、マホーラガの境遇に属し、地獄の境遇に属し、畜生の境遇に属し、餓鬼の境遇に属し、人の境遇に属し、鬼神の境遇に属し、種々の見解に依拠し、声聞乗を信じ、独覚乗を信じ、大乗を信じる衆生たちの利益を、種々の方便と種々の智の道理《ナヤ》の適用によって図る。たとえば、㈠種々の技術の知識をすべてもつ陀羅尼の光明によって種々の世間的な技術を教えることで、ある衆生たちの利益を図り、㈡一切智者に導くために、四摂法の実行によって、ある衆生たちの利益を図り、㈢波羅蜜を賞讃することによって、即ち一切智者性に回向《えこう》する智の真理《ナヤ》の光明を生じさせることによって、ある衆生たちの利益を図り、㈣菩提心を賞讃することによって、即ち菩提の芽が滅しない基盤を生じさせることによって、ある衆生たちの利益を図り、㈤あらゆる仏国土の浄化とすべての衆生の成熟との誓願を立てさせるために、あらゆる様相の菩薩行を賞讃することによって、ある衆生たちの利益を図り、㈥不安を募らせることによって、即ち悪行の異熟《いじゅく》と等流《とうる》による地獄の境遇の苦しみをなめる経験を説き示すことによって、ある衆生たちの利益を図り、(七)大きな歓喜を起こさせることによって、即ち如来に対して植えられたすべての布施《ふせ》の功徳が必ず一切智者性という結果に終ることを語ることによって、ある衆生たちの利益を図り、(八)仏の功徳と身体を求めて一切智者性への誓願をたてさせるために、あらゆる如来の功徳と外観を説示することによって、ある衆生たちの利益を図り、(九)不退転で作意なく絶えまなき仏の行ないを遂行する能力のある仏の身体の獲得への欲求を生じさせるために、仏の尊厳を教示することによって、ある衆生たちの利益を図り、(一〇)圧倒されることのない仏の身体の完成を得ようという願いを起こさせるために、仏の最勝力を説示することによって、ある衆生たちの利益を図る。

善男子よ、さらに私はこのトーサラ都城にあるすべての馬車道、すべての十字路、すべての交差点、すべての道の門、すべての家、すべての街路、すべての住宅、すべての居住地において、集まって来た男女、童子童女に応じ、(彼らの)願いに応じ、行ないに応じ、最勝力に応じ、理解力に応じて、彼らと同じ身体、体格、形態を実現して、私は法を説くが、しかしそれらの衆生たちは(法を)聞いて如実に修行する以外に、これは誰が説いたのかとか、こ(の人)はどこから来たのかと意識しない。

さらに、善男子よ、このジャンブ州には九十六の種々の見解に執着した異教徒たちが(1)

いるが、彼らの中でも私は種々の見解に執着した衆生たちを成熟させるためにそのすべてに合わせる。

善男子よ、私はこのトーサラ都城で衆生たちに利益をもたらすように、そのように、ジャンブ州のすべての村落、都城、都市、国、王国、王都において衆生たちに利益をもたらす。ジャンブ州におけるように、(そのように)すべての四州から成る世界においても同じである。一千(世界)、二千(世界)、三千大千世界においても同じであり、十方の無量の世界にあるすべての衆生の道、すべての衆生の依り所、すべての衆生の家、あらゆる衆生の住居の名称をもち、あらゆる衆生が徘徊し、あらゆる衆生が集まるすべての衆生の海、すべての衆生の系譜、すべての衆生の方位、すべての衆生の(四)維《しい》、すべての衆生の行為において、衆生たちに志願や深信に応じて利益をもたらす。種々の方便、種々の道理《ナヤ》、種々の門、種々の論理、種々の出会い、種々の方便の道理《ナヤ》、種々の行ないによって、種々の形や色を示現し、(心を)明浄にすることや種々の言語道によって語ることによって衆生たちに利益をもたらす。

善男子よ、私は遍行し、あらゆる(衆生)に合わせるこの菩薩行を知っているが、菩薩方は、(一)あらゆる世の衆生と同じ身体を具え、(二)自己の身体と衆生の身体を区別しない三昧を獲得し、(三)広大な変化(身)の輪《チャクラ》があらゆる(三)界の諸趣に広がり、(四)すべ

62

ての世間への出生を自己の身体において確認し、(五)あらゆる世の衆生が見て快く楽しい変化(身)の輪に専念し、(六)あらゆる世の衆生の種姓《しゅしょう》、家系、生への出生を示現し、すべての劫の間(衆生と)ともにいることに対する妨げられることのない誓願の輪《チャクラ》を具え、(七)幻術〔帝網《たいもう》〕の広がり《タラ》のような行為の荘厳の輝きを獲得し、(八)あらゆる世の衆生の利益を行ないながら汚されることなく(彼らと)ともに暮らすことに専念し、(九)三世の衆生の地平が平等であることを証悟し、(一〇)無我を実現した智界によって照明された際限のない大悲を内に秘め、あらゆる衆生の善根の生起に向かっている(ので、そのような菩薩方)の行を知り、功徳を語ることがどうして私にできよう。

行け、善男子よ。この同じ南の地方にプリト・ラーシュトラ〔広大《こうだい》〕という名の国があり、そこにウトパラブーティ〔優鉢羅華《うはつらけ》〕という名の香料商の長者が住んでいる。彼の下に行って、菩薩は菩薩行をどのように学ぶべきか、どのように修めるべきかを尋ねなさい」

そこで善財童子は、遊行者サルヴァガーミンの両足に頂礼し、その遊行者の周りを幾百千回となく右遶して、繰り返し仰ぎ見て、彼の下を去った。

第二十一章　香料商ウトパラブーティ

そこで善財童子は、身体も生命も顧みず、あらゆる生存の享楽や取得や所有への執着の依り所をも顧みず、あらゆる衆生の領域にある快楽をも顧みず、色、音、香、味、触れられるものをも顧みず、すべての従者を享受し所有することをも顧みず、王の王位や王権がもたらす幸福をすべて顧みず、㈠無上の仏国土の清浄を実現することによって、あらゆる衆生の成熟と教化の浄化に(のみ)心を注ぎ、㈡供養と奉仕と尊崇に飽くことなく努めることによって、すべての如来に(のみ)心を注ぎ、㈢本性の遍智を証得するためにあらゆる法に(のみ)心を注ぎ、㈣すべての功徳の海で修行を止めないために、すべての菩薩の功徳に(のみ)心を注ぎ、㈤すべての劫の間余す所なく菩薩行に安住するために、あらゆる菩薩の大誓願に(のみ)心を注ぎ、㈥すべての如来の説法会の海に入ることに(のみ)心を注ぎ、㈦一つ一つの三昧の門においてすべての如来の数えきれない菩薩の三昧に入る神変を現すために、すべての菩薩の三昧の門に(のみ)心を注ぎ、㈧あらゆる如来の法輪を受け入れることに飽かずに努めるために、すべての教えの智の光明の輪《チャクラ》に（のみ）心を注ぎ、これらやその他の仏菩薩の功徳はすべての善知識をその鉱脈とし、すべての善知識から生じると見ながら、次第にプリト・ラーシュトラ国に近づき、香料商の長者ウトパラブーティを探し求めて、見出した。

見出して、さらに香料商の長者ウトパラブーティの下に行き、行って彼の両足に頂礼し、彼の周りを幾百千回となく右遶して、彼の面前に合掌して立ち、次のように言った。「聖者よ、私はあらゆる仏の平等の智を求め、あらゆる仏の往昔の誓願の輪《マンダラ》を成就しようと願い、あらゆる仏の色身《しきしん》にまみえようと願い、あらゆる仏の法身《ほっしん》を完成させようと願い、あらゆる仏の智の身体を普く知ろうと願い、あらゆる菩薩行の輪を浄化しようと願い、あらゆる菩薩の三昧の輪を輝かせようと願い、あらゆる菩薩の陀羅尼の輪を確立させようと願い、あらゆる障害の輪を一掃しようと願い、あらゆる国土の輪を遊行しようと願って、無上正等覚に向かって進み出ました。

しかし私は菩薩が菩薩行をどのように学ぶべきか、どのように修めるべきか、どのように修めている菩薩が一切智者性に通暁するか知りません」

（香料商の長者は）答えた。「善いかな、善いかな、善男子よ。あなたが無上正等覚に向けて発心したとは。善男子よ、私はすべての香料を知っている。すべての香料の調合法、すべての練香《ねりこう》、すべての練香の調合法を知っている。すべての塗香《ずこう》、すべての塗香の調合法、すべての抹香《まっこう》、すべての抹香の調合法、すべての香料、塗香、抹香の形状を知り、神々の香料を知り、龍、ヤクシャ、ガンダルヴァ、アスラ、ガルダ、キンナラ、マホーラガ、人、鬼神の香料を知り、種々の香料を知り、病を癒す香料、憂いを晴らす香料、世間的喜びを生じる香料、煩悩を燃え立たせる香料、煩悩を鎮める香料、種々の有為《うい》の喜びや安楽を生じる香料、すべての有為に不安を生じる香料、放縦や驕慢を除く香料、仏への憶持《おくじ》の実行を生じる香料、法の真理《ナヤ》を証悟する香料、聖者に享受される香料、あらゆる菩薩の多様な香料、あらゆる菩薩の位を確定する香料をも知っている。また私はこれらすべての香料を、形状の点でも知っている。生起、発生、出現、成就、清らかさ、保存、使用法、享受法、領域、効力、作用、根本の点でも知っている。

善男子よ、人の世に象の擾乱《じょうらん》〔龍闘〕より生じる象蔵という名の香料がある。それの胡麻粒大の円い塊は、プリト・ラーシュトラ国全体を巨大な香りの厚い雲の網で覆って、七日の間、玄妙な香水の篠突く雨を降らせる。そこで身体か衣に香水の雨が降りかかった衆生たち、そのすべては金色の華で飾られる。また宮殿、大邸宅、楼閣に降ったとき、そのすべては金色の華で飾られる。それらの香料の雲の網が風に吹き動かされたとき、香りを嗅ぐ者は家の内部にいる衆生たちさえも、そのすべてが七日の間、広大な喜びと歓喜に満たされ、多種の身心の安楽や満足を味わい、彼らの身体には(三)体液の混乱から生じる(病)や、色々な虫による病も生じず、心の苦しみや憂いも生じず、不安や恐怖や驚愕や心の動揺や悪意も起こらず、そしてそれらすべての衆生は喜びと喜悦を生じ、互いに慈愛の心をいだく。善男子よ、私はそれら喜びと喜悦を生じた者たちの清浄な志願に訴えて、無上正等覚に決定するように、そのように教えを説く。

善男子よ、(さらにまた)マラヤ〔摩羅耶〕山から産する牛頭《ごず》という名の栴檀《せんだん》(香《こう》)がある。それを身に塗った者は火坑《かきょう》に落ちても焼かれることはない。

善男子よ、海辺に産する不能勝という名の香料がある。それが塗られた太鼓や螺貝《らばい》の音によって敵の全軍は敗けてしまう。

善男子よ、アナヴァタプタ〔阿那婆達多〕湖岸から産する蓮華蔵という名の黒い沈水香《じんすいこう》がある。それの胡麻粒大の円い塊はジャンブ州全体を香りで満たし、その香りを嗅ぐ衆生たち、そのすべては罪を避け、禁戒を守る心を獲得する。

善男子よ、雪を頂く山の王(ヒマラヤ)に産する具足明相という名の香料の種類がある。それの香りを嗅ぐと衆生たちは、心が執着を離れる。私は塵埃《じんあい》のない輪《マンダラ》〔離垢円満〕という名の三昧を獲得するように、そのように彼らに教えを説く。

善男子よ、ラークシャサの世(界)〔羅刹界〕に産する海蔵という名の種類の香料がある。

それは転輪(聖)王の享受のために生じ、それが薫じられるや否や、転輪(聖)王の四隊から成る軍隊は天穹に安住する。

善男子よ、スダルマという神々の会堂〔善法堂〕に産する浄荘厳という名の香料の種類がある。それが薫じられるや否や、神々は仏の香りの想起を獲得する。

善男子よ、夜摩天《やまてん》の神々の王の宮殿に浄蔵という名の種類の香料がある。それが薫じられるや否や、すべての夜摩天の天子たちは夜摩天の神々の王の下に行き、近づいた彼らに夜摩天の神々の王は法話を語る。

善男子よ、兜率天の宮殿に先陀婆《せんだば》という名の種類の香料がある。それがもう一生だけ輪廻に縛られ〔一生所繫《いっしょうしょけ》〕、法座に座った菩薩の面前で薫じられたとき、大きな香料の雲が法界全体を包み、すべての如来の説法会において、多くの形態の荘厳を具える大きな法の雲から雨を降らせる。

善男子よ、化楽天《けらくてん》の神々の王の宮殿に魅惑〔奪意〕という名の種類の香料がある。それが化楽天の神々の王の宮殿で薫じられたとき、七日の間、不可思議な教えの雲から雨を降らせる。

善男子よ、私はこの香料の調合法を知っている。しかし、菩薩方は、(一)悪臭なく(有徳で)、(二)あらゆる欲望の世界を超脱し、(三)煩悩の魔のわなを離れ、(四)あらゆる生存の境遇から離脱し、(五)幻の智によって物質（界）を観察し、(六)あらゆる世間（的なもの）によって汚染されず、(七)無礙《むげ》戒《かい》を具え、(八)障害のない智の輪《マンダラ》を清浄にし、(九)智の境界や対象に関しても妨げられることなく、(一〇)あらゆる住居や住処に執着せず、(一一)あらゆる生存の住居や住処を遊行される方々（であるから、そういう菩薩方）の行を知り、功徳を語り、戒の修行の清浄の門を説明し、非の打ち所のない行為を解説し、悪意のない身体、言葉、心の行ないを説くことがどうしてできようか。

行け、善男子よ。この同じ南の地方にクーターガーラ（楼閣《ろうかく》）という名の都城があり、そこにヴァイラ（婆施羅《ばせら》）という船頭が住んでいる。彼の下に行き、菩薩は菩薩行をどのように学ぶべきか、どのように修めるべきか尋ねなさい」

そこで善財童子は、香料商の長者ウトパラブーティの両足に頂礼し、彼の周りを幾百千回となく右遶し、繰り返し仰ぎ見て、彼の下を去った。

第二十二章　船頭ヴァイラ

そこで善財童子は、クーターガーラ都城に向かう道に入り、通りながら、下り道、上り道、平らな道、平坦でない道、塵埃のある道、塵埃のない道、安全な道、危険な道、障害のない道、曲りくねった道、真直ぐな道を見てこのような考えをいだいた。「私にとってかの善知識の下に近づくこのことは、菩薩道の修行の原因となろう。波羅蜜道の修行の原因となり、すべての衆生を摂取する智の道の修行の原因となろう。すべての衆生を愛したり、憎んだり、（見）上げたり、（見）下ろしたりする断崖絶壁からひき戻すための（原因となろう）。すべての衆生が悪しき智慧を離れるための、すべての衆生が煩悩の塵埃を鎮めるための、すべての衆生が種々の不善の見解の切り株、棘《とげ》、砂利、小石を除くための、障害のない法界に専念するための、錯誤なく一切智者性の町に至るための原因となろう。それはどうしてか。あらゆる善い法は善知識を鉱脈とし、一切智者性は善知識を依り所とする」と。彼はこのような思惟、思考に努め、成し遂げ難い目的をいだいて、次第にクーターガーラ都城の方に近づき、ヴァイラ船頭を探し求めていたとき、彼は都城の大きな門の前の海に入る岸辺に、種々の話を聞こうとする幾百千の貿易商や幾百千人とも知れぬ衆生に囲遶され、ヴァイラ船頭が海の話を述べることによって、仏の功徳の海を衆生たちに告げているのを見た。

見て、船頭のヴァイラの下に近づいた。近づくと、彼の両足に頂礼し、彼の周りを幾百千回となく右遶して、彼の面前に合掌して立ち、次のように言った。「聖者よ、私は無上正等覚に向けて発心いたしておりますが、私はどのように菩薩は菩薩行を学び、どのように修めるべきか知りません。ところで、私は聖者が菩薩たちに教訓と教誡を授けられると聞いております。聖者はどのように菩薩が菩薩行を学ぶべきか、どのように修めるべきか私にお教え下さい」

(船頭は)答えた。「善いかな、善いかな、善男子よ。あなたが無上正等覚に向けて発心して、偉大な智の獲得を生じる原因を問い、種々の輪廻の苦しみの消滅をもたらす原因、一切智者性の島のある場所へ行くことを可能にする原因、破壊できない大乗を生じる原因、声聞や独覚の位へ転落する恐れをなくす道の修行を可能にする原因、種々の寂静した三昧門の転回の真理を証悟する智の道を生じる原因、あらゆる所に赴く菩薩行によって遊行しようという誓願の車の車輪を妨げない道を生じる(清浄な)原因、あらゆる威力の荒海に荘厳された菩薩行の本来の真理の道を生じる清浄な原因、未来の果てのあらゆる法の方角の門に向かう道を生じる清浄な原因、一切智者性の海に入る道を生じる清浄な原因を問うとは。

善男子よ、私はこの大海の岸辺にあるクーターガーラ大都城に、大悲の旗印という菩薩行を清浄にしながら住んでいる。善男子よ、だから私はジャンブ州にいる貧しい衆生たちを見て、彼らのためにこのように難行を行なう。即ち彼らの願望を叶え、世間の財物で歓待し、教えの享受によって彼らを満足させ、福徳の資糧の道を彼らに示し、智の資糧を生じさせ、善根の力を増強させ、菩提心を生じさせ、菩提への志願を清浄にさせ、大悲の力を強固にさせ、輪廻の苦しみを鎮静させ、輪廻における行に倦むことのない力を強固にさせ、衆生の海を摂取することを彼らに行なわせ、功徳海の修行の門に確立させ、彼らに教えの海に関する智の光明を与え、あらゆる仏の海を彼らの面前に回転させ、一切智者性の海に彼らを入らせるであろう。

善男子よ、このように思惟、思考に努めて、私はこの海辺のクーターガーラ都城で(船頭の仕事を)している。善男子よ、このように世の衆生の利益と安楽に努力するので、私はすべての大海にある宝島を知り、すべての宝石の鉱山、すべての宝石の鉱脈、すべての宝石の源泉を知り、すべての龍の宮殿、すべての龍の擾乱、すべてのヤクシャの宮殿、すべてのヤクシャの擾乱、すべてのラークシャサの宮殿、すべてのラークシャサの恐怖の鎮静、すべての鬼霊〔部多《ぶた》〕の宮殿、すべての鬼霊の妨害を鎮めることを知り、あらゆる渦巻の発生と渦巻の回避術、大波浪からの逃避、水の色の違いを知り、日月星惑星から成る天体の運行、昼、夜、刹那《せつな》、ラヴァ、ムフールタを知り、往来の特殊性、安全と危険、船の装置の確実な操作、船の見張り、船の運転、風の凪《な》ぎ、風の発生、船の方向転換、船の回転、船の停止術、船の発進術を知っている。

善男子よ、だから私はこのような知識を具えているので、常に衆生の利益のための行ないに努め、貿易商の群を、堅固な船で安穏で順調で安全な（航路を通り）、宗教的な話によって歓喜できるだけ存分に歓喜を生じさせて、願い通りに宝島に連れていき、彼らにあらゆる宝石を一杯にもたせて再びジャンブ州に連れ戻す。しかし、善男子よ、私の船はどれも未だかつて破損したことは一度もない。

善男子よ、私を視界に入れた衆生たちや私の説法を聞く衆生たち、彼らは輪廻の海に沈む恐れがまったくなくなり、一切智者性の海に入る智を現前し、渇愛の海を干上げるために修行し、（過去などの）三世の海を（照らす）智の光明を獲得し、あらゆる衆生の苦しみの海を滅尽するために奮闘し、あらゆる衆生の心の海の濁りを清澄にするために努力し、あらゆる国土海を清浄にするために精進を起こし、あらゆる方角の海に遍満するために退転せず、あらゆる世の衆生の機根の海の区別を見抜き、あらゆる衆生の行ないの海に随順し、願いに応じて世の衆生の海に影像を現す。

善男子よ、私はこの（私を）見、聞き、ともに住み、憶念する（ことが）空しくない大悲の旗印という菩薩の解脱を得ているが、菩薩方は、㈠あらゆる輪廻の海を遊行され、㈡あらゆる煩悩の海によって汚染されず、㈢あらゆる見解の海にいる執着という貪婪《どんらん》な大魚の恐怖を離れ、㈣あらゆる法の海の本性という水（上）を遊行され、㈤あらゆる世の衆生の海の本性という（海）面を遊行され、㈥あらゆる世の衆生の海を四（種）の摂取の行為〔四摂法〕によってひきつける網を具え、㈦一切智者性の海に住み、㈧あらゆる衆生の執着の海を攪拌し、㈨あらゆるときに海と一体になって時をすごし、㈩あらゆる衆生の海の成熟の真相を神通で知り、(一一)あらゆる世の衆生の海を教化する機会をのがさない方々である（から、そのような菩薩方）の行を知り、功徳を語ることが私にどうしてできようか。

行け、善男子よ。この同じ南の地方にナンディハーラ〔可楽〕という名の都城があり、そこにジャヨーッタマ〔無上勝《むじょうしょう》〕という長者が住んでいる。彼の下に行って、菩薩は菩薩行をどのように学ぶべきか、どのように修めるべきか尋ねよ」

そこで善財童子は、ヴァイラ船頭の両足に頂礼し、彼の周りを幾百千回となく右遶して、繰り返し仰ぎ見、涙を流し、慟哭し、善知識にまみえようとの飽くことのない願いをもって、彼の下を去った。

第二十三章　ジャヨーッタマ長者

そこで善財童子は、㈠大慈によって無量の衆生界を遍満する心を具え、㈡大悲の潤いによって（身心の）相続が十分に潤いを得、㈢広大な福徳と智の資糧の荘厳を集め、㈣あらゆる煩悩の塵、闇、垢、泥を離れ、㈤法の平等性を証悟し、㈥高低のない一切智者性の道を進み、㈦無量の不善の法に入る門から脱出し、㈧あらゆる不善によって破砕され得ない堅固な精進力によって勇往邁進し、㈨不可思議な菩薩の三昧によって（身心の）広大で静穏な安らぎに満たされ、㈩智慧の太陽の光の輝きによって余す所なく無明の闇を除き、(一一)安らかで清涼な方便の風に揺り動かされて智の華が散り撒かれ、(一二)大誓願の海（の完成）に巧みな智の真理《ナヤ》に随順し、(一三)妨げなく法界に遍満する智を具え、(一四)錯誤なく一切智者性の町にまさに入ろうとし、菩薩道を激しく求めながら、ナンディハーラ都城に接近し、ジャヨーッタマ長者を探し求めていた。そのとき、その都城の東側の境界にあるヴィチトラ・ドヴァジャー〔大荘厳幢〕という名のアショーカ〔無憂〕樹の小さな森の中で、幾千もの家長に囲遶され、種々の都城の事務を決裁し、それとの関連で宗教的な法話を説き、すべての自我意識を絶滅し、所有意識をすべて棄却し、所有物をすべて喜捨し、物への固執をすべて捨て去り、あらゆる執着を根絶し、あらゆる渇愛の束縛を断ち切り、あらゆる見解の門扉を開き、疑問、異論、疑惑の眼病をすべて一掃し、詐術《さじゅつ》や奸計《かんけい》の汚濁を除き、羨望や物惜しみの垢を清め、心の湖を清澄にし、汚濁なき心に衆生を確立させるために、(また)汚濁なき浄信の力を生じさせることによって仏にまみえることを願わせ、菩薩力の発揮によって仏の教えを受け入れさせ、菩薩行の教示によって菩薩の三昧力を生じさせ、菩薩の智慧の力の示現によって菩薩の憶念の力の浄化を完遂させるために、要するに発菩提心《ほつぼだいしん》を欣求《ごんぐ》させるために教えを説いているのを見た。

そこで善財童子は、その(法)話の終るのを待って、ジャヨーッタマ長者の両足に頂礼し、非常に長い間礼拝したうえで、法の尊崇で得た志願によって、次のように言った。「聖者よ、私は善財、私は善財と申します。私は菩薩行を求めております。そこで聖者は私がどのように菩薩行を学ぶべきか、学んでいるとき、どのようにすべての衆生の成熟と教化のために向かったらよいのか、(どのように)あらゆる仏にまみえることを諦めるべきでないのか、(どのように)あらゆる仏の法を聴聞したらよいのか、あらゆる仏の法の雲を保持したらよいのか、あらゆる仏の法の真理を実践したらよいのか、あらゆる世界において菩薩行を行なったらよいのか、あらゆる劫に住んでい（ながら）、菩薩行によって倦み疲れることがないのか、すべての如来の神変を知ることができるのか、あらゆる仏の威神力を受け入れることができるのか、あらゆる如来の力において光を獲得することができるのか、私に説いて下さい」

そこでジャヨーッタマ長者は、善財童子にこう語った。「善いかな、善いかな、善男子よ。あなたが無上正等覚に向けて発心したとは。

善男子よ、私は、何ものをも依り所としない、業をつくることのない神通によって得た力によって、あらゆる所に赴く菩薩行の門〔至《し》一切処《いっさいしょ》菩薩行門《ぼさつぎょうもん》〕を清浄にする。ゆえに私はこのあらゆる所に赴く菩薩行の清浄の門に立って、三千大千世界のすべての三十三天の世（界）、すべての夜摩（天）の住居、すべての兜率天の世（界）、すべての化楽天の世（界）、すべての他化自在天の世（界）、すべての魔の住居、すべての欲界の神々の集団に属するすべての神々の住居、すべての龍の世（界）にあるすべての龍の住居、すべてのヤクシャの世（界）にあるすべてのヤクシャの住居、すべてのラークシャサの世（界）にあるすべてのラークシャサの住居、すべてのクンバーンダの世（界）にあるすべてのクンバーンダの住居、すべての餓鬼の世（界）にあるすべての餓鬼の住居、すべてのガンダルヴァの世(界)におけるすべてのガンダルヴァの住居、すべてのアスラの世(界)にあるすべてのアスラの住居、すべてのガルダの世(界)にあるすべてのガルダの住居、すべてのキンナラの世(界)にあるすべてのキンナラの住居、すべてのマホーラガの世(界)にあるすべてのマホーラガの住居、すべての人の世(界)にあるすべての人の住居、すべての村落、都城、都市、地方、王国、王都、あらゆる欲界に属するすべての衆生の境遇で教え〔法〕を説く。

(私は)不正〔非法〕を除き、口論を鎮め、論争を終止させ、喧嘩を鎮静させ、闘争を止めさせ、戦争を鎮め、敵対を止めさせ、束縛を断ち、牢獄を開き、恐怖をなくし、(十)不善業をつくることを根絶する。(即ち)生命あるものの殺生〔断生命〕を衆生に止めさせ、与えられないものの取得〔不与取〕、愛欲の邪行〔欲邪行〕、虚言〔妄語〕、陰口〔離間語〕、荒々しい罵り〔悪語〕、くだらないおしゃべり〔非応語〕、貪欲、瞋恚《しんに》、悪しき見解〔邪見〕を衆生に止めさせる。あらゆる非行を衆生たちに止めさせ、あらゆる善き法の実行に随順させ、すべての衆生にあらゆる技術を学ばせ、すべての世の衆生の喜びと衆生の成熟のために、世間の利益をもたらすあらゆる論書を説き、整え、示し、提供する。優れた特殊な智を説くために、あらゆる邪見を除くために、すべての仏の法を説くためにすべての異教徒の模倣をし、乃至、梵天の世(界)に至るまでのすべての色界《しきかい》の神々を圧倒して教えを説く。

そして、この三千大千世界におけるように、同じように十方における十百千コーティ・ニユタ・不可説数の仏国土の微塵の数に等しい世界において、私は法を説き、仏の法を説き、菩薩の法、声聞の法、独覚の法を説き、地獄を説き、地獄へ行く道を説き、地獄の衆生の苦痛を説き、畜生(の境遇)を説き、畜生の境遇の区別、畜生の境遇へ行く道、畜生に生まれる苦しみを説き、ヤマの世(界)を説き、ヤマの世(界)へ行く道、ヤマの世(界)の苦しみを説き、天の世(界)を説き、天の世(界)へ赴く道、天の世(界)の快適な環境の享受を説き、人の世(界)を説き、人の世(界)の境遇に行く道、人の世(界)の苦楽の経験の種々相を説く。善男子よ、このように私は世間の法を説き、世間の出現、世間の滅亡、世間の災厄、世間からの出離をも説く。即ち菩薩の道を開《かい》顕《けん》するために、輪廻の過失を除くために、一切智者性の功徳を示すために、生存〔有《う》〕の境遇の迷いと苦しみを普く鎮めるために、障害のない法性を説くために、世間を生じる行為を明らかにするために、すべての世間の生起(と消滅)の苦楽を説くために、あらゆる世間の衆生の安住の思いを除くために、依り所のない如来の法を明らかに示すために、あらゆる業と煩悩の輪を停止するために、如来の法輪の回転を説くために法を説く。

善男子よ、私はこの、何ものをも依り所としない、業をつくることのない神通力によって荘厳された、あらゆる所に赴く菩薩行の清浄の門を知っているが、〔菩薩方は〕(一)あらゆる神通を具え、(二)あらゆる国土の地表を幻の智の身体によって遍満し、(三)普眼《ふげん》なる智の位を得、(四)すべての言語道や音声を識別する優れた耳を具え、(五)三世に遍満する法門の光明の自在力を獲得し、(六)あらゆる法を包摂する智の自在な支配者である勇ましい丈夫であり、(七)不可思議で無量の衆生の志願のままに知らしめて混同させることのない音声の輪《マンダラ》を具えた薄く美しい長広舌を具え、(八)種々の思いをもつ衆生の海の美しい色や形をし、(九)すべての菩薩と等しい幻のような身体を具え、(一〇)あらゆる如来と不二《ふに》で無分別で不可思議な身体を本質とし、(一一)三世のすべてに適合する智の身体を具え、(一二)天穹のように広大で無量の境界を対象としておられる、(そのような)菩薩方の行を知り、功徳を語ることが私にどうしてできようか。

行け、善男子よ。この同じ南の地方にあるシュローナーパラーンタ〔輸那《ゆな》〕という国にカリンガヴァナ〔迦陵迦林《かりょうかりん》〕という都城がある。そこにシンハヴィジュリンビター〔師子奮迅《ししふんじん》〕という比丘尼《びくに》が住んでいる。彼女の下に行って、菩薩はどのように菩薩行を学ぶべきか、どのように修めるべきか尋ねなさい」

そこで善財童子は、ジャヨーッタマ長者の両足に頂礼し、彼の周りを幾百千回となく右遶して、繰り返し何度も仰ぎ見たうえで長者の下を去った。

第二十四章　シンハヴィジュリンビター比丘尼

そこで、善財童子は、次第にシュローナーパラーンタ国のカリンガヴァナという都城にやって来た。到達すると、シンハヴィジュリンビターという比丘尼を探し求めて、(会う)人ごとに尋ねながら、あちこち歩きまわっていると、幾百人もの少年や幾百人もの少女が、大通り、四つ辻、三叉路から集まって来て、後について来た。そして、幾百人もの男や幾百人もの女が告げた。「善男子よ、その師子奮迅比丘尼は、まさにこのカリンガヴァナという都城の中、ジャヤプラバ〔勝光王〕が寄進したスーリヤプラバという大園林〔日光園〕に逗留し、無量の衆生のために法を説き明かしておられます」

そこで、善財童子は、スーリヤプラバという大園林に赴き、普く調査し、見渡した。すると、その大園林には、月の出〔満月〕という木々があり、形は楼閣のようであり、光焔の色彩と光焔の輝きを具え、普く一ヨージャナ〔由旬〕の距離を光で遍満しているのが見えた。

普く覆うものという葉樹が多数あり、その姿は天蓋のようであり、葉で辺り一面を覆い、青い瑠璃色の雲のように輝いていた。華の宝庫という華樹が多数あり、形は（雪）山王ヒマラヤのように好ましく、すばらしく、様々な色の尽きることのない華の洪水を雨降らせ、三十（三天の王インドラ神）の都〔忉利天宮《とうりてんぐう》〕を美しく飾るパーリジャータカ樹やコーヴィダーラ樹とそっくりであった。常に熟れた、比べようもなく美味しい果実に満ちたものという果樹が多数あり、形は黄金の須弥山の頂のようであり、常に果実を実らせていた。

普く照らす光の宝庫〔毘盧遮那蔵《びるしゃなぞう》〕という摩尼王樹が多数あり、形は比類なき摩尼宝石王のようであり、天上の宝石の首飾り、華鬘、装飾品、如意王摩尼宝石の宝庫が開け放たれたかのように（宝石類が）満ちあふれ、阿僧祇数《あそうぎすう》の色の摩尼宝石の鉱脈があった。浄化するものという衣樹が多数あり、様々な天上の宝衣の宝庫が開け放たれたかのように（辺り一面に浄衣が）垂れ下がり、飾りを添えていた。歓喜させるものという音楽樹が多数あり、天上のものにまさる楽器が心地よく、甘美な音色を奏でていた。普く清らかに荘厳するもの〔普荘厳〕という香樹が多数あり、あらゆる方角に妨げられることなく、あらゆる種類の心地よい香りを放っているのが見えた。

（そこにはまた）泉、湖、池、蓮池があり、一面に七宝の煉瓦が敷き詰められ、四方に均整のとれた階段が取り付けられ、カーラーヌサーリンという栴檀が塗り込められた種々の宝石から成る欄楯に取り囲まれていた。（その泉などの）底面は青い瑠璃の摩尼王よりできていて、（その底の）表面にはジャンブ河産の黄金の砂が敷き詰められていた。心地よい天上の香りのする（甘、冷、軟、軽などの）八種の功徳を具えた水が充満していた。美しい色をし、天上の香りに触れて（香しい）青蓮華、黄蓮華、紅蓮華、白蓮華が水面を覆い、天上のものにまさる可愛い鳥の群が甘い声でさえずっていた。種々の天上の宝石のすばらしい木々の列が周囲を美しく取り囲んでいた。

そして、それら宝樹の根元には、どれも様々に美しい形をした宝石の獅子座が設けられていた。（それらの獅子座は）考えられないほど多種多様の宝石で飾られていた。その辺りには様々な天上の宝衣が敷かれ、あらゆる種類の天上の薫香がたちこめていた。（その獅子座の上は）天上のものにまさる宝布が垂れ下がり、美しい宝帳が覆い、様々な宝石と美しいジャンブ河産の黄金から成る網が包み、宝鈴の網が甘く心地よい音を奏でていた。（それらの獅子座のまわりを）多数の天上の宝石製の（獅子）座が幾百千も取り囲んでいるのが見えた。

彼（善財）は、ある宝樹の根元に、宝石から成る蓮華台の獅子座が設けられているのを見た。ある（樹下）には香王摩尼宝石から成る蓮華台の獅子座、ある（樹下）には龍の荘厳という摩尼王から成る蓮華台の獅子座、ある(樹下)には宝石の獅子の群という摩尼王から成る蓮華台の獅子座、ある(樹下)には毘盧遮那摩尼王から成る蓮華台の獅子座、ある(樹下)には(十)方を普く照らすという摩尼王から成る蓮華台の獅子座、ある(樹下)にはインドラ神の金剛杵《こんごうしょ》という摩尼王から成る蓮華台の獅子座、ある(樹下)には世の衆生を魅了するという摩尼王から成る蓮華台の獅子座、ある宝樹の根元には白い輝きという摩尼王から成る蓮華台の獅子座が設けられているのを見た。

その大園林の地表には普く様々な宝石が撒き散らされていて、まるで宝石の島がちりばめられた大海のように見えた。青い瑠璃王がちりばめられ、あらゆる宝石が縫い込まれた(柔らかい)カーチリンディカ布が(敷かれていて)地面は触れると快い。(地面は)足を踏みしめたり、上げたりするとき、へこんだり、隆起したりすることはない。地表には宝石の王である金剛から成り、触れて快く、香りのよい蓮華が撒き散らされている。ハンサ、帝釈鴫《たいしゃくしぎ》、孔雀、クナーラ、カラヴィンカ、郭公、ジーヴァン・ジーヴァカ(共命鳥)が甘い鳴き声を鳴り響かせていた。

(その大園林は)天上の宝石の栴檀樹の森がみごとに整えられた荘厳に飾られ、種々の宝石の華の雲から宝石の華が流れの尽きることなく雨降り、(インドラ神の遊園)ミシュラカーの森(雑華園)よりもはるかに優れていた。みごとにつくられた様々な宝石の楼閣から(流れ出る)比べるもののない香王が常に辺り一面にたちこめ漂っていて、神々の集会所スダルマ〔善法堂〕よりもすばらしく荘厳されていた。

その上は天上のものにまさる種々の宝石の網が覆っている。真珠と摩尼の華の瓔珞や飾り紐が垂れ下がって四方を美しく飾っている。宝鈴が様々に取り付けられ輝いている黄金の網が周りをぐるりと取り囲んでいる。様々な音楽樹や宝石樹にかかる鈴の網が風に揺られて甘く心地よい音色を響かせ、(他化)自在天王を主と仰ぐアプサラス天女たちの歌声がとても喜ばしい音楽を響かせている。様々な色の天上の如意樹製の衣が雲から雨降って光り輝き、あたかも無限の色が輝く大海のように見るからに魅力的であった。

不可思議阿僧祇数の宝石に荘厳された百千の楼閣に飾られ、あたかも三十(三天の王)インドラ神の都〔忉利天宮〕のスダルシャナ〔善見大城〕のようである。あらゆる形の種々の宝石が線条をなして飾り、みごとに広がった傘蓋《さんがい》が一面にひろがり、見るからに美しく、あたかもチトラクータ山に飾られる大インドラ神の世界のようである。常に放たれる心地よい大きな光輝に満ちていて、あたかも世間を照らすという摩尼宝石王の光に照らされる大ブラフマー神の宮殿〔梵王宮〕のようである。阿僧祇数の世界の依り所である虚空界のように広大で、その広さは無量である。そのスーリヤプラバという大園林を、〔善財は〕師子奮迅比丘尼から付与された不可思議な大神通力によって見た。

さて、善財童子は、以上のように無量不可思議数の功徳を具えたこの大園林の荘厳を普く見渡し、眺めた。それは（師子奮迅比丘尼）菩薩の（前世の）業の果報が成就したものであり、（彼女の）出世間の広大な善根より生じたものであり、不可思議数の仏に対する供養から流れでたものである。一切世界にあるすべての善根によっても購うことはできないほどであり、（諸）法の幻の本性から現れ、汚れなく広大にして清浄な功徳の果報より生じたものである。（その荘厳は）師子奮迅比丘尼が前世の善業や善行より流れでる力を付与することにより生じたものであり、いかなる声聞、独覚とも共通せず、いかなる異教徒や異教の師たちによっても滅ぼされず、いかなる魔の道を歩む者によっても押し潰されず、すべての愚かな凡夫によって理解され得ないものであった。

そして、かの様々な宝樹の根元にある（無数の）大いなる獅子座には、（どれにも）すべて師子奮迅比丘尼が大勢の従者に取り巻かれて座っているのが見えた。彼女の身体は端正であり、威儀は寂静、感官も心も寂静であり、（外界の誘惑から）よく防御されていた。感官は統御されており、象のようによく調御《じょうご》されている。心は、湖のように清浄無垢で澄みきっている。（彼女は）如意摩尼（宝珠）の王のように、すべての願いを叶える。（汚）水に染まらぬ蓮華のように、世間の諸法に染められていない。（四）無畏《しむい》を浄化しているゆえ、獅子のように恐れとおののきを離れている。戒律を浄化しているゆえ、大いなる

88 山の王〔須弥山〕のように微動だにしない。心をひきつける香王のように、人々の心を爽快にする。雪（山）の栴檀のように、（人々の）燃え上がる煩悩を鎮める。見目うるわしい薬王のように、あらゆる人々の苦しみを取り除く。（水の神）ヴァルナの羂索《けんさく》のように、（必ず目的を果たし）空しく現れることはない。如来の光明のように、（人々の）身心に軽やかさと楽を生じる。大ブラフマー神〔大梵王〕のように、貪欲、瞋恚、愚痴の（三大）煩悩を離れている。水を清める摩尼宝石の王のように、煩悩に汚された衆生の心を爽快にする。良田のように、（衆生の）善根を増大させるのであった。

そして、それらの（獅子）座を取り巻いて、様々な聴衆が座っているのが見えた。彼（善財）は、㈠ある（獅子）座では、師子奮迅比丘尼が（彼女を）取り巻いて座る大自在天《だいじざいてん》の子をはじめとする浄居天《じょうごてん》の子らに、無尽なる解脱の分析〔無尽解脱〕という法門を説き明かしているのを見た。㈡ある（獅子）座では、師子奮迅比丘尼が（彼女を）取り巻いて座る妙光明梵王をはじめとする梵天衆の子らに、普き（法界の）地平の分析という音声の輪《マンダラ》の浄化〔普門差別清浄言音輪〕を説き明かしているのを見た。㈢ある（獅子）座では、師子奮迅比丘尼が（彼女を）取り巻いて座る他化自在天王をはじめとする他化自在天の子らや、彼らをさらに取り巻く娘たちに、菩薩の求道心を自在に浄化する荘厳〔菩薩清浄心自在荘厳〕という法門を説き明かしているのを見た。㈣ある（獅子）座では、師子奮迅比丘尼が（彼女を）取り巻いて座る善化《ぜんけ》天王《てんのう》をはじめとする化楽天の子らや、彼らをさらに取り巻く娘たちに、一切法の清浄なる荘厳〔一切法善荘厳〕という法門を説き明かしているのを見た。㈤ある（獅子）座では、師子奮迅比丘尼が（彼女を）取り巻いて座る兜率天王をはじめとする兜率天の子らや、彼らをさらに取り巻く娘たちに、自らの心の宝庫の旋回〔自心蔵旋転〕という法門を説き明かしているのを見た。㈥ある（獅子）座では、師子奮迅比丘尼が（彼女を）取り巻いて座る須夜摩《しゅやま》天王《てんのう》をはじめとする天の子らや、彼らをさらに取り巻く娘たちに無限の荘厳〔無辺荘厳〕という法門を説き明かしているのを見た。㈦ある（獅子）座では、師子奮迅比丘尼が（彼女を）取り巻いて座るシャクラ天王〔釈提桓因〕をはじめとする三十三天の子らや、彼らをさらに取り巻く娘たちに厭離門《おんりもん》という法門を説き明かしているのを見た。

㈧ある（獅子）座では、師子奮迅比丘尼が（彼女を）取り巻いて座る大海の龍王をはじめとするシャタ・ラシュミ〔百光明〕、ナンダ、ウパナンダ、マナスヤ、アイラーヴァタ、アナヴァタプタ等の龍王たち、彼らをさらに取り巻く龍の娘や息子たちに、仏境界光明荘厳という法門を説き明かしているのを見た。㈨ある（獅子）座では、師子奮迅比丘尼が（彼女を）取り巻いて座るヴァイシュラヴァナ大王〔毘沙門天王〕をはじめとするヤクシャ王たちや、彼らをさらに取り巻くヤクシャの娘や息子たちに、人々を救済する宝庫

〔救護衆生蔵《くごしゅじょうぞう》〕という法門を説き明かしているのを見た。（一〇）ある（獅子）座では、師子奮迅比丘尼が（彼女を）取り巻いて座るガンダルヴァ王ドゥリタ・ラーシュトゥラ〔持国〕をはじめとするガンダルヴァ（王）たちや、彼らをさらに取り巻くガンダルヴァの娘や息子たちに、無尽の喜悦〔無尽喜〕という法門を説き明かしているのを見た。（一一）ある（獅子）座では、師子奮迅比丘尼が（彼女を）取り巻いて座るアスラ王ラーフ〔羅睺《らご》〕をはじめとするアスラ王たちや、彼らをさらに取り巻くアスラの娘や息子たちに、法界に至る智の道の素早い荘厳〔速疾荘厳法界智門〕という法門を説き明かしているのを見た。（一二）ある（獅子）座では、師子奮迅比丘尼が（彼女を）取り巻いて座るガルダ王マハーヴェーガ・ダーリンをはじめとするガルダ王たちや、彼らをさらに取り巻くガルダの娘や息子たちに、生存の海を畏怖する境界〔怖動諸有海〕という法門を説き明かしているのを見た。（一三）ある（獅子）座では、師子奮迅比丘尼が（彼女を）取り巻いて座るキンナラ王ドゥルマ〔大樹〕をはじめとするキンナラ王たちや、彼らをさらに取り巻くキンナラの娘や息子たちに、仏の偉業の輝き〔仏行光明〕という法門を説き明かしているのを見た。（一四）ある（獅子）座では、師子奮迅比丘尼が（彼女を）取り巻いて座るマホーラガ王ブリクティー・ムカをはじめとするマホーラガ王たちや、彼らをさらに取り巻くマホーラガの娘や息子たちに、仏に対する喜びを生じる〔生仏歓喜心〕という法門を説き明かしているのを見た。（一五）ある〔獅子〕座では、師子奮迅比丘尼が〔彼女を〕取り巻いて座る幾百千の多数の男女、少年少女に、優れた智の歩み〔殊勝行〕という法門を説き明かしているのを見た。（一六）ある〔獅子〕座では、師子奮迅比丘尼が〔彼女を〕取り巻いて座るニティヤウジョーハラ樹王というラークシャサ王〔常奪精気大樹羅刹王〕をはじめとするラークシャサ王たちや、彼らをさらに取り巻くラークシャサの娘や息子たちに慈悲心を生じる〔発生悲愍心〕という法門を説き明かしているのを見た。

（一七）ある〔獅子〕座では、師子奮迅比丘尼が〔彼女を〕取り巻いて座る声聞乗を信じる衆生たちに、優れた智の威力〔勝智威力大光明〕という法門を説き明かしているのを見た。（一八）ある〔獅子〕座では、師子奮迅比丘尼が〔彼女を〕取り巻いて座る独覚乗を信じる衆生たちに、広大なる仏の功徳の輝き〔仏功徳広大光明〕という法門を説き明かしているのを見た。（一九）ある〔獅子〕座では、師子奮迅比丘尼が〔彼女を〕取り巻いて座る大乗を信じる衆生たちに、普門三昧智光明門を説き明かしているのを見た。

（二〇）ある〔獅子〕座では、師子奮迅比丘尼が〔彼女を〕取り巻いて座る発心したばかり〔初発心《しょほっしん》〕の菩薩たちに、一切諸仏の誓願の集まり〔一切仏願聚〕という三昧門を説き明かしているのを見た。（二一）ある〔獅子〕座では、師子奮迅比丘尼が〔彼女を〕取り巻いて座る第二地に安住する菩薩たちに、無垢輪という三昧門を説き明かしているのを見た。（二二）ある(獅子)座では、師子奮迅比丘尼が(彼女を)取り巻いて座る第三地に安住する菩薩たちに、寂静荘厳という三昧門を説き明かしているのを見た。(二三)ある(獅子)座では、師子奮迅比丘尼が(彼女を)取り巻いて座る第四地に安住する菩薩たちに、一切智者性の威力の境界を産む〔一切智勢力境界〕という三昧門を説き明かしているのを見た。(二四)ある(獅子)座では、師子奮迅比丘尼が(彼女を)取り巻いて座る第五地に安住する菩薩たちに、心の蔓草に咲く華を内蔵する〔妙華蔵〕という三昧門を説き明かしているのを見た。(二五)ある(獅子)座では、師子奮迅比丘尼が(彼女を)取り巻いて座る第六地に安住する菩薩たちに、毘盧遮那蔵という三昧門を説き明かしているのを見た。(二六)ある(獅子)座では、師子奮迅比丘尼が(彼女を)取り巻いて座る第七地に安住する菩薩たちに、(菩薩)地の普き荘厳〔普荘厳地〕という三昧門を説き明かしているのを見た。(二七)ある(獅子)座では、師子奮迅比丘尼が(彼女を)取り巻いて座る第八地に安住する菩薩たちに、法界という籠に身体がみごとに配分される境界〔普遍法界境界化現身〕という三昧門を説き明かしているのを見た。(二八)ある(獅子)座では、師子奮迅比丘尼が(彼女を)取り巻いて座る第九地に安住する菩薩たちに、無所得力荘厳という法門を説き明かしているのを見た。(二九)ある(獅子)座では、師子奮迅比丘尼が(彼女を)取り巻いて座る第十地に安住する菩薩たちに、無礙輪という三昧門を説き明かしているのを見た。(三〇)ある(獅子)座では、師子奮迅比丘尼が（彼女を）取り巻いて座るヴァジュラ・パーニ〔執金剛神〕の説法会に向かって、ナーラーヤナ神の如き智の金剛杵の荘厳〔金剛智那羅延荘厳〕という法門を説き明かしているのを見た。

以上のように、様々な誕生の場のすべてにある限りの衆生の名称と衆生の境遇に属する衆生たちのうちで、既に（菩薩の修行道において）成長し、熟達し、（法の）器となった者たちが、その大園林に入って、それぞれ（比丘尼の獅子座を）取り巻いて座っていた。その志願も信解《しんげ》も様々であったが、（それぞれ各自の）志願は決定し、信心も濃密であった。彼らに向かって、師子奮迅比丘尼が全員無上正等覚に必ず到達するよう、それぞれにふさわしい法を説き明かしているのを見た。

それはどうして可能かというと、もちろん師子奮迅比丘尼が、㈠普眼によって（すべての存在を）平等視する〔普眼捨得〕（という般若波羅蜜門）等、㈡一切の仏法を説く〔説一切仏法〕（という般若波羅蜜門）等、㈢法界の諸地平の弁別〔法界差別《ほっかいしゃべつ》〕（という般若波羅蜜門）等、㈣一切の障害の輪《マンダラ》を打破する〔散壊一切障礙輪〕（という般若波羅蜜門）等、㈤一切衆生《いっさいしゅじょう》に善心を生じさせる〔生一切衆生善心〕（という般若波羅蜜門）等、㈥すばらしき荘厳〔殊勝荘厳〕（という般若波羅蜜門）等、㈦無礙の真実を内蔵する〔無礙真実蔵〕（という般若波羅蜜門）等、㈧法界の全域《マンダラ》〔法界円満〕（という般若波羅蜜門）等、㈨心の宝庫〔心蔵〕（という般若波羅蜜門）等、（一〇）普く喜ばれる成就を内蔵する〔普出生蔵《ふしゅっしょうぞう》〕（般若波羅蜜門）等、百千阿僧祇数の十般若波羅蜜門に入っているからである。そして、菩薩にせよ、それ以外の衆生にせよ、師子奮迅比丘尼に会って、説法を聞くために、かのスーリヤ・プラバ大園林に入ってくる者たちすべてに、師子奮迅比丘尼は、まず善根（を積む）法を修めるよう指示し、ついには彼らを無上正等覚から不退転ならしめる。

さて、善財童子は、師子奮迅比丘尼の以上のようなすばらしい園林、すばらしい精舎、すばらしい経行の場、すばらしい資具、すばらしい寝具や座具、すばらしい説法会、すばらしい統御力、すばらしい神通力による神変、すばらしい雄弁の荘厳を眼にし、かつ不可思議の法門を聞いて、広大なる法雲から降る雨に心を潤され、師子奮迅比丘尼に対して（その周りを）幾百千回も右遶しようというすばらしく清浄な願いを起こした。一方、師子奮迅比丘尼は、かの説法会に荘厳される大園林を、広大な光明で明るく照らし出した。（善財は、比丘尼の周りを）幾百千回となく右遶した後、自分が右遶しつつ、普くあらゆる方角で（一切の獅子座において説法する）師子奮迅比丘尼を見たことを認めた。

彼は、（比丘尼の）前に合掌して立ち、次のように言った。「聖者よ、私は既に無上正等覚に向けて発心いたしております。しかし、そもそも菩薩はいかにして菩薩行を学ぶべきか、いかにしてそれを修めるべきか私は知りません。ところで、聖者は、菩薩たちに教訓と教誡を授けられるとお聞きしております。聖者よ、どうぞ私に、菩薩はいかにして菩薩行を学ぶべきか、いかにしてそれを修めるべきかお教え下さい」

比丘尼は答えた。「善男子よ、私は一切の慢心を打ち破る〔除滅一切微細分別門《じょめついっさいみさいふんべつもん》〕という菩薩の解脱を体得しております」

彼（善財）は尋ねた。「聖者よ、その除滅一切微細分別門という菩薩の解脱の境界はいかがでありましょうか」

比丘尼は答えた。「善男子よ、それは三世に属する（一切法の）荘厳を一心刹那の間に辺際まで顕現させる智の光明です」

彼（善財）は尋ねた。「聖者よ、その智の光明の境界はいかがでありましょうか」

比丘尼は答えた。「善男子よ、私がこの智光明門に入って、出て来ると、一切法を具有するという三昧〔出生一切法三昧王〕が生じます。その三昧を体得するや否や、私は意から成る複数の身体によって、十方すべての一切世界にある兜率天の宮殿におられる、もう一生だけ輪廻に縛られた〔一生所繫《いっしょうしょけ》〕一切の菩薩方の所に伺います。それは、その一人一人の菩薩に、不可思議数の仏国土の微塵の数に等しい身体によって、不可思議数の仏国土の微塵の数に等しい種々の供養によって、供養するためであります。即ち、神々の身体、あるいは龍、ヤクシャ、ガンダルヴァ、アスラ、ガルダ、キンナラ、マホーラガ、人間、鬼神の王の身体をとり、華の雲、薫香の雲、練香の雲、華鬘の雲、塗香の雲、抹香の雲、衣の雲、傘蓋の雲、幢の雲、幡の雲、宝石の装飾品の雲、宝網の荘厳の雲、宝幕の荘厳の雲、宝燈の荘厳の雲、宝座の荘厳の雲を保持しながら、(菩薩方を)供養するために伺うのであります。

兜率天の宮殿におられる、もう一生だけ輪廻に縛られた菩薩方を供養するために伺いますように、胎内におられる(菩薩方)、お生まれになる(菩薩方)、後宮におられる(菩薩方)、出家される(菩薩方)、菩提道場に近づかれる(菩薩方)、最高の菩提道場におられる(菩薩方)、無上正等覚をさとられた(如来方)、一切の法輪を転じる如来方をすべて(供養するために、私は伺います)。

同様に、神々の宮殿におられる(如来方)、龍、ヤクシャ、ガンダルヴァ、アスラ、ガルダ、キンナラ、マホーラガ、人間、鬼神の宮殿におられる(如来方)、さらにはすべての人々の心の願いを満足させた後、完全なる涅槃に入られる如来方すべての所に、同じ意から成る身体によって、同じ供養をするために伺います。そして、私がこのように諸仏に供養し、奉仕する行為を知る衆生たちは、みな無上正等覚に必ず到達する者となります。また、私の所にやって来る衆生たちには、みなまさにこの般若波羅蜜の教訓と教誡を授けます。

善男子よ、私は、智眼《ちげん》によって、一切の衆生を見ることができますが、衆生という思いを起こしませんし、慢心をいだきません。あらゆる世の衆生の言葉の海を聞くことができますが、言語道に執着せぬゆえ、慢心をいだきません。一切の如来を見ることができますが、法の身体〔法身〕を普く知るゆえ、慢心をいだきません。一切の如来の法輪を保持していますが、法の本質を知るゆえ、慢心をいだきません。心刹那ごとに法界全体に遍満しますが、法性は幻とさとるゆえ、慢心をいだきません。

善男子よ、私はこの除滅一切微細分別門という菩薩の解脱を知るだけです。どうして私に、周辺も中央もない法界に悟入した菩薩方の〔卓越した〕行を知り、功徳を語ることができましょうか。かの〔菩薩〕方は、一切法に対して慢心をいだくことなく住し、結跏《けっか》趺坐《ふざ》したまま法界に遍満されます。自己の身中に一切の仏国土を示現し、一刹那のうちに一切の如来を訪問されます。その身体に一切の仏の神変が起こります。一本の毛髪により、不可説不可説数の多くの仏国土をもち上げられます。自己の一毛孔に不可説不可説数の世界の生成と消滅の諸劫を示されます。一刹那のうちに不可説不可説数の劫〔に属する無数の衆生〕とともに暮らし、平等であることに普入されます。一刹那のうちに不可説不可説数の劫を転生輪廻《てんしょうりんね》されます。

行きなさい、善男子よ。まさにこの南の地方にドゥルガ〔険難《けんなん》〕という国があり、ラトナヴューハ〔宝荘厳《ほうしょうごん》〕という都城があります。そこにヴァスミトラー〔婆須蜜多《ばしゅみった》〕という名の遊女が住んでおられます。彼女の下を訪れて、菩薩はいかにして菩薩行を学ぶべきか、いかにしてそれを修めるべきか、尋ねなさい」

そこで、善財童子は、師子奮迅比丘尼の両足に頂礼し、比丘尼の周りを幾百千回となく右遶して、何度も何度も見つめた後、師子奮迅比丘尼の下を去った。

第二十五章　遊女ヴァスミトラー

そこで善財童子は、あの大いなる智慧の電光に心を照らし出され、一切智者の智の光明を熟考し、（諸法の）本質である法性の力の輝きを正しく観察し、一切の衆生の話す言葉を理解せしめる宝庫である陀羅尼門をしっかりと固め、一切の如来の法輪を心にとどめ保持せしめる陀羅尼門を大きく拡大し、一切の世の衆生の依り所となる大悲の力を支持し、一切法の真理の光明の門から生じた一切智者性の勢力をよく熟慮し、広大なる法界の全域《マンダラ》に遍満しようという清らかな誓願に随順し、一切法の諸方を照らし出す智の光明を輝かせ、一切法により飾られた十方世界に遍満する神通力を成就し、一切の菩薩の(1)偉業を憶念し、把握し、それに着手し、完成しようという誓願を満足させながら、遊女ヴァスミトラーを探し求めて、次第にドゥルガ国のラトナヴューハという都城へやって来た。

その町の中で、遊女ヴァスミトラーの諸々の功徳を知らず、彼女の智の行境《ぎょうきょう》の種々の様相を知らない人々は、次のように考えた。「このように諸根を鎮め、統御し、このように注意深く、このように惑わされず、このように心が散乱せず、このように一ユガ〔四手〕ほど先の足下の地面を見つめ〔諦視一尋〕、このように諸々の感情に心が打ち負かされず、このように物事の特相だけを捉えず、すべての事物から目をそらし、このように心がぐらつかず、行動は奥床しく、大海のように美しく、心が不動で溌剌《はつらつ》としているこの(若)者が、遊女ヴァスミトラーにいったい何の用があるのだろうか。というのも、このような人々は、欲望に身を委ねることはなく、心が転倒することはないからである。このような人々に、(女性が)清浄であるという観念は起こらない。このような人々は、愛欲の奴隷となることはない。このような人々は、女性に支配されない。このような人々は、魔の行境を歩むことはない。このような人々は、魔の境界に入ることはない。このような人々は、愛欲の泥沼に沈むことはない。このような人々は、魔の羂索に捉えられることはなく、してはならないことをすることはないからである」

一方、遊女ヴァスミトラーの優れた功徳を知るか、もしくは彼女の智の行境を直接知る人々は、次のように言った。「善いかな、善いかな、善男子よ。あなたが遊女ヴァスミトラーに質問しようと考えているとは、あなたは既に大きな利益を獲得していることになる。あなたはひたすら仏になること〔仏果位《ぶっかい》〕を追求している。ひたすら自らが一切の衆生の依り所となることを望んでいる。ひたすら一切の衆生の欲望の棘を引き抜くことを望んでいる。ひたすら(一切の衆生がもつ、女性は)清浄であるという(誤った)観念を打ち破ろうと望んでいる。善男子よ、遊女ヴァスミトラーは今、都城の中央、四方から道路が集まる広場の北側の自宅におられる」

そこで善財は、その言葉を聞いて、歓喜踊躍《かんぎゆやく》し、大いに満足し、嬉しくて、幸せな気持ちで一杯になった。遊女ヴァスミトラーの住む所に近づいて、彼女の邸宅を眺めた。それは広々として、壮大であり、宝石の牆壁《しょうへき》に十重に囲まれ、宝石のターラ樹の並木に十重に取り囲まれていた。香りの良い水をたたえ、天上の宝石でできた青蓮華、黄蓮華、紅蓮華、白蓮華が水面を覆い、(甘、冷、軟、軽など)八種の功徳を具えた水が充満し、黄金の砂が底に敷き詰められ、人々の心を魅了する芳香に触れてすばらしい香りがする水をたたえ、多数の宝石の牆壁に飾られた堀割が、普く(その邸宅の周りに)十重に張りめぐらされていた。あらゆる宝石から成る豪邸、宮殿、楼閣、適宜に配置された高い塔、龕、窓、格子、半月や獅子の檻の模様がすばらしい光を放っていた。(入口に立つ)幢《のぼり》の摩尼宝石が(その邸宅の)威容を一層輝かせていた。数え切れないほど多数の様々な摩尼宝石から成る牆壁に飾られていた。瑠璃のはめ込まれた宝石の瓔珞を敷いて、地面は仕上げられていた。あらゆる天上の清らかな薫香が辺り一面にたちこめていた。

立派な黒アガル樹から採れた香料が薫じられ、すばらしい香りがしていた。あらゆる塗香が辺り一面に塗り込められていた。

(邸宅を取り巻く)壁の上には、あらゆる宝石の笠石が置かれていた。楼閣の頂上は、様々な宝石がはめ込まれたジャンブ河産の黄金の網に覆われていた。幾百千の黄金の鈴の網が風に揺られて、甘く美しい音色を響かせていた。(天上の)あらゆる宝石の華の雲から降ってきた宝石の華々が(辺り一面に)撒き散らされて、みごとな装飾となっていた。入口は、あらゆる宝石から成るすばらしい幢で美しく飾られていた。種々の摩尼宝石の光る篝火が輝いていた。(その邸宅の壮麗さは)どのように説明しても限りがない。(邸内の)樹木やその枝は多数のすばらしい摩尼から成り、宝庫の中には金剛や玻璃が露に見える幾百千の財宝が蓄積され、無尽蔵であった。十の大園林に飾られていた。

善財は、その邸宅の中に遊女ヴァスミトラーを見つけた。彼女の容姿は美しく、清らかで好ましかった。(彼女の身体は)すばらしく清浄な最高の色を具えていた。肌は金色で、髪は黒色だった。彼女の身体は、四肢がよく均整がとれていた。その色や形、配置の美しさは、欲界に属するあらゆる神々や人間を超越していた。彼女の声は、梵天より優れていた。一切の衆生の話す言葉《マントラ》の種々の様相を熟知していた。彼女の声は、一切の音声の荘厳を具えて魅力にあふれていた。輪字の荘厳という(菩薩の)解脱に熟達し、一切の技芸論に完全に熟達し、諸法の智は幻であると熟達するよう良く訓練され、あらゆる形の菩薩の救済手段〔方便門《ほうべんもん》〕を体得していた。

彼女の身体はすばらしい宝石の装飾具に飾られて魅力的であった。あらゆる宝石から成る光り輝く網が、その身体を覆っていた。阿僧祇数の天上の摩尼宝石から成る装身具の荘厳に飾られて、その身体は燦然と輝いていた。彼女の宝冠には如意王という大きな摩尼宝石がはめ込まれており、金剛とすばらしいシンハ・カーンタという摩尼宝石に中央を飾られた瑠璃の摩尼の瓔珞が彼女の首にかけられていた。彼女を取り巻く多数の美しい侍女たちも、彼女と同じ善根の行を行ない、同じ誓願を立てていた。彼女は無尽蔵なる福徳と智の蓄えられた宝蔵を所有していた。そして、彼女はその身体から美しい光を放出し、(それに触れる者の)身体に爽快感と悦楽を与え、心に高揚と歓喜を生じていたが、善財はその高貴な光によって、あらゆる宝石から成る豪邸や宮殿に飾られた彼女の邸宅全体が煌々と照らし出されるのを見た。

そこで善財は、遊女ヴァスミトラーの両足に頂礼し、その前に合掌して立ち、次のように言った。「聖者よ、私は既に無上正等覚に向けて発心いたしております。しかし、そもそも菩薩はいかにして菩薩行を学ぶべきか、いかにしてそれを修めるべきか私は知りません。あなたは菩薩たちに教訓と教誡を授けられるとお聞きしております。聖者よ、どうぞ私に、いかにして菩薩は菩薩行を学ぶべきか、いかにしてそれを修めるべきかお教えください」

彼女は次のように答えた。「善男子よ、私は離欲の究極を究めた〔離貪欲際《りどんよくさい》〕という菩薩の解脱を体得しております。善男子よ、私は、神々には、彼らが願い信じる通り、形、色、均整、高低、大小のいずれをとっても、天女より優れた光り輝く清らかさをもって姿を現します。同様に、龍、ヤクシャ、ガンダルヴァ、アスラ、ガルダ、キンナラ、マホーラガ、人間、鬼神たちには、彼らが願い信じる通り、形、色、均整、高低、大小のいずれをとっても、それぞれの娘たちより優れた光り輝く清らかさをもって姿を現します。

そして、衆生たちが欲望に心を捉われて私の所にやって来れば、善男子よ、全員が欲望を離れるようになるよう、私は法を説きます。(一)その法を聞くと、彼らは欲望を離れた状態に達し、菩薩の無著境界三昧を獲得します。(二)ある人々は、私を見るや否や、欲望を離れた状態に達し、菩薩の歓喜三昧を獲得します。(三)ある人々は、私とおしゃべりするだけで、欲望を離れた状態に達し、菩薩の無礙妙音声蔵三昧を獲得します。(四)ある人々は私の手をとるだけで、欲望を離れた状態に達し、菩薩の一切の仏国土へ往詣するための基盤〔随順遍往一切仏刹〕という三昧を獲得します。(五)ある人々は私と同宿するだけで、欲望を離れた状態に達し、菩薩の（煩悩の）束縛を離れた光明〔解脱光明〕という三昧を獲得します。（六）ある人々は私を見つめるだけで、欲望を離れた状態に達し、菩薩の寂静荘厳三昧を獲得します。（七）ある人々は私があくびをするだけで、欲望を離れた状態に達し、菩薩の異教徒の師たちを動揺させる〔摧伏外道《さいぶくげどう》〕という三昧を獲得します。（八）ある人々は私が瞬きするだけで、欲望を離れた状態に達し、菩薩の仏境界光明三昧を獲得します。（九）ある人々は私を抱き締めるだけで、欲望を離れた状態に達し、菩薩の一切の世の衆生を摂取し、捨てない蔵〔摂一切衆生恒不捨離〕という三昧を獲得します。（一〇）ある人々は私に接吻するだけで、欲望を離れた状態に達し、一切の世間の人々の功徳の宝庫に触れる〔増長一切衆生功徳蔵〕という菩薩の三昧を獲得します。

私は、およそ私の下にやって来るすべての衆生たちをまさにこの離欲の究極を究め、無礙なる一切智者の位に直面するという菩薩の解脱に確立させるのです」

善財は尋ねた。「聖者よ、あなたはいったいどこに善根を植え、いかなる（善）業を積まれたので、このような成功を収められたのでありましょうか」

ヴァスミトラーは答えた。「善男子よ、私の記憶しているところによりますと、過去世にアティウッチャガーミン〔高行〕という名の如来・応供・正等覚がこの世に出現されました。そのお方は、明行足《みょうぎょうそく》・善逝《ぜんぜい》・世間解《せけんげ》・無上士《むじょうし》・調御丈夫《じょうごじょうぶ》・天人師《てんにんし》・仏・世尊《せそん》でありました。

善男子よ、その高行如来が衆生を哀れみ、慈しむためにスムカー〔妙門〕という王都へ入り、その城門の敷居石をお踏みになった途端、その都城全体が震動いたしました。そして、(その都全体が突然)大きく拡大し、多数の宝石から成る町となりました。多数の宝石の光明に飾られ、種々の宝石の華々が(辺り一面に)撒き散らされ、様々な天上の楽器から妙なる音楽が聞こえてきました。また、高貴にして無量の神々の雲のように大きな身体が上空を覆っていました。

善男子よ、そのとき、私は、長者の妻スマティ〔善慧《ぜんね》〕と申しました。そこで私は、仏の示された奇蹟に駆りたてられて、夫とともに走り出し、商店街の入口にお近づきになられたその如来に対して深い浄信を生じ、一枚の宝石の硬貨を差し上げました。ところで、そのとき、文殊師利《もんじゅしり》法王子が、その世尊、高行如来の侍者を務めておられました。その(文殊)が私を無上正等覚に向けて発心させて下さったのです。

善男子よ、私はこの離欲の究極を究めたという菩薩の解脱を知るのみです。どうして私に、無限の方便と智の熟達を完成し、広大かつ無尽蔵の功徳の宝庫を具え、その智の境界は誰にも打ち破られることのない菩薩たちの行を知り、その功徳を語ることができましょうか。行きなさい、善男子よ。まさにこの南の地方にシュバ・パーランガマ〔浄《じょう》達彼岸《たつひがん》〕という都城があります。そこで、ヴェーシュティラ〔毘瑟底羅《びしってら》〕という家長が、栴檀の台座の如来の塔廟《とうびょう》を(常に)供養しておられます。彼の下を訪れて、菩薩はいかにして菩薩行を学ぶべきか、いかにしてそれを修めるべきか、尋ねなさい」

そこで、善財は、遊女ヴァスミトラーの両足に頂礼し、彼女の周りを幾百千回となく右遶して、何度も見つめた後、遊女ヴァスミトラーの下を去った。

第二十六章　ヴェーシュティラ家長

そこで善財童子は、シュバ・パーランガマ都城にあるヴェーシュティラ家長の家に赴き、近づいてその家長の両足に頂礼し、面前に合掌して佇立し、次のように言った。

「聖者よ、私は無上正等覚に向かって発心いたしておりますが、しかし私は菩薩がどのように菩薩行を学ぶべきか、どのように修めるべきか知りません。ところで私は聖者が菩薩たちに教訓と教誡を与えられると聞きました。ですから、菩薩がどのように菩薩行を学ぶべきか、どのように修めるべきか聖者は私にお教え下さい」

(ヴェーシュティラ家長は)告げた。「善男子よ、私は不究尽の果て(不《ふ》滅《めつ》度《ど》際《さい》)という菩薩の解脱を獲得している。善男子よ、所化《しょけ》の衆生のためでなければ、私の(身心の)連続からは如来がすべての世界において絶対的な涅槃によって過去に涅槃されたことがなく、現在も涅槃されず、未来にも涅槃されない。善男子よ、そういう私は(如来の遺骨を祀る)栴檀の座のある如来の塔廟の扉を開く。そして私がその扉を開いたとき、私は不尽の仏の系譜の荘厳という菩薩の三昧を獲得したのである。善男子よ、私はまさにこの三昧に各々の心の刹那に入っており、すべての心の刹那に多くの特殊の様相を証得する」

（善財は）問う。「聖者よ、この三昧の境界はどのようなものですか」

（ヴェーシュティラ家長は）答える。「善男子よ、私がこの三昧の状態にあるとき、この世界系譜における諸仏の連続の順に、カーシャパ〔迦葉仏《かしょうぶつ》〕を初めとするすべての如来、カナカムニ〔拘那含仏《くなごんぶつ》〕、クラクッチャンダ〔拘留孫仏《くるそんぶつ》〕、ヴィシュヴァブジュ〔毘舎浮仏《びしゃぶぶつ》〕、シキン〔尸棄仏《しきぶつ》〕、ヴィパシュイン〔毘婆尸仏《びばしぶつ》〕、ティシュヤ〔提舎仏《だいしゃぶつ》〕、プシュヤ〔弗沙仏《ふっしゃぶつ》〕、ヤショーッタラ〔無上勝仏《むじょうしょうぶつ》〕、パドモーッタラ〔無上蓮華仏《むじょうれんげぶつ》〕を主とするすべての如来が現前される。仏との出会いの連続において、不断に諸仏が連続するので、私は各々の心の刹那に百人の仏にまみえ、その直後の心で千人の仏を直観し、その直後の心で百千人の仏を直観し、同じように一コーティの仏、百コーティの仏、千コーティの仏、百千コーティの仏、コーティ・アユタの仏、コーティ・ニユタの仏、コーティ・カンカラの仏、コーティ・ビンバラの仏を（直観し）、乃至、その直後の心で、不可説不可説数の仏の出現の連続を直観し、その直後の心でジャンブ州の微塵の数に等しい如来を直観し、乃至、その直後の心で、不可説不可説数の仏国土の微塵の数に等しい如来を直観し、それらの如来の初発心の資糧の連続を直観し、初発心によって獲得する神変を直観し、多種の誓願の清浄な成就を直観し、(仏の)行ないの清浄を直観し、波羅蜜の達成を直観し、すべての菩薩地への到達を直観し、忍辱《にんにく》によって獲得する清浄を直観し、魔の邪悪を追い散らす威厳を直観し、正等覚の神変《じんぺん》の荘厳を直観し、仏国土の清浄の種々相を直観し、衆生の成熟《じょうじゅく》の種々相を直観し、法会《ほうえ》への参集の種々相を直観し、(仏の)円光の種々相を直観し、法輪を転じる(仏の)威厳を直観し、仏の神変や奇蹟を直観する。

また、私はそれらの(如来の)まことによく組織され、区別された法の教示を憶念し、保持し、想起によって理解し、論理によって探求し、智によって弁別し、覚知によって証悟し、智慧によって明らかにし、弥勒《みろく》を初めとする未来の仏の連続を直観し、心の一刹那に百の仏を直観し、その直後の心によって千の仏を直観し、乃至、その直後の心によって不可説不可説数の仏国土の微塵の数に等しい如来を直観し、それらの如来の初発心の資糧の連続を直観し、乃至、それらの(如来の)まことによく組織され、区別された説法を憶念し、保持し、想起によって理解し、論理によって探求し、智によって弁別し、覚知によって証悟し、智慧によって明らかに示す。

この世界系譜において過去の果てと未来の果てに属する仏の連続を見、直観するように、私は十方にある不可説不可説数の仏国土の微塵の数に等しい過去と未来の世界系譜においてすべての如来の連続を直観し、それらの如来の初発心の資糧の連続を直観する。

私はその仏の連続――それは断絶せずに続き、無尽蔵で、浄信によって理解されるべきで、菩薩の精進と決意によって証得され、菩薩の精進の勢いを増強し、すべての世間の人々、すべての声聞、独覚、および彼らの領域に入った菩薩たちが与《あずか》り知ることのできないものである――を直観する。

また、毘盧遮那(如来)を初めとする、十方のすべての世界におられる現在の如来方の連続を直観し、心の一刹那に百人の仏にまみえ、直観し、その直後の心で千人の仏を直観し、乃至、その直後の心で不可説不可説数の仏国土の微塵の数に等しい如来を直観する。また、ある如来にお会いしたいと願ったとき、そのときそ(の如来)に私はお目にかかり、それらの諸仏世尊によってかつて説かれ、今説かれ、未来に説かれるであろう(教え)、そのすべてを私は聴聞し、聞いて覚え、記憶によって保持し、論理によって探求し、智によって弁別し、覚知によって証悟し、智慧によって明らかに示す。

善男子よ、私はこの不涅槃の果て〔不般涅槃際《ふはつねはんざい》〕という菩薩の解脱を知っているが、菩薩方は、(一)(過去、現在、未来の)三世を一刹那に知る智を獲得され、(二)刹那の究極において(多くの)三昧の荘厳に住し、(三)如来が開悟する昼に入り、(四)あらゆる計らいや分別の平等性を証悟し、(五)あらゆる仏の平等性の三昧を証悟し、(六)自己と衆生と仏の不二に住し、(七)本性として清く輝く法の荘厳の輪《マンダラ》を具え、(八)智の装置によって世間を網で覆い、(九)すべての如来の教えの標識《ひょうしき》〔法印《ほういん》〕に泰然として安住し、(一〇)すべての法界を知らせる智の境界を具え、(一一)すべての如来の説法を表示する智の境界を具えた方々であるから、どうして、私に(そのような菩薩方の)行を知り、功徳を説くことができようか。

行け、善男子よ。この同じ南の地方にポータラカ〔補怛洛迦《ふだらか》〕という名の山があり、そこにアヴァローキテーシュヴァラ〔観世音《かんぜおん》／観自在〕という名の菩薩が住んでおられる。その方の下に行って尋ねよ。菩薩はどのように菩薩行を学ぶべきか、どのように修行すべきか」

そのとき、(この家長は)次の詩頌を述べた。

行け、善財よ。吉祥の海の中央にある壮麗な山の王なるポータラカ、勇士の住む地に。宝石から成る木立や森林があり、華々が撒き敷かれ、遊園や蓮池や水流を具えている(地に)。(一)

その秀でた山に志操堅固な観世音が、世間の人々の利益のために住んでおられる。

善財よ、その方の下に行って、指導者の功徳を尋ねなさい。彼は広大ですばらしい真理への悟入法を説いて下さるであろう。(二)

そこで善財童子は、ヴェーシュティラ家長の両足に頂礼し、その長者の周りを幾百千回となく右遶して、何度も仰ぎ見て、その家長の下を去った。

第二十七章　観世音菩薩

そこで善財童子は、㈠ヴェーシュティラ家長の教誡を思惟し、㈡かの菩薩の深信の宝庫に沈潜し、㈢かの菩薩の念力〔随念力〕を憶持し、㈣かの仏の導きを継続する力を保持し、㈤間断なく続くかの諸仏の連続をさとり、㈥かの耳に達した諸仏の名号《みょうごう》を(順に)憶持し、㈦かの諸仏の説法の真理に随順し、㈧かの諸仏の法の成就の荘厳を知り、㈨かの仏のさとりの咆哮《ほうこう》を信じ、㈩かの不可思議な如来の行ないを目の当りにしながら、彼は次第にポータラカ山に近づき、登り、観世音菩薩を普く尋ね、探しまわっているとき、彼は山頂の西側の窪地に観世音菩薩がおられるのを見出した。その場所は泉や湖や流水で美しく飾られ、青々とした瑞々しい渦を巻いた柔らかい草が繁茂した大きな森林の中の空地で、(そこに観世音菩薩は)金剛宝石の岩の上で結跏趺坐して座り、種々の宝石の岩石の表面に座っている無量の菩薩に取り巻かれ、法を説いて、すべての世の衆生の摂取を主題とする大慈《だいじ》大悲《だいひ》の門の明示という法門を明らかにしておられた。

（観世音菩薩を）見ると、（善財は）さらに感動し、感激し、喜悦し、歓喜し、喜びと満足を生じ、彼は歓喜に陶然として眼を見開いたまま、瞬きもせずに見つめ、合掌して、善知識への浄信の勢いに従った散乱のない心をもち、善知識においてすべての仏にまみえるとの思い、すべての法の雲の受容は善知識に由来するとの思い、すべての功徳を求める修行も善知識によるとの思い、善知識には会い難いとの思い、十力と智の宝石の獲得は善知識に由来するとの思い、無尽の智の光明も善知識に由来するとの思い、福徳の芽は善知識の土壌において生長したとの思い、一切智者性への門は善知識によって示されたとの思い、大きな智の海への入口は善知識によって教示されたとの思い、一切智者性の資糧の集起も善知識から生じたとの思いをいだいて、観世音菩薩の下に近づいた。

そのとき、観世音菩薩は遠方から近づいてくる善財童子を見て、次のように言った。「近くに来なさい。よく来ました。無比広大で不可思議な大乗に進みいで、生得の種々の苦しみにおしひしがれている寄る辺なきすべての世の衆生の救護を志し、あらゆる世間を超えた無比無量のすべての仏の徳〔法〕を目の当りにすることを願求し、大悲の勢いに駆り立てられてすべての世の衆生の救護を思い、普賢《ふげん》（菩薩）にまみえ（その）行に向かい、大誓願の輪《マンダラ》を清浄にすることを心がけ、すべての仏の法の雲を普く保持することを願求し、善根を積むことを志して飽くことなく、善知識の教誡を正しく実践し、文殊

116

師利の智の海から生じた功徳の蓮の池であり、仏の威神力の獲得に向かい、三昧の光明の勢いを獲得し、すべての仏の法の雲の保持を願求する心を具え、仏にまみえる喜びと浄信の勢いによって歓喜に心が満たされ、不可思議で無量の善行の勢いによって心が潤され、功徳を求める修行の勢いによって浄化された福徳と智の宝庫を自らに現前し、(その宝庫を)一切智者の智を見る道の勢いによって他者にも示そうという意図をもち、大悲の勢いの根元が消滅することなく、如来の智の光明の勢いを普く保持する智慧をいだける者よ」

そこで善財童子は、観世音菩薩の下に伺候して、その両足に頂礼し、その周りを幾百千回となく右遶して、正面に合掌して立ち、次のように言った。「聖者よ、私は無上正等覚に向けて発心いたしました。しかし、私は菩薩が菩薩行をどのように学ぶべきか、どのように修行すべきか知りません。私は聖者が菩薩方に教訓と教誡を与えて下さると聞いております。ですから、聖者は、どのように菩薩は菩薩行を学ぶべきか、どのように修行すべきか私にお教え下さい」

そこで観世音菩薩は、多彩で無量の光の網を放つ荘厳の雲を湧きいだし、ジャンブ河産の黄金の色をした右腕を差しのべて、相好から発し、身心に無量の喜びをもたらす種々で無垢の光の散乱によって飾られた手を、善財童子の頭の上に置いてこう説いた。

「善いかな、善いかな、善男子よ。汝が無上正等覚に向けて発心したとは。善男子よ、私は遅滞のない大悲の門という菩薩行の門を知っている。善男子よ、この遅滞のない大悲の門という菩薩行の門は、すべての世(界)を分け隔てずに衆生の成熟と教化に向かい、普門から聞き、知らせることによって衆生の摂取と教化に役立つものである。だから、善男子よ、私は遅滞のない大悲の門という菩薩行の門に立っているので、すべての如来の足下から動かずに、すべての衆生のためになすべきことに直面してもいる。(即ち)布施によって衆生を摂取し、愛語、利益をもたらす行為、(衆生と共に)同じ仕事をする同事によって衆生を摂取し、色身を示現することによっても衆生を成熟させ、不可思議で清浄な色、形、姿の示現により、(さらに)光網の放射によっても衆生を喜ばせ、成熟させ、(衆生たちの)願っている通りの声を出し、各々に快い威儀を現し、多様な深信(の各々)に合った教えを説き、種々の神通《じんずう》と神変《じんぺん》(を演じ)、善法を積むことを怠る衆生の心を奮い立たせ、願いに適った多様で無量の変化《へんげ》(身)を示現し、種々の階級《ジャーティ》に生まれた衆生と同じ姿を現し、同じ住処に住むことによっても衆生を摂取し、成熟させる。善男子よ、だから、遅滞のない大悲の門というこの菩薩行の門を清浄にする私は、すべての衆生の庇護者になる誓願を起こしている。即ち、㈠すべての衆生の(奈落への)転落の恐怖を払い、㈡すべての衆生の恐怖の的に対する恐怖を鎮め、㈢すべての衆生の愚痴の恐怖をなくし、（四）すべての衆生の束縛の恐怖を根絶し、（五）生命の危機の接近に対するあらゆる衆生の恐怖を除き、（六）あらゆる衆生が生活の資具の欠乏を恐れる恐怖を除き、（七）あらゆる衆生の生計の手段に由来する恐怖を鎮静し、（八）あらゆる衆生の悪評の恐怖を一掃し、（九）あらゆる衆生の輪廻の恐怖を和らげ、（一〇）あらゆる衆生が集会の中で物怖じする怖畏《ふい》〔怯衆畏《こしゅい》〕をなくし、（一一）あらゆる衆生の死の恐怖を除去し、（一二）あらゆる衆生の悪しき境遇の恐怖をなくし、（一三）あらゆる衆生が引き返すことのできない闇黒で危険な道に光明をもたらし、（一四）あらゆる衆生の、気に染まぬものとめぐり会うこと〔怨会《おんね》〕の恐怖を完全に追い払い、（一五）あらゆる衆生の、好ましいものとの別離〔愛別〕の恐怖を滅し、（一六）あらゆる衆生の厭わしいものとの共生の恐怖を除き、（一七）あらゆる衆生を身体の苦痛の恐怖から解放し、（一八）あらゆる衆生を心の苦悩の恐怖から自由にし、（一九）あらゆる衆生の苦しみ、憂悩、煩悶を一掃するために、（私は）あらゆる世の衆生の庇護の場所となろうという誓願を成就した。

　また私はあらゆる衆生の恐怖を除くために、すべての世界に（私への）祈念の門〔正念法門〕を威神力でつくりだし、あらゆる衆生の恐怖を除くために、すべての世界に自分の名号の輪《チャクラ》〔字輪法門《じりんほうもん》〕を（転じて）鳴り渡らせ、適切な機会に衆生がそれぞれに（私を）知ることができるように、あらゆる世の衆生の数限りない異なる相貌と同じ自分の身体を威神力で現し出す。善男子よ、だから、私はこの方便によってすべての衆生をすべての恐怖から解き放ち、仏のすべての徳を獲得するために、無上正等覚に向けて発心させて不退転にする。

善男子よ、私はこの遅滞のない大悲の門という菩薩行の門を獲得しているが、菩薩方は、(一)普く優れ〔普賢〕、(二)すべての仏の誓願の輪《マンダラ》を清浄にし、(三)普賢なる菩薩行に巧みで、(四)間断なく善法を実行する流れに入り、(五)すべての菩薩の三昧の流れに常に入っており、(六)あらゆる劫に(衆生とともに)生存して(菩薩)行から退転することのない流れに入り、(七)三世のすべての真理に従う流れに入り、(八)すべての世界の転回を回転する流れに通暁し、(九)すべての衆生の不善の心を鎮める流れに入り、(一〇)すべての衆生の善き心を増大する流れに入り、(一一)すべての衆生を輪廻の流れから呼び戻す流れに入っている(方々である、そういう菩薩方の)行を知り、功徳を語ることがどうして私にできようか」

そこで次の詩頌が説かれた。

右遶して恭々しく賞讃し、大変自己抑制のきいた善財は南の地方に旅立った。彼は大悲(行)で日を送る聖仙、観世音(菩薩)が宝石でできた山の峡谷におられるのを見た。　(一)

(その志操)堅固な(観世音)は種々の摩尼宝石が満ち、金剛でできた山の斜面にある蓮華台の獅子座に座り、神々、アスラ、龍、キンナラ、ラークシャサと勝者の子らに囲まれ、彼らに教えを説かれていた。(二)

(観世音菩薩を)見て、善財は類いのない歓喜を生じた。近づいて、功徳の海(である観世音)の両足に頂礼し、「私がこの(普)賢行という教えを得ます(ように)、聖者は慈しみを生じて私に教訓をお授け下さい」(と申し上げた)。(三)

広大で清浄な光の雲の網を放ちながら幾百もの福徳に飾られた無垢の腕をさしのべ、善財の頭の上に置き、清浄なる衆生で智者である観世音は(次の)言葉を語った。(四)

「仏子《ぶっし》よ、私はすべての勝者の(大)悲で満たされた智の蔵という一つの解脱門を知っている。あらゆる世の衆生を救い摂取するために現れる。私の自己愛はすべての者にも及ぶ。(五)

すべての人々を幾多の災厄から私は救う。敵の手に落ちて堅く縛られた者、身体に傷を負った者、同じく牢獄に閉じ込められた者をも。私の名を聞いて、束縛されている者は解放される。(六)

国王に対して犯罪を犯し、死刑にされる(場所)に追いこまれても、そこで私の名を祈念する者たち、彼らの身体に投げつけられた槍は向かって行かず、刀は折れ、鋭い刃は向きを変えてしまう。

王たちの中にいて論争になっても、私の名を祈念すれば、敵対者をすべて打ち負かし、浄福を獲得し、名声、友人、家柄、財産をすべて増し、侵し難い者となる。（七）

私の名を祈念する者は誰もが、盗賊の危険や敵の危険があり、獅子、熊、虎、野生のヤク牛、野獣、蛇が満ち満ちている森林に入っても、仇となるすべてのものに打ち勝って恐れずに行く。（八）

憎しみの心の持主によって大きな山の頂から突き落とされ、また殺害のために炭火の坑で焼かれても、私の名を祈念するものには誰であれ、火焔は蓮華の満ちた海となる。（九）

私の名を瞬時でも祈念するならば、海水の中に投げ込まれても、そこで死ぬことはなく、河で流されもせず、火の中で焼かれもせず、不利益はまったくなく、利益の成就がある。（一〇）

私の名を祈念するならば、木の枷、杖刑《じょうけい》、囚縛《しゅうばく》、鉄の足枷、不当な処罰、侮辱、屈辱、監禁、罵倒、打擲《ちょうちゃく》、威嚇、脅迫から解き放たれる。（一一）

私の名を聞いて祈念すると、敵、隙や弱点をうかがう者、常に憎悪の念をいだく者、また悪口を語る者たちも、出会うや否や、そのとき、慈愛心の持主となり、賞讃を語るであろう。 (一三)

殺すために(近づく)ヴェーターラや呪文やカーコールダ[1]を用いる敵たちは、私の名を祈念する誰に対しても常に動けなくなり、毒もすべてその人々の身体には効かなくなる。 (一四)

龍王、ラークシャサの群、ガルダ、ピシャーチャ、クンバーンダ、プータナ[2]、傷害を加える者、獰猛《どうもう》な心の持主、精気を奪う者、恐怖をもたらす者たちもすべて、私の名を祈念するならば、夢の中でさえも静かになる。 (一五)

私の名を瞬時だけでも祈念するならば、父母、友人、親類、縁者と別離することもなく、嫌なものと会うこともなく、財産が尽きることもなく、貧窮の身になることもない。 (一六)

私の名を祈念する清浄な衆生は誰でも、この世から死んで阿鼻地獄に行くことはなく、畜生道にも行かず、餓鬼道にも行かず、八種の難処にも行かず、天上か人間界に生まれる。 (一七)

私の名を祈念するならば、人々は幾多のコーティ劫の間、眼が不自由にも、隻眼にも、難聴にもならず、四肢が損傷もせず、凶悪な(姿)にも(ならず)、足が不自由になることもない。また聞いて快く、見て美しくなり、すべての感官が完全なものとなる。　(一八)

「観世音」と私の(名を唱える者)、彼らは幸せな境遇に行く。手一杯に盛った華を私の身体に振りかけ、薫香を焚き、傘蓋を供え、広大に供養をするならば、その浄信の心の持主は私の仏国土で供養されるべき者となろう。　(一九)

私の名を祈念する者は誰でも、(そういう)清浄な衆生は、この世を死に去って、十方の世界において諸仏の御前に生まれ、諸仏にまみえ、彼らの教えを聞く(者となる)。　(二〇)

これらやその他のどれほど多くの手段によって、世間で私が衆生を教化したか、(その量は)量ることも尽くすこともできない。仏子よ、私は一つの解脱を修習した(だけで)有徳者のすべての徳を知っているわけではない。　(二一)

十方の世界において、善財は善知識にお仕えした。勝者の子は教えを聞いて飽くことがない。どうして教えを聞いて喜びがなかろうか」　(二二)

164

さて、そのとき、アナニヤガーミン〔正趣《しょうしゅ》〕という名の菩薩が東方から天穹を通って、娑婆《しゃば》世界の鉄囲山《てっちせん》の山頂に降り立った。アナニヤガーミン菩薩が娑婆世界の鉄囲山の山頂に両足を下ろすや否や、その刹那にこの娑婆世界は六種に震動し、多くの宝石でできたものとなった。

(その)アナニヤガーミン菩薩は身体から次のような光明を放った。その光明によって日月のすべての光は圧倒され、あらゆる神々、龍、ヤクシャ、ガンダルヴァ、アスラ、ガルダ、キンナラ、マホーラガ、帝釈天、梵天、護世神《ごせしん》や、火、摩尼、電光、星の輝きも輝きを失い、すべての大地獄も照らし出され、すべての畜生道と餓鬼道の闇黒の境遇も照らし出された。その直後にすべての悪しき境遇における苦しみは鎮まり、すべての衆生の煩悩は除かれ、種々の憂いの矢の苦しみは和らげられた。このすべての仏国土にあらゆる宝石の雲から(宝石の雨を)降らせ、あらゆる華、薫香、香料、華鬘、塗香、抹香、衣、傘蓋《さんがい》、幡《のぼり》、幢《はた》の荘厳というあらゆる供養の品の雲から(それらの雨を)降らせると、世尊の方に近づいた。彼の身体はあらゆる衆生の住居において影像として現れ、願い通りに衆生を満足させることに向かい、かのポータラカ山にいる観世音菩薩の下に近づくのが見られた。

そこで観世音菩薩は善財童子にこう語った。「善男子よ、汝はアナニヤガーミン菩薩がこの説法会に来られたのを見たか」

(善財は)お答えした。「聖者よ、拝見しました」

(観世音菩薩は)語られた。「このアナニヤガーミン菩薩の下に行って、菩薩はどのように菩薩行を学び、どのように修めるべきか聞きなさい」

そこで善財童子は、観世音菩薩の両足に頂礼し、菩薩の周りを幾百千回となく右遶したうえで、何度も仰ぎ見てからその下を去った。

第二十八章　アナニヤガーミン菩薩

そこで善財童子は、観世音菩薩の智の堅い基盤を未だ得てはいないと思い、観世音菩薩にまみえることに満ち足りたとは思っていなかったが、（観世音菩薩の）言葉に逆らわないで、アナニヤガーミン菩薩の下に行き、アナニヤガーミン菩薩の両足に頂礼し、面前に合掌して佇立し、次のように言った。「聖者よ、私は無上正等覚に向けて発心いたしております。しかし、私は菩薩が菩薩行をどのように学び、どのように修めるべきか知りません。私は、聖者が菩薩たちに教訓と教誡を与えられると聞きました。ですから、聖者は私に菩薩は菩薩行をどのように学ぶべきか、どのように修めるべきかお教え下さい」

か（のアナニヤガーミン菩薩）は答えた。「善男子よ、私は普門より速やかに赴く（普門《ふもん》速疾行《そくしつぎょう》）という菩薩の解脱を得ている」

（善財は）問う。「聖者よ、あなたはどの如来のお膝元でこの普門速疾行という菩薩の解脱を得られたのですか。その〔如来の〕世界はここからどれほど遠くにあるのですか。その世界を出立されてからどれ位長い時がたちましたか」

答える。「善男子よ、菩薩の尽力、菩薩の不退転の精進、抗い難い菩薩行というこの主題は、神々、人間、アスラを含む世間によっても、沙門《しゃもん》、婆羅門《ばらもん》を含む人々によっても理解し難いものである。善男子よ、善知識に摂取されてもいず、仏に見守られてもいず、善根を積んでもいず、志願が清浄でもなく、菩薩の能力〔根《こん》〕を得てもいない、智慧の眼を欠いている者たちはこのことを聞くことも、保持することも、信じることも、了悟することもできない」

〔善財は〕請うた。「聖者は私にお説き下さい。私は仏の威力と善知識の加護とによって信じ、信受するでしょう」

か〔のアナニヤガーミン菩薩〕は説いた。「善男子よ、私は東方にあるシュリー・ガルバヴァティー〔妙蔵〕世界であるサマンタ・シュリーサンバヴァ〔普勝生〕如来の仏国土からやって来た。善男子よ、その普勝生如来の足下で私はこの普門速疾行という菩薩の解脱を獲得した。

善男子よ、その妙蔵世界を私が出立してから、不可説不可説数の仏国土の微塵の数に等しい劫が過ぎ去った。一々の発心の間に不可説不可説数の仏国土の微塵の数に等しい

128

足の運びが歩まれ、一歩一歩の足の運びごとに、不可説不可説数の仏国土の微塵の数に等しい仏国土を通過し、如来がおられるそれらすべての仏国土に私は入り、私はそれらすべての諸仏世尊を、如来の供養によって供養した。(それらの供養は)無上であり、心から成り、業の蓄積のない〔無作《むさ》〕法界の印が押されてあり、如来によって認可され、菩薩に歓喜をもたらすものである。それらの世界にいる限りの衆生の海を私は見、彼らすべての心の海を洞察し、それらすべての機根の輪《チャクラ》を普く知って、(彼らの)志願や深信に応じて色身を示現し、教えを説く声をあげ、光の輪を放ち、様々の豊富な家具を提供し、自分の身体を彼らに威神力によって示した。いうまでもなく、それは成熟と教化の行ないを止めないためである。

東方より行くように、同じように私は南、西、北、北東、東南、南西、西北、上、下の方角からも行く。

善男子よ、私はこの普門速疾行という菩薩の解脱を知っているが、菩薩方は、(一)あらゆる所に至り、(二)あらゆる方角に現前され、(三)智の境界は無区別であり、(四)あらゆる法界においてよく整った身体を具え、(五)志願や深信のままにすべての衆生に応じて(救済行を)行ない、(六)身体はすべての国土に遍在し、(七)あらゆる教えの道に従い、(八)三世の道程の平等性を体得し、(九)あらゆる方角の道の平等性に随順し、(一〇)あらゆる世の衆生の道を普く照らし、(二)(あらゆる)如来の道を分別せず、(三)障害のないすべての道を行き、(三)依り所のない道に立っておられる(方々だから、そういう菩薩方の)行をどうして私が知り、功徳を語ることができようか。

行け、善男子よ。この同じ南の地方にドヴァーラヴァティー〔門主《もんしゅ》〕という名の都城があり、そこにマハーデーヴァ〔大天《だいてん》〕という神が住んでおられる。その方の下に行って、どのように菩薩は菩薩行を学ぶべきか、どのように修めるべきか尋ねよ」

そこで善財童子は、アナニヤガーミン菩薩の両足に頂礼し、彼の周りを幾百千回となく右遶して、何度も仰ぎ見たうえで、その下を去った。

第二十九章　マハーデーヴァ神

そこで善財童子は、(一)心で広大な菩薩行に随順し、(二)すすんでアナニヤガーミン菩薩の智の境界を熱望するようになり、(三)大神通を演じる境界の優れた功徳を見、(四)強固な精進の甲冑《かっちゅう》を身につける特別の喜びを得、(五)願って不可思議な解脱の遊戯に従い、(六)菩薩の功徳の位で修行し、(七)三昧の位で観察し、(八)陀羅尼の位にとどまり、(九)誓願の位に入り、(一〇)透徹した弁才の位を学習し、(一一)力の位を完成しながら、次第にドヴァーラヴァティー都城に近づくと、マハーデーヴァ神を普く探した。彼に大衆が告げた。「善男子よ、そのマハーデーヴァ神は都城の(中央の)交差点にある神殿で、広大な身体をして衆生たちに教えを説いています」

そこで善財童子は、マハーデーヴァ神のおられる所へ行って、彼の両足に頂礼し、面前に合掌して佇立し、次のように言った。「聖者よ、私は無上正等覚に向けて発心いたしておりますが、どのように菩薩は菩薩行を学ぶべきか、どのように修めるべきか知りません。私は聖者が菩薩たちに教訓と教誡を与えられると聞きました。ですから、聖者よ、どのように菩薩は菩薩行を学ぶべきか、どのように修めるべきかお教え下さい」

そこでマハーデーヴァ神は四方に四本の手を伸ばして、四大海《しだいかい》から非常な速さで水を汲んで自分の顔を洗い、善財童子に黄金の華を撒きかけてこう語った。「善男子よ、菩薩はまことに会い難いし、（会って教えを）聞く（機会は）きわめて得難い。世間の最上者であるから、（この）白蓮のような最高の人、世の衆生の救済者、世間の庇護の場所、人々の依り所、衆生たちに大光明をもたらす方、道に迷える者たちに安全な道を示す方、法の真理に悟入するための指導者、一切智者性の城に導くための案内人となられる方が出現されるのは稀である。

善男子よ、それについて私は次のように考える。菩薩の名は、会い難さをなくすものである。（菩薩の名は）無垢の心の持主に（菩薩）自身の身体の影像を見せ、清浄な身体の行為をなす者に現前し、言語の欠点を除いた者を弁才天の光明の中に入れ、清浄な志願の持主にはあらゆる時に現前するからである。

善男子よ、私は雲の網という菩薩の解脱を得ている」

（善財は）問う。「聖者よ、この雲の網という菩薩の解脱の境界はどのようなものですか」

132

そこでマハーデーヴァ神は、善財童子の面前に、大きな山ほどの黄金の山、銀の山、瑠璃の山、玻璃の山、硨磲《しゃこ》珊瑚《さんご》の山、瑪瑙の山、火焔摩尼宝石の山、離垢蔵摩尼宝石の山、大光明摩尼宝石の山、普現十方摩尼宝石の山、髻《もとどり》の摩尼宝石と冠の山、種々の摩尼宝石の（瓔珞の）山、上膊部《じょうはくぶ》の腕輪の山、耳飾りの山、手くびの腕輪の山、宝帯の山、足首の飾りの山、赤珠の網の山、種々の摩尼宝石の山、あらゆる四肢や細部の装身具の山、如意王摩尼宝石の山、あらゆる華、あらゆる香料、あらゆる練香、あらゆる華鬘、あらゆる塗香、あらゆる抹香、あらゆる衣、あらゆる傘蓋、あらゆる幢、あらゆる幡、あらゆる楽器、あらゆる打楽器、あらゆる欲望の対象、無数の百千コーティの童女を示現したうえで、善財童子に次のように言った。「善男子よ、ここから取って、汝は布施を施与し、福徳を行ない、如来方に供養し、衆生たちを布施という摂取行（摂法《しょうほう》）によって摂取したうえで、（喜）捨の完成を実行させ、世間の人々に布施を学ばせ、成し難い（喜）捨を教示しなさい。

善男子よ、私が汝に奉仕の方法を教示するように、そのように私は布施の心に違わぬ無量の衆生の（心の）連続を（喜）捨に薫習《くんじゅう》されたものにし、（無量の衆生たちに）仏、法、僧や、菩薩や善知識たちへの善根を植えさせて、無上正等覚に向けて奮い立たせる。しかし、善男子よ、私は（五）欲の快楽に酔い痴れ、対象の享楽に貪欲な衆生たちにはそれらの対象が好ましくないものであることを威神力によって示す。憎悪のとりことなり、己惚《うぬぼ》れ、驕慢、傲慢に心おごり、敗北(感をいだいたときだけ)に教化される者に対してはラークシャサのように凶々《まがまが》しく醜い、恐怖(を与える)無限の身体、肉や血を喰う身体を現して、そのすべての傲岸や敵愾心《てきがいしん》を鎮める。怠惰で修行を放棄した衆生たちに、火、水、王、盗賊、災難の恐ろしさを示して身震いさせ、精進努力に向かわせる。このようにあれこれの方便によってすべての波羅蜜に対立するものを除き、あらゆる波羅蜜の資糧を集め、あらゆる障害の山の絶壁の道から脱出し、障害のない法に悟入するために、あらゆる不善の行為を止めて、あらゆる善なる法の修行に従事させる。

善男子よ、私はこの雲の網という菩薩の解脱を知っている(が、菩薩方は)、(一)インドラ神のように煩悩というアスラを打ちのめし、(二)水のようにあらゆる人々の苦しみの火の集まりを消す者であり、(三)大量の火熱のようにすべての人々の渇愛の水を干上がらせ、(四)風のようにあらゆる誤れる確信への執着〔見取《けんじゅ》〕の山を一掃し、(五)金剛のように強固な自我の観念の岩を砕かれる(方々であるから、そういう)菩薩方の行を知ったり、功徳を語ったりすることがどうしてできようか。

行け、善男子よ。この同じジャンブ州の中のマガダ国の菩提道場に、スターヴァラー〔安住《あんじゅう》〕という大地の女神〔主地神《しゅちじん》〕が住んでおられる。彼女の下に行って、菩薩はどのように菩薩行を学ぶべきか、どのように修めるべきか尋ねよ」

そこで善財童子は、マハーデーヴァ神の両足に頂礼し、彼の周りを幾百千回となく右遶したうえで、繰り返し仰ぎ見て、その下を去った。

第三十章　大地の女神スターヴァラー

そこで善財童子は、次第にマガダ国の菩提道場にいる大地の女神スターヴァラー(1)の下に近づいた。彼がそこに来たとき、幾十百千もの大地神たちが互いにこのような言葉を語り合った。「すべての衆生の庇護の場所となるであろう方がやって来られる。この、如来を内に宿される方(如来宝蔵)、あらゆる衆生の無明《むみょう》の卵の殻を破るであろう方がやって来られる。この法王の家柄に生まれた方、障礙なく無垢な法王(の額を飾る)すばらしいターバンを巻くであろう方がやって来られる。このナーラーヤナ神の金剛杵のような智の武器をもつ勇士、すべての異教徒の(法)輪を撃破するであろう方がやってこられる」

そのとき、かのスターヴァラーを初めとする幾十百千の大地神は大きな大地の震動を起こし、大海洋の深い(潮)音を発し、すべての三千大世界を広大な光明によって照らし出し、すべての宝石の飾りや装身具で飾られた身体は叉状の電光の帯が天穹にかけられているようであり、すべての木の芽は萌えいで、すべての華の木は華を咲かせ、すべての河の流れは流れ、すべての泉、湖、沼、池は増水し、香水の大雨が雨降り、大量の華の雲を吹き流す大風が吹き、百千コーティ・ニユタの楽器が演じられ、天上の大邸宅や装飾のついた王冠が鳴り響き、雌牛、雄牛、象、虎、百獣の王の獅子が吼え、神々、アスラ、龍、創造主が叫び、大きな山の王が触れ合って鳴り響き、百千コーティの多くの隠された宝蔵が湧き出て盛りあがって地表から現れ出た。

そこで大地神スターヴァラーは、善財童子にこう語った。「善男子よ、あなたはようこそ来られました。ここはあなたが(かつて)いて善根を植え、私が目の当りに目撃した地所です。あなたはその(善根の)成熟した結果の一端を見たいと思いますか」

そこで善財童子は、大地神スターヴァラーの両足に頂礼し、大地神の周りを幾百千回となく右遶して、大地神の面前に合掌して立ち、次のように言った。「聖者よ、見たいと思います」

そこで大地神スターヴァラーが、両方の足の裏で大地を打って無数の百千コーティの美しく飾られた摩尼宝石の宝庫を示現し、次のように語った。「善男子よ、これら百千コーティ・ニユタの摩尼宝石の宝庫はあなたについてまわるもの、あなたの召使い、あなたが欲するがままに用いるもの、あなたの福徳の成熟から生じたもの、あなたの福徳の力に守られているものです。あなたはそれらを取って、なすべきことを行ないなさい。しかし、善男子よ、私は不屈の智の蔵〔難摧伏智慧蔵《なんさいぶくちえぞう》〕という菩薩の解脱を得た者です。その私はこの菩薩の解脱を具えて、ディーパンカラ〔燃燈〕如来からこのかた菩薩に常に従い、常時守護してまいりました。善男子よ、それ以来、私は菩薩の心の動きを観察し、智の境界に入り、あらゆる誓願の輪《マンダラ》を洞察し、菩薩行の清浄をさとり、あらゆる三昧の道《ナヤ》に従い、あらゆる菩薩の広大な神通と心を遍満し、あらゆる菩薩の自在力、あらゆる菩薩の無敵性、あらゆる国土の網の遍満性、あらゆる如来の予言を受けること、あらゆるときにさとりを示現すること、あらゆる法輪を転じる方法《ナヤ》、あらゆる経典を説示する法雲の〔湧出〕方法、大きな法の光明を輝かせる方法、あらゆる衆生の成熟と教化を知る方法、あらゆる仏の神変を示現する方法をさとり、保持し、受け取っています。

善男子よ、私はこの難摧伏智慧蔵という菩薩の解脱を、須弥山の微塵に等しい数の劫の以前に、アヴァバーサ・ヴューハ〔荘厳〕という劫においてチャンドラ・ドヴァジャ〔月幢〕という世界におけるスネートラ〔妙眼〕如来の下で得ました。善男子よ、ですから、私はこの不屈の智の蔵という菩薩の解脱に専念し、完成し、増大させ、広大にして、賢劫《けんごう》に至るまで如来にまみえることを欠かしたことはなかったのです。その間に私は不可説不可説数の仏国土の微塵の数に等しいほどの如来・応供・正等覚方を喜ばせ、私はそれらすべての如来が菩提道場に赴く神変を拝見し、私はそれらすべての如来の善根を目の当りに目撃しました。善男子よ、私はこの不屈の智の蔵という菩薩の解脱を知っていますが、菩薩方は、(一)すべての如来に従い行き、(二)すべての仏の言葉を保持し、(三)あらゆる如来の智の深淵に入り、(四)心の刹那に法界に遍満する迅速さを具えており、(五)如来と平等な身体を具え、(六)あらゆる仏の願いの無垢の蔵を秘め、(七)常にあらゆる仏の出現を実現し、(八)あらゆる仏の純粋な行ないの使者です。(ですから、そのような菩薩の)行を知ったり、功徳を語ることがどうしてできましょうか。

行きなさい、善男子よ。この同じジャンブ州のマガダ国にカピラヴァストゥ〔迦毘羅《かびら》〕という名の都城があります。そこにヴァーサンティー〔春和《しゅんわ》〕という名の夜の女神が住んでおられます。彼女の下を訪ねて、菩薩は菩薩行をどのように学ぶべきか、どのように修めるべきか尋ねなさい」

そこで善財童子は、大地神スターヴァラーの両足に頂礼し、大地神の周りを幾百千回となく右遶して、繰り返し仰ぎ見たうえで、その下を去った。

第三十一章　第一の夜の女神ヴァーサンティー

そこで善財童子は、かの大地の女神スターヴァラーの教誡を想起し、その難摧伏智慧蔵という菩薩の解脱を想起し、その菩薩の三昧の修習を拡大し、その菩薩の法の真理を熟考し、その菩薩の解脱の遊戯神通《ゆげじんずう》を吟味し、その菩薩の解脱の微妙な智などを観察し、その菩薩の解脱の智の海に悟入し、その菩薩の解脱の無区別を信じ、その菩薩の解脱の無限の智の形成を理解し、その菩薩の解脱の智の海に没入しつつ、大都カピラヴァストゥに赴いた。

彼(善財)は、大都カピラヴァストゥの周囲を右遶した後、都の東門から入り、(中央を走る)十字路の真中に立った。まもなく日が沈むと、既に一切の菩薩の教誡を的確に修得した(善財)は、夜の女神ヴァーサンティーにまみえることを熱望し、善知識たちから仏智を獲得しようと心に決め、普く及ぶ智眼《ちげん》の対象に身体を(赴かせようと)決断し、善知識(ヴァーサンティー)にまみえようという心を一切の方角に向け、広大なる深信と智を内蔵する(ヴァーサンティー)の姿を心に浮かべ、智眼を一切の対象に届かせ、一切法界の真理の智の海に広がり、遍満し、随順する三昧の眼によって、一切の方角の認識対象の海を観察し、大いなる智眼から生じた願いを込めていると、夜の女神ヴァーサンティーが、大都カピラヴァストゥの上空、比べもののない種々の摩尼から成る楼閣の中の一切の最上香の蓮華台の大きな宝石の獅子座〔香蓮華蔵宝師子座〕の上に座っているのが見えた。

(彼女は)黄金色の身体をし、髪の毛は紺青色で柔らかく、眼も紺青色で、美しく、好ましく、見目うるわしく、一切の装身具と装飾品により身体を飾り、赤色の最上の衣を身につけ、月輪《がちりん》に飾られた梵髻《ぼんきつ》の冠を頂き、一切の恒星、遊星、星宿、天体の輝きを身体で示していた。そして、また、彼女が広大な衆生界において、難処、悪道、悪趣《あくしゅ》、不幸から解放したある限りの衆生たちが、彼女の毛孔の中にいるのが見えた。(彼女が)天界に導いたある限りの(衆生たち)、声聞《しょうもん》や縁《えん》(覚《がく》)の菩提、もしくは一切智者性に向けて教化し、成熟させた、ある限りの(衆生たち)も、彼女のすべての毛孔の中にいるのが見えた。(彼女はその衆生たちを)身体の現成《げんじょう》、形の現成、色の現成によって教化し成熟させたが、その様々な方便も、彼女の毛孔の中にあるのが見えた。(彼女は衆生たちを)音声の現成により、音響の現成により、種々の言語《マントラ》の法の真理の適用によって教化し成熟させたが、その(音声など)も、彼女の毛孔から鳴り響くのが聞こえた。彼女は時間の現成により、(各自の)願いのままに信じる衆生たちに随順することにより、菩薩の修行、菩薩の勇猛、菩薩の三昧による神変門、菩薩の威力、菩薩の住処、菩薩の現見、菩薩の観察、菩薩の神変、菩薩摩訶薩《ぼさつまかさつ》の獅子奮迅により、菩薩の解脱による遊戯神通により、衆生たちを教化し成熟させたが、それら(の種々なる方便)も、彼女の毛孔の中にあるのが知られた。

彼(善財)は、様々な方便が適用される法の真理の海を見聞して満足し、踊躍《ゆやく》し、狂喜し、歓喜し、嬉しさと幸福感を生じ、夜の女神ヴァーサンティーに全身で(五体投地して)礼拝し、立ち上がると、彼女の周りを幾百千回も右遶した後、夜の女神ヴァーサンティーの前に合掌して立つと、次のように言った。「女神よ、私は既に無上正等覚に向けて発心いたしております。私は善知識の威神力により、一切の仏の功徳を見ようと思い、善知識に自分を依存させております。女神よ、どうか私に菩薩が十力の位に達するために依拠する、一切智者性への道をお示し下さい」

このように問われて、夜の女神ヴァーサンティーは、善財童子に次のように言った。

「善いかな、善いかな、善男子よ。このように、あなたが善知識との出会いに魅せられ、善知識の言葉を聞こうとし、善知識の教誡を実践するとは。善知識の教誡を実践すれば、あなたは必ず無上正等覚に近づくでしょう。

善男子よ、私は一切衆生の痴闇を破る法の光明により世の衆生を教化する門（教化調《きょうけじょう》伏破一切衆生痴闇法光明《ぶくはいっさいしゅじょうちあんほうこうみょう》）という菩薩の解脱を獲得しています。よこしまな考えをもつ衆生たちには慈心をいだき、（十）不善業道《じゅうふぜんごうどう》を行なう者たちには悲心をいだき、（十）善業道を行なう者たちには喜心をいだき、正邪両方の考えをもつ衆生たちには（好悪を離れた）平等心をいだき、（煩悩に）汚染された者たちには浄化しようという心をいだき、邪道を歩く者たちには正道を歩かせようという心をいだき、信解の劣る者たちには広大な信解を生じさせようという心をいだき、機根の劣る者たちには大いなる精進への衝動を増大させる心をいだき、輪廻転生を喜ぶ者たちには（五）道輪廻の輪から退転させようという心をいだき、声聞と独覚の二乗に向かう衆生たちには一切智者性への道に安立《あんりゅう》させようという心をいだきます。

善男子よ、このように心を集中させている私は、教化調伏破一切衆生痴闇法光明という菩薩の解脱を具有しているのです。

真暗闇の夜に人々が彷徨するとき、（即ち）幽鬼の群がつきまとい、盗賊の群が跳梁し、邪悪な行ないをする衆生たちが（諸）方を横行し、（空は）真黒な密雲に覆われ、煙や塵の汚れが充満し、暴風雨が吹き荒れ、日、月、星辰も現れず、眼の機能が阻害される夜に、あるいは海を行き、あるいは陸を行き、あるいは山を行き、あるいは森林や荒野を行き、あるいは別の森を行き、あるいは別の地域を行き、あるいは別の村を行き、あるいは別の(東南西北の)方角を行き、あるいは別の(東南などの)方位を行き、あるいは別の道を行く衆生たちがいるとしましょう。大海を行く者は船が難破し、陸を行く者は(進行を)妨害され、山を行く者は大きな断崖に行き当り、大森林や荒野を行く者は飲食物がなくなり、森や密林で蔦の網に絡まれて不条理な災難に遭い、別の地域を行く者は盗賊に殺され、別の村を行く者は邪悪な行ないをする者に滅ぼされ、別の方角を行く者は(方角に)迷い、別の方位を行く者は(方位に)惑い、別の道を行く者は(道を)喪失してしまうとしましょう。

善男子よ、私は様々な救済法〔方便〕により、そのような衆生たちの安息所となるのです。即ち、海を行く者のためには真黒な風雲を吹き散らし、濁水を乗り越えさせ、暴風の輪を吹き散らし、大波の勢いを鎮め、渦巻に(巻き込まれる)恐怖から解放し、(正しい)方角を明示し、正しい水路を教え、岸を示し、宝の島に到達するための道を示します。私は、船長や隊商長の姿をとり、馬王、象王、亀王の姿をとり、アスラ王、ガルダ王、キンナラ王、マホーラガ王の姿をとり、海神や漁師の姿をとり、(彼らの)避難所となります。さらに、その善根を次のように回向します。願わくは、一切衆生の避難所となって、(その)一切の苦聚《くじゅ》を止息させられますように、と。

　陸を行く衆生たちのためには迷妄の真暗闇の夜に、竹や棘、石や礫がごろごろし、恐ろしい毒蛇がうようよし、でこぼこがあって歩行困難であり、塵埃がたちこめ、暴風雨が吹き荒れ、寒暑の苦しみに見舞われ、猛々しい獣王に(襲われる)心配があり、人殺しや盗賊の群が跋扈《ばっこ》する土地で、方角に迷った衆生たちのために、私は、太陽の姿をとり、昇った月の姿をとり、大きな流星の姿をとり、電光の輪を閃《ひらめ》かす(雷雲の)姿をとり、宝石の輝きの姿をとり、遊星の輪《マンダラ》の姿をとり、星宿や天体や天宮の輝きの姿をとり、神々や菩薩の姿をとって、衆生たちの救護者となります。さらに、次のように発心します。願わくは、この善根によって、一切衆生の救護者となり、その一切の煩悩の闇黒を除去できますように、と。

　山中で断崖に行き当り、死の恐怖におののく衆生たちが生命を全うするように、名誉欲のとりことなる者、名声を旗印に掲げようとする者、財宝を追い求める者、貪欲に満ちあふれる者、(種々の)器具の収集にふける者、世俗的な成功の追求に専念する者、妻子への愛情に縛られた者、邪見の密林で(道を)見失う者、種々の苦痛と恐怖に苛《さいな》まれる者のために、私は様々な救済法によって避難所となります。

　即ち、山中に洞窟や(安全な)場所を現成し、木の実や草の根(など)の食物を現成し、水路や泉を現成し、寒暑に対抗する術を現成することによって、(また)カラヴィンカのさえずり声や孔雀王の鳴き声により、薬草の燃える光や山の女神の光明により、正しい道を示すことによって、(また)山中の洞窟や(岩の)裂け目にいて、種々の苦痛に苦しめられている者たちには、平坦な地面を現成することによって、私は避難所となります。(彼らの智の)眼を覆う闇黒が除去されるために。さらに次のように発心します。あたかも私がこれら山を行く衆生たちを救護するように、願わくは、私はこれら輪廻の山々で断崖に行き当り、老死の遊星(の魔力)に捉えられた者たちの避難所になりますように、と。

森や密林で(蔦の)網に絡まれている衆生たちのためにも、迷妄の真暗闇の夜に、広大な領域に亘って種々の木々が立ちはだかり、種々の草、水、棘、木、蔓に道を妨げられ、様々な木や蔓の生い茂る森や密林に迷い込み、胸は虎の咆哮に恐れおののき、心は目的を達せずして困惑し、種々の恐怖と困難に苦しめられ、(しかも)森や密林から脱出する方途を知らない者たちに、私は正しく進む道を指し示します。さらに、次のように発心します。願わくは、私はこの善根により、種々の邪見の密林に迷い込み、渇愛の網に絡まれ、様々な輪廻の苦痛と恐怖に苦しめられる衆生たちを、一切の苦から解放できますように、と。

森林や荒野を行く途中、闇黒になってしまった衆生たちのためにも、私は、様々な救済法によって、安楽を生じ、道を示し、彼らを恐ろしくなく安全な状態に置いた後、次のように発心します。願わくは、私は、この善根によって、輪廻の森林や荒野に迷い込み、悪趣の道を歩む衆生たちを、一切の苦から解放し、究極の安穏の境地である一切智者性への道に安立させられますように、と。

善男子よ、地域や社会に執着する衆生たちが(その)執着による苦しみをなめているときにも、私は種々の厭離の方便によって、社会に対する執着から(彼らを)離れさせた後、次のように発心します。願わくは、この善根によって、一切衆生を(五)蘊《ごうん》への愛着や執着から離れさせ、愛着を離れた一切智者の智に確立させられますように、と。

善男子よ、村にいる衆生たちが、家や住居の束縛に縛られ、真暗闇の夜に、家にまつわる種々の苦難に悩んでいるのを、私は、様々な厭離の門によって(家や住居を)厭離させ、厭離の心が生じると、法施《ほうせ》によって摂取して、正しく満足させ、無住の法に安立させた後、次のように発心します。願わくは、この善根によって、(色、声、香、味、触、法の)六処の村に住まう一切の衆生たちを、輪廻の境遇や境界や行境《ぎょうきょう》から離れさせ、一切智者性の行境に安立させられますように、と。

また、善男子よ、真暗闇の夜に、それぞれ東などの方角、方位において、一切の方向に迷う人々がいるとしましょう。平坦な土地をでこぼこの断崖だと思ったり、高い所を低いと思ったり、低い所を高いと思ったりして、方角、道、場所に迷う彼らに、様々な形の方便によって、光を照らし、脱出したい者には(出口の)門を示し、進みたい者には道を示し、渡りたい者には渡し場を示し、入りたい者には宮殿を示し、見渡したい者には諸方を示します。地面の低い所や高い所を示し、土地の平坦な所やでこぼこの所、そして種々の形状を示します。道に疲れた者には、村落、町、都市、王国、王都を示し、暑い中を渇きに苦しめられる者には、泉、池、湖、貯水池、蓮池、川、森、遊園、庭園(など)楽しい場所を示し、愛する者と別れて恋い焦がれている者には、(それぞれ)母、父、息子、妻、友、大臣、親類、眷属(など)種々の喜ばしい姿を示します。

さらに、次のように発心します。あたかも真暗闇の夜に、闇黒に眼を遮られ方角に迷ったこれら衆生たちが、種々の姿形を思い描くことができるよう、私が光明となり、輝きを生じますように、願わくは、輪廻の長い夜に生を受け、一切の方角に迷い、無明の闇黒に突き当り、智の眼が無知の幕に覆われ、想念、心、見解が転倒し、無常なものを常住と思い、苦を楽と思い、無我を我と思い、不浄を浄と思い、我《アートマン》、衆生、命者、魂、人格主体《プドガラ》に対する固い執着に依拠し、(五)蘊、(十二)処、(十八)界(への執着)に依拠し、因果に迷い、不善業道の方に歩み、生命を奪い、与えられないものを取り、愛欲においてよこしまに振舞い、妄語《もうご》を語り、両舌《りょうぜつ》を用い、悪口《あっく》をたたき、無関係なおしゃべりをし、貪欲《とんよく》を有し、瞋恚《しんに》の心をもち、邪見をいだき、母に孝せず、父に孝せず、沙門を敬わず、婆羅門を敬わず、悪人を知らず、善人を知らず、非法への欲望に染まり、不正な所有(欲)に苦しめられ、邪見の法に影響され、如来方を誹謗《ひぼう》し、法輪を消滅させようとし、魔の旗印を掲げ、菩薩を殺し、大乗を憎悪し、菩提心を断ち、菩薩を讃えず、母を殺傷し、害をなさぬ者に敵意をいだき、聖者を誹謗し、悪人と非法をともに行なうのを常とし、(仏舎利)塔の資財や僧団《サンガ》の資財を損ない、父母に反抗し、無間業を行ない、大いなる険難処に直面している衆生たちのために、私は、大いなる智慧の光明によって、無明の闇黒を破り、無上正等覚に教導し、普賢なる大乗によって、十力の智の位への道を示すことができますように。如来の位も、如来の境界も、一切智者の智の真理《ナヤ》の海も、仏智の行境も、仏の境界も、十力の成就も、仏の陀羅尼(総持《そうじ》)の力も、一切諸仏が同一身であることも、私は示すことができますように。そして、(これらを)示した後、彼らを一切諸仏の平等性の智において安住させますように、と。

善男子よ、私は、長患いに倦み疲れ、身体も衰弱した病気の衆生たち、年老いて老衰し、老いに苦しむ者、身寄りのない者、哀れで貧しい者、破局に陥った者、異郷に至った者、まちがった方角を歩む者、捕縛された者、責め苦にあう者、罪を犯し、王から死刑を宣告された者も、生命の危機に対する恐怖から救う用意があります。

善男子よ、私は、病気の衆生たちのために、あらゆる方便によって、病気を取り除くよう努力します。私は、年老いて老いに苦しむ者に、（誰にも）妨げられずに近づき、介護し、奉仕して、（彼らを）摂取します。身寄りのない衆生は援助します。哀れで貧しい者は、資産と黄金の山によって摂取します。不幸に陥った者は、それを共有することにより、摂取します。異郷に至った者は、その故郷に導きます。まちがった方角を歩む者は、正しい方角に導きます。捕縛された者は、捕縛から解放します。責め苦にあう者は、責め苦の苦しみから解放します。罪を犯し、王から死刑を宣告された者は、生命と安堵を得させます。

さらに、次のように発心します。あたかも私が、これらの衆生たちを、種々の恐怖と苦難から救出する際の依り所となりますように。願わくは、彼らを無上の法によって摂取して、一切の煩悩から解放させることができますように。生、老、病、死、憂、悲、苦、愁、悩みから超越させることができますように。一切の悪趣に落ちる恐怖から解放させることができますように。善知識の摂護《しょうご》に安住させることができますように。法宝《ほうぼう》の布施によって、摂取できますように。非の打ち所のない行為に導くことができますように。如来の清浄身《しょうじょうしん》に教導できますように。究極の不老不死界の洞察に安立させることができますように、と。

善男子よ、私はまちがった道を歩む衆生たちのためにも、即ち種々の邪見の密林に迷いこみ、まちがった考えの対象をもち、よこしまな身体と言葉と心の業を行ない、身に一糸まとわずに遊行し、様々な誓戒や苦行にふけり、正しく目覚めた者でないものを正しく目覚めた者と思い、正しく目覚めた者を正しく目覚めた者でないものと思い、肉体を苦しめ、痛めつけ、泉、池、湖、貯水池、川、水流、方角、方位への礼拝に余念なく、悪友に支配されている人々のためにも、様々な救済法によって避難所となります。それから、彼らを悪しき邪見や、一切の悪趣に落ちる道から退転させます。そして、世間の正見に安立させ、神々や人間(という善趣に生まれる)という僥倖にあわせます。

さらに、次のように発心します。あたかも私が、これらの衆生たちをこのような悪しき行為の苦しみから解放させるように、願わくは、私は一切衆生を聖なる出世間の波羅蜜道において確立し、一切智者性において不退転とし、普賢なる大誓願によって一切智者性に導くことができますように。そして、一切の衆生界を不退転として、私は菩薩の位から離れることがありませんように、と」

そこで夜の女神ヴァーサンティーは、そのとき、まさにこの教化調伏破一切衆生痴闇法光明という菩薩の解脱の方角をより入念に示しながら、仏の威神力のおかげで十方を見渡して、善財童子にこれらの詩頌を述べた。

愚痴や無明の闇を除くために、衆生の利益のために私は教えを説き明かし、時期を考慮に入れて世の衆生を幸せにします。これが私の寂静の解脱の道です。(一)

私は広大できわめて清浄な慈しみを過去に無限の劫をかけて充分に修習しました。ですから、私は世間に遍満して輝いているのです。善財よ、(あなたは)志操堅固で(あれば)この道に入りなさい。(二)

私の(大)悲の海は量り知れず、そこにおいて三世の勝者方が世に出現され、それによって私は世の衆生の苦しみを鎮めます。善財よ、(あなたは)志操堅固で(あれば)この道に入りなさい。(三)

世の衆生の幸せと聖なる無為の幸せを成就しながら、それによって私は喜び、高揚し、歓喜します。勝者の子よ、あなたはこの道に入りなさい。(四)

私は常に有為の過失や声聞の智による解脱という結果に背を向け、御仏の力を清浄にしているのです。勝者の子よ、あなたはこの道に入りなさい。(五)

私の眼は大きくて明るく澄み、それによって私は十方の国土を見、それら国土の地表に、菩提樹の王の下に座っておられる自在者(御仏)を拝見いたします。(六)

御仏の御身は(三十二)相で飾られ、種々で色とりどりの光明を放たれ、毛孔からは光の海を発光され、集会に取り巻かれておられる。私は(そういう)御仏を拝見します。 (七)

また、それらの国土の道において、生や死のすべての門にいる衆生たち、それら凡夫たちが諸々の境遇の海を輪廻しながら、各自の業(の報い)を受けているのを私は見ます。 (八)

私の海のような耳はまことに清浄で、声はそこに余す所なく(すべて)入ります。すべての人々の言葉《マントラ》の海をすべて聞いて、私は憶念によって保持します。 (九)

類いない勝者方の(法)輪を転じる声はあらゆる音色や訓釈の言葉によって飾られており、それを拝聴して私は憶念によって保持します。 (一〇)

私の鼻の力は広汎に及び、まことに清浄で、法の海の真理に関して妨げられません。

勝者の子よ、すべての解脱の境地に入るこの道に入りなさい。 (一一)

私の舌は大きくて大変長く、赤い色をして薄く、宝石の光輝をもち、清浄であり、その舌をまわして私は衆生たちに(彼らの)願いのままに(法を)告げ知らせます。

勝者の子よ、この道に入りなさい。 (一二)

私の法の身体はまことに清浄で、(その)輝きは三世のすべてに普く達しております。

衆生たちは願いのままに彼らの深信の力によって(私の)色の身体を見るのです。(一三)

私の心は妨げられることなく、煩悩を離れ、話し声は雲(雷)の音のようです。その(心)の中にすべての人々の王(御仏)を収めていますが、私には(それについて)分別はありません。(一四)

国土の地表には考えられないほど(多く)の衆生がおり、私は彼らの心の海を理解し、彼らの機根と願いを知っていますが、私には(それについて)分別はありません。(一五)

私の神通力は広大でまことによく完成されており、思いも及ばぬほど(多く)の国土を震動させ、身体の光で包み、それによって私は非常に調練し難いすべての衆生を調練いたします。(一六)

私の福徳は厖大で清浄で、普く荘厳され、無尽の蔵であります。それによって私は勝者方に供養を捧げ、すべての人々に衣食を供与します。(一七)

私の智慧は広大でまことに清浄であり、それによって私は法の海を理解し、すべての人々の疑惑を断ち切ります。勝者の子よ、あなたはこの真理に入りなさい。(一八)

三世のすべてにおいて真理《ナヤ》に入っているので、私は仏の海に入っており、それらの(御仏の)下で誓願に入ります。この道は無比でみごとに完成されています。(一九)

私はすべての微塵の中に国土海を見、同じく(それらに)三世が入るのを(見)、また、そこに仏の海を見る。これが(御仏の)普く広がる真理の位です。(二〇)

菩提をさとっておられる毘盧遮那仏をごらんなさい――(この御仏が)あらゆる方角にある国土に遍在して、すべての微塵の一端にある菩提樹の王者の下で寂静の法を説いておられるのを。(二一)

そこで善財童子は、夜の女神ヴァーサンティーにこう尋ねた。「女神よ、あなたが無上正等覚に向けて進み出てからどれほど長い期間がたちましたか。あなたはこの解脱を得られてから、衆生の利益のためにこのような行ないをするようになられましたが、あなたがその(解脱)を得られてからどれほど長い期間になりますか」

このように問われて、夜の女神ヴァーサンティーは善財童子にこう答えた。「勝者の子よ、昔、過去世に、須弥山の微塵の数と同じ(ほど多くの)劫も以前に、プラシャーンタ・プラバ〔寂静光〕という名の劫があり、五百コーティの御仏が出現されました。そ(の劫)の間に、ラトナシュリー・サンバヴァー〔出生吉祥宝〕という世界があり、さらにその世界の中にラトナ・チャンドラ・プラディーパ・プラバー〔宝月燈光〕という中央の四州があり、その中にパドマプラバー〔蓮華光〕という名の王都があり、その王都にスダルマ・ティールタ〔善法度〕という名の王がいました。（その方は）有徳の法（によって国を治める）王であり、転輪《てんりん》（聖王《じょうおう》）で、四州の王であり、（輪宝などの）七宝を具備していました。その方は山と海を境とするその災厄のない大地を徳（法）によって征服して、（幸福に）暮らしていました。

そのスダルマ・ティールタ王にはダルママティ・チャンドラー〔法慧月〕という名の王妃がいました。彼女は夜の初更に愛欲に酔い痴れ、快楽の遊戯に疲れはてたので、中更に後宮の中にいてぐっすり眠りました。ところで、そのパドマプラバー王都の東にシャマタ・シュリーサンバヴァ〔寂静出生妙徳〕という大森林があり、そこにサルヴァ・ダルマ・ニガルジタ・ラージャ〔一切法雷音王〕という如来が（いて）、あらゆる荘厳の光明を具えた摩尼王を樹幹とする〔一切光摩尼王荘厳身〕という、すべての仏の神変より生じた大菩提樹の下で無上正等覚をさとりました。その（さとりの威光）によって、かの出生吉祥宝世界全体が種々の色の広大な光によって明るく照らし出されました。ところで、かのパドマプラバー王都にはスヴィシュッダ・チャンドラーバー〔浄月光〕という名の夜の女神〔主夜神〕がおり、彼女はかの法慧月王妃に近づいて、装身具の触れ合う音で目覚めさせて、こう告げました。「王妃よ、何とぞ報告することをお許し下さい。寂静出生妙徳大森林において、一切法雷音如来が無上正等覚をさとられました」

(そこで)そ(の女神)はその王妃の前で、仏の功徳の賞讃、仏の神変、および普賢菩薩行の誓願を詳しく説明しました。

さらに、善男子よ、その王妃は如来の光明に照らし出されて、道心をもって無上正等覚に向けて進み出て、かの菩薩と声聞の僧団《サンガ》を伴った如来に、大いなる供養と奉仕を行ないました。

善男子よ、そこであなたはどう考えますか。そのとき、その時代のかの法慧月という名の王妃は誰か別(の人)であったのでしょうか。決してそう考えてはなりません。私がそのとき、その時代のかの法慧月という名の王妃だったのです。

善男子よ、その私はかの(自ら)願った発心やかの如来の下で植えた善根によって、須弥山の微塵の数に等しい(ほど多くの)劫の間、決して悪い境遇〔悪趣〕に生まれたことはありません。地獄にも、畜生道にも、餓鬼道にも、卑しい家柄にも決して生まれたことはありません。(身体の)器官が欠けていたことも決してなく、苦しんだことも決してありません。私は常に神々の中で神としての偉大な尊厳を(得るか)、人々の中では人としての偉大な尊厳を得る(か)であって、(私は)善知識、即ち仏菩薩方と離れたことは一度たりともなく、悪い時代〔悪世《あくせ》〕に生まれたことも決してありませんでした。善男子よ、しかもその私は次々に（出現される）御仏に次ぐ御仏の下で善根を植えながら、須弥山の微塵の数に等しい（ほど多くの）劫に亘って安全で平坦で安穏な道を通って来ましたが、しかしそれほど多く（善根を植えた）のに、私の菩薩としての諸能力〔根〕は完全にはなりませんでした。

それら須弥山の微塵の数に等しい劫が過ぎ去って、この賢劫よりも前にある一万劫の中で、アショーカ・ヴィラジャ〔無憂遍照〕という名の最初の劫が、その時代にありました。（その劫は）ラジョーヴィマラ・テージャハシュリー〔離垢妙光〕という名の世界にありました。善男子よ、さらにまた、その離垢妙光という世界は汚れもし清浄でもあり、（そこに）五百の御仏方が出現されました。さらに、それら五百の御仏方の中で最初の、スメール・ドヴァジャーヤタナ・シャーンタ・ネートラ・シュリー〔須弥幢寂静妙眼〕という名の如来――明行足・善逝・世間解・無上士・調御丈夫・天人師・仏・世尊――が世に出現されました。（そのとき）私はヴィグシュタ・キールティ〔名声が鳴り響いた、名称〕という名の長者の娘で、プラジュニャーヴァバーサ・シュリー〔妙慧光明〕という名でした。美しく、愛らしく、眼に快く、最高に清らかな豊かな色を具えていました。一方、かの浄月光という夜の女神は、誓願の故にヴィラジョーヴァティー〔離垢〕という四州から成る世界の、ヴィチトラ・ドゥヴァジャー〔妙幢〕という王都においてヴィシュッダ・ネートラーバー〔清浄眼〕という夜の女神でした。彼女は夜も静まりかえり、父母も寝入ったとき、その家を震動させたうえで、広大な光明で（照らして）、私に自分の姿を現し、御仏の功徳を賞讃し、初めて菩提を成就してから七日たち、菩提道場に座っているかの如来を現しだしました。それゆえに私は父母と親族の大集団とともに、かの浄月光という夜の女神を先頭にして、かの如来の下に赴き、そこで私はその如来に広大な供養を行なって、（その如来の御顔を）拝見するや否や、世の衆生の教化と、仏にまみえることの成就〔調伏衆生見仏〕という名の三昧を獲得し、三世の地平を（照らす）智の光明の輪《マンダラ》〔普照三世智光明輪〕という名の三昧をも獲得しました。その獲得によって、私はかの須弥山の微塵の数に等しい（ほど多くの）劫を回想し、私にかの菩提心が現前しました。その私はかの如来の下で説法を聴聞し、この教化調伏破一切衆生痴闇法光明という名の菩薩の解脱を獲得しました。それを獲得したので、私は十仏国土の微塵の数に等しい（ほど多くの）世界を身体によって遍満し、それらの世界におられる如来方、そのすべてが私の視界に入り、私は自分自身がそれら（すべての如来方の）足下にいるのに気づき、それらの世界に生まれた衆生たち、そのすべても私の視界に入り、私は彼らの異なった言葉の慣用を知り、心、願い、機根、深信を知り、過去世の善知識たちの下で（成就した）成熟を知り、(彼らの)願い通りに満足させる身体を私は彼らに現して見せました。

私のその解脱は心の刹那ごとに拡大します。(即ち)その解脱の心の直後の心で、私は百世界の微塵の数に等しい(ほど多くの)仏国土を身体によって遍満し、その直後の心で、私は千世界の微塵の数に等しい(ほど多くの)仏国土を身体によって遍満し、その直後の心で、私は百千世界の微塵の数に等しい(ほど多くの)仏国土を身体によって遍満し、同じように心の刹那ごとに、乃至、不可説不可説数の世界の微塵の数に等しい(ほど多くの)仏国土を身体によって遍満します。

それらの仏国土におられる如来方、そのすべても私の視界に入り、自分自身がそれらの(如来の)御足下にいるのに気づき、それら諸仏世尊の説法、そのすべてを会得し、保持し、護持し、学んでいます。そして、それらの如来方の過去世の因縁の海や誓願の海に入り、それらの如来方の仏国土の清浄、そのすべてをも私の仏国土の清浄のために私は成就し、それらの世界の海に生まれた衆生たち、彼らのすべても私の視界に入り、それらの衆生たちの願いや機根や深信の相違がどれほど多かろうとも、その(相違に応ずる)ほど多くの多様な身体を私は、即ちこれらの(衆生の)成熟と教化のために威神力で現しだします。このように、(私の)この解脱は心の刹那ごとに法界の広がりに遍満し拡大する仕方で拡大するのです。

善男子よ、私はこの教化調伏破一切衆生痴闇法光明という菩薩の解脱を知っていますが、しかし菩薩方は周辺も中央もない普賢菩薩行の誓願に通暁し、㈠法界の海の真理の広がりに入ることに自由自在であり、㈡すべての菩薩によって到達される智の金剛の幢という三昧〔金剛智幢自在三昧〕によって遊戯し、㈢すべての世界においてすべての如来の系譜を保持する大誓願に通暁し、㈣すべての世界の広がりを心の刹那で清浄にする大きな福徳の海を完成し、㈤心の刹那ごとにすべての衆生界の成熟と教化の智に関して自由自在であり、㈥すべての世界においてすべての衆生のすべての障害という大闇黒を除去する太陽のような智の眼を具え、㈦すべての衆生界に大乗を知らしめる勇猛を具え、㈧すべての人々の疑問、迷い、疑惑の眼翳《がんえい》を除去する智慧の眼を具え、㈨すべての生存〔有〕の海への執着から離れ去る清浄な音声の輪を具え、(一〇)すべての法界の微塵の一端において神変を自由自在に示現する力を具え、(一一)三世の地平《タラ》に関して智の輪《マンダラ》に区別のない方々です。どうして私が(それらの菩薩の)行を知り、功徳を語り、境界に入り、解脱の遊戯を現すことができましょうか。

行きなさい、善男子よ。この同じマガダ国にある菩提道場に、サマンタ・ガンビーラ・シュリーヴィマラ・プラバー〔普く深妙で無垢な光を放つ、普徳浄光《ふとくじょうこう》〕という名の夜の女神が住んでいます。私はその方のおかげで無上正等覚に向かって発心し、繰り返し何度も奮起させていただいたのですが、その方の下に赴いて、菩薩は菩薩行をどのように学ぶべきか、どのように修めるべきか尋ねなさい」

そこで善財童子は、夜の女神ヴァーサンティーをこれらの詩頌で讃えた。

今、私はあなたの清浄な御身を拝見しておりますが、(三十二)相に飾られて、あたかも須弥山のようにすべての世間を凌駕し、文殊師利のように(御身の美しい)色の光輝によって世間において輝いておられます。　(二)

あなたの法の御身〔法身《ほっしん》〕はきわめて清浄で、三世のすべてにおいて平等で無分別です。その中に余す所なく(すべての)世間が入り、妨げ合うことなく生じたり滅したりしています。　(三)

すべての境遇の広がりにおいて、私は影像として分けられたあなたの御身を拝見し、あなたの(すべての)毛孔に太陽と月を伴った星雲を見ます。　(四)

あなたの心は広やかできわめて清浄であり、虚空のように(あらゆる)方角に普く広がり、その中にすべての人の王(仏)は入っておられますが、あなたの優れた智には分別の垢はありません。　(五)

国土の微塵の数に等しい(ほど多くの)種々の雲があなたの(すべての)毛孔において湧きいで、それらはあらゆる荘厳の雨を降らせながら、十方における諸仏を遍満しています。
すべての世の衆生の数に等しい(ほど多くの)無限の身体があなたの(すべての)毛孔に湧きいで、それらは十方の世間に広がって、種々の方便によって衆生たちを清浄にします。（二六）

(あなたのすべての)毛孔に、私は種々の荘厳に飾られた様々な不可思議(数)の国土を拝見します。あなたが浄化したそれらの(国土の)衆生の境遇におけるすべては、（二七）

(衆生の)願いのままに生じたものですが(そのすべてをも私は拝見します)。（二八）

あなたの名を聞き歓喜する者、彼らは利得を容易に得て幸せに生きており、(あなたの)御身を拝見する衆生たちは菩提の道に向かいます。（二九）

あなたの(名を)聞くことで心が歓喜しますし、お目にかかるだけであなたは煩悩を鎮めて下さるのですから、不可思議(数)の劫の間悪しき境遇に暮らすことも、あなたにまみえるためには耐えるべきです。（三〇）

千の国土の微塵の数に等しい(ほど多くの)あなたのような身体(の各々)が、それほど多くの劫の間存在して、あなたの毛孔にある功徳を讃えたとしても、その(毛孔の)功徳の尽きることは決してないでしょう。（三一）

そこで善財童子は、夜の女神ヴァーサンティーをこれらの詩頌で讃え、彼女の両足に頂礼し、彼女の周りを幾百千回となく右遶して、繰り返し何度も見つめて、飽かずに善知識への敬慕の念をいだいて、その(女神の)下を去った。

第三十二章　第二の夜の女神

そこで善財童子は、夜の女神ヴァーサンティーの最初に発せられた菩提心の輪《マンダラ》の清浄さに通達しながら、菩薩の胎児の生起に思いをめぐらし、菩薩の誓願の海に入り、菩薩の波羅蜜の道を清らかにし、菩薩地の輪《マンダラ》に踏み込み、菩薩行の輪を広げ、菩薩の出離の海を思い起こし、一切智者性の輝きの大海を眺め、あらゆる衆生の庇護に傾注する菩薩の大悲の雲を広げ、かの女神の普賢菩薩行の誓願の輪をあらゆる国土において未来の果てまで(持続する仏の)威神力によって成就しつつ、普徳浄光という名の夜の女神の下に近づいて、その女神の両足に頂礼し、女神の周りを幾百千回も右遶し、女神の前に合掌して立ち止まり、次のように語った。「尊き女神よ、私は既に無上正等覚に向けて発心しております。しかし私は未だ知りません、いかにして菩薩は菩薩行の位を進み行くのかを。いかにしてそれに熟達するのかを。いかにしてそれは成就されるのかを」

女神は答えた。「善いかな、善いかな、善男子よ。あなたが既に無上正等覚に向けて発心して、菩薩の位と熟達と成就について尋ねるとは。善男子よ、十の法を具足した菩薩たちが、菩薩行を成就した菩薩となります。その十とは何でありましょうか。それは即ち、(一)あらゆる如来にその面前で親しくまみえる三昧を獲得する清浄さを〔具足することであり〕、(二)あらゆる仏の多様な相好をもつ無限の身体を観察できる眼の清浄さ、(三)周辺も中央もない如来の妙色〔功徳〕の大海の示現に悟入すること、(四)無量の仏法の光明の輪の大海があらゆる法界の大きさに〔等しいことに〕悟入すること、(五)あらゆる如来の毛孔から衆生の姿に似た光線の大海が多様な衆生の利益のために放たれることに悟入すること、(六)一々の毛孔からあらゆる宝石の色彩をもつ光明の大海〔が放たれるの〕を見ること、(七)心刹那ごとに仏の化現《けげん》の大海があらゆる法界の果てまで遍満して衆生を教化する威神力に悟入すること、(八)あらゆる衆生の音声の大海に相当する如来の大音響が三世に亘って法輪の響きを鳴り響かせてあらゆる経文の雲を轟かせる、そういう如来の音響の輪に悟入すること、(九)周辺も中央もない仏の名号の大海に悟入すること、(一〇)仏が不可思議な神変を演じて衆生を教化することに悟入することを〔具足すること〕であります。善男子よ、これらの十の法を具足した菩薩たちは菩薩行を成就した菩薩となるのです。

私は既に、善男子よ、静寂な禅定《ぜんじょう》の安楽を普く歩行する〔寂静禅定楽普遊歩《じゃくじょうぜんじょうぎょうふゆうほ》〕という菩薩の解脱を得ています。そういう私の眼には、善男子よ、三世に及ぶあらゆる如来がありありと見えてきます。また私は、その如来たちの仏国土の清浄さに悟入します。（その如来たちの）説法会の海にも、周辺も中央もない三昧の神変の海にも、過去世での修行の海にも、名号の海にも、私は悟入します。また、その如来たちがそれぞれに異なって法輪を転じる有り様に悟入します。その如来たちの寿命がそれぞれに異なっていることにも、音質がそれぞれに異なっていることにも、また如来たちが無限の法界を身体としていることにも、私は悟入します。しかし私は、その如来たちが実在するものと考えて、如来たちに執着することはありません。何故でしょうか。実にかの如来たちは、あらゆる世間の境涯〔世趣《せしゅ》〕が滅しているがゆえに不去《ふこ》〔非去《ひこ》〕であります。実にかの如来たちは、自性《じしょう》として無生《むしょう》であるがゆえに不来〔非来〕であります。実にかの如来たちは、不生《ふしょう》という法性と同じ身体をもつがゆえに不生〔非生《ひしょう》〕であります。実にかの如来たちは、不生を特徴とするがゆえに不滅〔非滅〕であります。実にかの如来たちは、幻の如き法として視覚に現れ出るがゆえに非実であります。実にかの如来たちは、あらゆる世の衆生の利益のために生起したものであるがゆえに非虚であります。実にかの如来たちは、生死を超越しているがゆえに不遷〔非遷〕であります。実にかの如来たちは、法の本性として不壊《ふえ》の法性であるがゆえに不壊〔非壊《ひえ》〕であります。実にかの如来たちは、あらゆる言語道を超越しているがゆえに一相であります。実にかの如来たちは、法相および法の自性の究極であるがゆえに無相であります。

さらにまた善男子よ、以上のようにあらゆる如来に悟入する私は、如来の禅定の輪《マンダラ》の光明でもって、寂静禅定楽普遊歩という菩薩の解脱を、さらに広大にし、拡大させ、それに悟入し、通達し、それと等しくなり、それを成就し、それと地平を同じくし、それを証得し、それを増大させ、瞑想し、熟慮し、記憶し、自分の領域にし、堅固にし、輝かせ、きらめかせ、荘厳し、分析し、蓄積し、成就します。そして、大悲の心があらゆる決意と行動となるその（解脱）に私は安住して、あらゆる衆生を救済するためだけの行動に心を集中しようとして、第一の禅定を修習します。さらにあらゆる心の動き〔意《い》業《ごう》〕の休止のために、智の力によって前進してあらゆる衆生を摂取する喜びと安楽にだけ心を集中しようとして、第二の禅定を修習します。輪廻に迷い込むことさえ意に介さずにあらゆる衆生の自性が清浄であることを知覚しようとして、第三の禅定を修習します。あらゆる衆生の煩悩による苦悩を鎮めるために、第四の禅定を修習します。そして、一切智者たろうとの誓願の輪を広大ならしめるために、あらゆる三昧の海の成就に巧みとなるために、あらゆる菩薩の解脱の海の真実《ナヤ》に悟入しようとするために、あらゆる菩薩の遊戯と智の神通を得るために、あらゆる菩薩行の神変を成就しようとするがために、普門の法界に証入する智の門《ナヤ》を清浄ならしめながら、上述の寂静禅定楽普遊歩という菩薩の解脱を私は修習するのです。

そういう私はまた、善男子よ、この解脱を修習しながら、多様な方便でもって衆生たちを成熟させます。即ち、夜が静まって快楽に酔い痴れる衆生たちには、醜悪〔不浄〕の思いを生じさせ、不楽の思いを、疲倦《ひけん》の思いを、障害の思いを、束縛の思いを、魔女〔羅刹《らせつ》〕の思いを、無常の思いを、苦の思いを、無我の思いを、所有者をもたない〔無主〕との思いを、頼るものがないとの思いを、老死の思いを、あらゆる愛欲の対象の享楽に対して不快の思いを生じさせます。そして、そういう心を発現している衆生たちは、あらゆる愛欲の享楽を楽しまず、法を喜ぶ楽しさを選びながら、家を捨てて出家へと進みます。私はそういう(孤独な)林の中に出家した人々に、法に適った浄信を生じさせます。(彼らが発する)恐ろしいほど大きな苦痛の悲鳴や嘆きの声を、私は消滅させます。夜が静まったときには仏の法がいかに深遠であるかを説きます。(煩悩の)断滅にふさわしい条件〔縁〕を提供します。出家する者のための住処の門を開きます。道を示します。光明で照らします。闇黒を吹き消します。恐れを消滅させます。出家を賞讃します。仏を讃嘆します。法と僧および善知識を賞讃します。善知識に親近《しんごん》することを賞讃します。

善男子よ、私はこの解脱を修習しながら、法に適わぬ貪欲にふける衆生たちの法に適わぬ妄想を消滅させます。邪悪な欲望に屈服し、虚偽の妄想の領域にある衆生たちには、その妄想やそういうものへの心の集中を消滅させます。邪悪で不善な法が未だ生じていないときにはそれが生じないようにするための条件を、邪悪な妄想が既に生じているときにはそれを消滅させるための条件を、私は提供します。善根を求める決意が未だ生じていないときには、波羅蜜に専念し、修行に専念し、一切智者性の智に向けて出発しようとの誓願の成就に専念し、大慈の道に専念し、あらゆる衆生を大悲の心で覆い尽くすことに専念し、神々や人間に多様な安楽の基盤をもたらすことに専念しようという決意を生じさせるために、また(それらの決意が)既に生じているときには、(それらをさらに増大させるために)多様な道に入る条件を提供します。こうしてとにかく、一切智者にふさわしいあらゆる決意を得る条件を、私は提供するのです。

私は、善男子よ、こういう寂静禅定楽普遊歩という菩薩の解脱を知っているだけです。どうして私が、普賢菩薩行の誓願を成就している菩薩たちについて知り得ましょうか。即ち、(そういう菩薩たちは)無限の様相をもつ法界を知る智を既に獲得しており、その心はあらゆる善根によって育まれ、あらゆる如来の智の力で心を照らし出す光明を獲得しており、その心はあらゆる如来の境界から離れることなく、その心はあらゆる(衆生と)ともに生きることにいかなる障害ももたず、その心は一切智者たろうとの誓願の成就に向けられており、その心はあらゆる仏国土の海に入ることに向けられており、その心はあらゆる仏の海にまみえるために（あらゆる国土に）広がっており、その心はあらゆる如来の法の雲を受容しており、あらゆる闇黒を取り除く者であり、生死の中での快楽への欲望の滅尽をもたらす道である一切智者性の光明を産み出そうと願っています。こういう菩薩たちの行を、どうして私が知り得ましょうか、またその功徳について語り得ましょうか。

行きなさい、善男子よ。まさにこの所に、毘盧遮那（如来）の菩提道場の右側にいる私のすぐ横に、プラムディタ・ナヤナ・ジャガッド・ヴィローチャナー〔喜びにあふれる眼で世の衆生を見る、喜目観察衆生《きもくかんざつしゅじょう》〕という名の夜の女神が滞在しています。その女神に近づいて、尋ねなさい。いかにして菩薩は菩薩のなすべき行為に励むべきなのかを」

さてそのとき、その夜の女神は、寂静禅定楽普遊歩という菩薩の解脱をさらに重ねて明らかにしようとして、善財童子に詩頌でもって語りかけた。

　あらゆる（三）世において最高者たる如来たち、その如来たちが眼前に現れることに
心を深く傾ける者がいれば、その眼は浄化されて広大となり、その眼でもって彼ら
は仏の海に悟入できるでありましょう。　（一）

　見なさい、勝者の身体を。それは無垢であり、諸々の相好でもって飾られて美しい。

さらに見なさい、勝者に現れる神変を。それは心刹那ごとに法界に遍満します。（二）

この（眼前の）正覚者《しょうがくしゃ》にして善逝《ぜんぜい》である毘盧遮那仏は、菩提樹下の仏の座に座ったままで広大な法界に遍満して、衆生たちにその志願に応じて（法）輪を転じるでありましょう。（三）

勝者は、彼の自性が法性であること、身体なく、よく寂静であり、不二であることに目覚めてはいますが、（法界に）余す所なく遍満して、その美しい相好が層をなす色身を衆生に現すでありましょう。（四）

仏の身体は、広大であり、不可思議であります。その身体でもって法界に余す所なく遍満するでありましょう。その身体は、普く（十方に）等しく顕現し、あらゆる勝者たちを普く示現するでありましょう。（五）

仏身から発せられる光明の輪によって生じる、それぞれに異なった美しい色彩の現れは、あらゆる国土の微塵の数に等しく、心刹那ごとに法界に遍満します。（六）

広大で不可思議で尽きることのない光線の雲が仏の毛孔から発せられます。その光線はあらゆる衆生に余す所なく遍満し、生物たちの煩悩の苦しみを鎮めます。（七）

仏の尽きることなき化現(身)の海が、勝者の毛孔より発せられ、広大な法界に遍満して、生物たちが苦しんでいる悪趣の苦しみを鎮めます。(八)

仏の甘美な音声は、善き響きの海の光明として響き渡り、(説)法の雨を広大に降らせ、生物たちに菩提への志願を生じさせます。(九)

彼らは、この(毘盧遮那)仏に摂取されて、過去世において劫の海に亘る菩薩行を修めてきました。(それゆえに)彼らは毘盧遮那仏があらゆる国土にその相好を映しだすのを見るでありましょう。(一〇)

かの如来はあらゆる世界に出現し、あらゆる衆生の眼前に等しく現前します。彼らのそれぞれに異なる深信のすべては如来の境界ではあっても、私の知るところではありません。(一一)

優れた菩薩たちが、すべて余す所なく最後の一人まで、善逝の一毛孔の中に集合できるのです。そういう不可思議な解脱の道のすべては、私の知るところではありません。(一二)

私のすぐ横にいるこの女神は、世界の主をその眼前に見て、喜びに浸っています。その名をジョーティラルチ・ナヤナー(眼の光で(人々を)導く、喜《き》目観察《もくかんざつ》)といいます。その女神に、いかにして菩薩行を(修めるべきか)尋ねなさい。(一三)

そこで善財童子は、その夜の女神の両足に頂礼して、女神の周りを幾百千回も右遶した後、繰り返し繰り返し別れを告げて、女神の下を去った。

第三十三章　第三の夜の女神

188

そこで善財童子は、善知識の教誡に鼓舞され奮い立たされて、善知識の言葉を修めようとの心を生じ、善知識という医者に対して病人のような思いで近づこうとの心をもち、善知識にまみえることを念じて動揺のない心を得て、善知識にまみえてあらゆる障害の山を粉砕する機会を得たと思い、善知識にまみえてあらゆる衆生界を救済しようとの大悲の方便の大海への悟入を得たと思い、善知識にまみえて法界の真実の大海を知る智の輝きを得たと思いながら、喜目観察衆生《きもくかんざつしゅじょう》という名の夜の女神の下に近づいた。

そこでその夜の女神は、善財童子のために、さらに重ねて、善知識に親近して善根の資糧がもたらされ、彼を成熟させるようにと、善知識に親近して大きな資糧を産み出すことを威神力でもって知らせた。善知識に親近して勇猛心を得ることを威神力でもって知らせた。善知識に親近して克服し難い精進の行為を得ることを威神力でもって知らせた。善知識に親近して長期間そこにとどまることを威神力でもって知らせた。善知識に親近して周辺も中央もない方角に証入することを威神力でもって知らせた。善知識に親近して長く高潔な共住をもたらすことを威神力でもって知らせた。善知識に親近して無限の務めの円満成就を現しだすことを威神力でもって知らせた。善知識に親近して周辺も中央もない道の荘厳の資糧に歩み入ることを威神力でもって知らせた。善知識に親近して普門に踏み込む勇猛心を産み出すことを威神力でもって知らせた。善知識に親近して逸脱のないことから由来する勇猛心を得ることを威神力でもって知らせた。

そこで善財童子はその女神に近づいたのだが、そのとき女神は、一切智者性の資糧たる精進の勇猛心を得て善知識に親近しており、偉大な誓願の海を実現する勇気を得て善知識に親近し、一人の衆生の利益のために未来の果てに至る劫に亘る果てしない苦しみを味わおうと決意して善知識に親近し、一個の微塵の中であらゆる法界に声を轟かせ長期間そこにとどまる勇猛心を得て偉大な精進の鎧に身を包んで善知識に親近し、あらゆる方角の海が広がる限りの所に疾走して善知識に親近し、一つの毛端〔毛道〕の中で未来の果てに至る劫に亘る菩薩行にとどまり善知識に親近し、心刹那ごとに菩薩行にとどまり一切智者性のすべての智に安住して善知識に親近し、三世に行き渡るあらゆる如来の神変の荘厳の道に進むことを決意して善知識に親近し、あらゆる法界の真理の流れに入る道に進みながら善知識に親近し、あらゆる法界の真理という基盤から離脱せず法界のすべてに遍満して善知識に親近していた。そのような女神に彼は近づいた。

十波羅蜜行の示現　女神が世尊の説法会において(蓮)華台の獅子座に座して、普く優れた喜びの広大で無垢の勢いの幢という菩薩の三昧〔大勢力普喜幢解脱門《だいせいりきふきどうげだつもん》〕に入っているのを、彼は見た。さらに彼は眼にした。(一)かの女神のあらゆる毛孔から、あらゆる衆生の眼に快適な多様な布施を初めとする波羅蜜行を照らし出す雲を放出して、あらゆる衆生を歓喜させ、あらゆる衆生を喜ばせ、あらゆる衆生の眼を楽しませているのを。即ち、あらゆる衆生の願いや視覚に適い、また快い音声によって布施行を示現する雲を(放出し)、あらゆる衆生を援助し争うことがないために、あらゆる財物に頓着しないために、あらゆる衆生に等しく(布施を)実践することを放棄しないために、あらゆる衆生に平等の心をいだくために、いかなる衆生をも軽蔑しない心を放棄しないために、主観客観の事物をすべて放棄するため、とても困難な喜捨を示現するために、あらゆる世間に衆生の願いに応じた布施行を示現するために、三世に行き渡る菩薩の不可思議な難行である布施行を化現する雲〔変化身雲〕を放出し、十方に広がる限りのあらゆる法界に含まれるあらゆる衆生の視界に入るのを見た。というのも、不可思議な菩薩の威力と神変を得ているからである。

(二)また(かの女神が)あらゆる毛孔から、あらゆる衆生(界)に行き渡る多様な生まれをもつ化現身〔化身〕の雲を放出して、それらの雲が、あらゆる世界に含まれるあらゆる衆生に遍満して、その面前であらゆる戒律を持して揺るぎないことを示現し、衆生界の数に等しい多様な苦行や持戒の輪《マンダラ》を照らし出し、いかなる世界にも定住しないこと、いかなる領域にも執着しないこと、あらゆる輪廻〔の境遇〕にいるのを厭離すること、神々や人間の盛衰と〔苦〕楽の混在性を示現し、〔輪廻が〕不浄の輪であることを照らし出し、それを清浄と思う倒錯から人々を切り離し、無常、動揺、破滅という転変の法性を明らかにし、苦、無我というあらゆる有為〔一切行《いっさいぎょう》〕の法性を示現し、如来の境界に生きてそこを離れないことを説き明かし、究極の如来の戒の清浄さへと衆生たちを誘導し、あらゆる衆生の願いに応じた音声で戒行を示現し、あらゆる衆生を満足させる持戒の芳香を示現しながら、あらゆる衆生を成熟させているのを見た。

(三)またあらゆる毛孔から、あらゆる衆生界に行き渡る多様な色彩の身体を化現する雲〔身雲〕を放出して、それらの雲が、あらゆる衆生に大小のあらゆる肢体の切断を耐え忍ぶことを示現し、あらゆる衆生による身体への迫害や攻撃を耐え忍ぶことを示現し、あらゆる衆生の虚言や罵倒や誹謗や軽蔑や打擲や威嚇を耐え忍ぶことを示現し、いかなる衆生に対しても心を動揺させないことを示現し、あらゆる衆生の賞讃に高慢になることなく謙遜することを示現し、あらゆる衆生に対して高慢ならざることを示現し、あらゆる法の自性を受容すること〔忍辱《にんにく》〕の無尽性と智が無尽であることを示現し、あらゆる衆生のあらゆる煩悩を断つためにあらゆる衆生に忍辱行を示現し、醜形で醜悪な容器にすぎない身体を捨てさせてあらゆる衆生に無上の如来の妙身の清らかさを讃嘆しながら、衆生たちを成熟させているのを見た。

㈣またあらゆる毛孔から、あらゆる衆生の数に等しい多様な色彩や容貌や高さと大きさをもち、多様な生まれをもつ衆生の身体を化現する雲を放出して、それらの雲が、それぞれの願いに応じて衆生たちに遍満して、一切智者性の偉大な資糧たる精進の勇猛さを示現し、あらゆる魔の誘惑を粉砕する精進を、菩提へ向かう努力であり不動にして不退転の精進を、あらゆる衆生を輪廻の海から救済する精進を、あらゆる難処や悪道や悪趣に落ちる道から引き離す精進を、無知の山を粉砕する精進を、あらゆる如来を供養し奉仕して倦怠《けたい》なき精進を、あらゆる仏の法輪を受諾し保持する精進を、あらゆる障害の山を引き裂き粉砕する精進を、あらゆる衆生を成熟させ教化して倦怠なき精進を、あらゆる仏国土を浄化する精進を、そして無上の如来の精進の清らかさを示現しながら、衆生たちを成熟させているのを見た。

㈤またあらゆる毛孔から、多様な色彩や容貌をもつ多種多様な身体を化現する雲を放出して、それらの雲が、多様な方便でもって衆生たちの喜びを生じさせ、悲哀を取り除き、あらゆる愛欲の享楽から離れさせ、慚愧《ざんき》の法性を世間に広め、感官の制御に衆生たちを安住させ、無上の梵行《ぼんぎょう》を賞讃し、欲界は魔の領域であり恐るべきことを示現し、愛欲の享楽から離れた衆生たちにもあらゆる世界が愛欲の享楽の領域であると示現し、法悦の喜びに衆生たちを安住させ、順次深まる禅定や三昧を達成する歓喜を実現し、あらゆる衆生のあらゆる煩悩を明らかにせんと瞑想する心を讃嘆し、あらゆる菩薩の三昧の海の神変を示現し、菩薩の神通や神変の威力を示現し、衆生たちの喜びを生じさせ、歓喜を起こさせ、悲哀を排除し、心の快適さをもたらし、心を賢くし、志願を清浄となし、感官を精錬し、身体の安楽を生じさせ、法悦の奔流を増大させながら、衆生たちを成熟させているのを見た。

㈥またあらゆる毛孔から、あらゆる生まれの衆生に似た骨格をもつ種々の身体を化現する雲を放出し、それらの雲が、あらゆる国土に行き渡りあらゆる衆生の面前で喜ばれている姿を見せるために、あらゆる善知識へ親近して倦怠なきことを示現し、あらゆる師や長老や善知識に奉仕し献身して倦怠なきことを示現し、あらゆる如来の転法輪《てんぽうりん》を受け入れ保持して倦怠なき精進を示現し、あらゆる法への門の海を熟考し、あらゆる仏の海に入る道を讃嘆し、あらゆる法の相や自性の真実《ナヤ》を明らかにし、あらゆる法を（示現し）、三昧の門を示現し、あらゆる衆生の邪見の山を粉砕する智慧の金剛杵を示現し、多くの心刹那(の一々)に次々とあらゆる衆生の無明の闇を破る智慧の日輪の上昇を示現しながら、あらゆる衆生の喜びを生じさせることによって衆生たちを一切智者性へと成熟させているのを見た。

(七)またあらゆる毛孔から、あらゆる世の衆生の数に等しい威厳ある不可思議で多様な色彩と多様な形の身体を化現する雲を放出し、それらの雲が、それぞれの志願や深信に応じて衆生たちの面前に現れ、多様な音声や言葉を使用する叙述でもって、あらゆる世間的な功徳や神通力を示現し、あらゆる世間的な行為や振舞いからあらゆる三界における生起があることを示現し、あらゆる三界から脱出する方位を讃嘆し、あらゆる邪見の密林の迷路から脱出する方位を示現し、一切智者性の道の殊勝なることを讃嘆し、声聞や独覚の位や道を越えることを示現し、奉仕への好意と無奉仕への憎悪に対して逆に憎悪と好意をもつことを示現し、輪廻の門にも涅槃の門にも依存しないことを示現し、兜率天宮《とそつてんぐう》に生まれることなどが次々に断絶なく連続することを示現し、菩薩道場に進み行って正覚を得るまで休息なきことを示現しながら、衆生たちに一切智者性を明示しているのを見た。

(八)またあらゆる毛孔から、一々の毛孔から、あらゆる仏国土の微塵の数に等しい身体を化現する雲を放出し、それらの雲が、あらゆる衆生界に現前して、普賢菩薩行の誓願を讃嘆し、あらゆる法界の浄化を完成しようとの誓願の殊勝性を讃嘆し、心刹那ごとにあらゆる世界海を浄化することを讃嘆し、あらゆる如来を供養し奉仕して間断なきことを讃嘆し、心刹那ごとにあらゆる法の真理《ナヤ》の海に入り間断なきことを讃嘆し、心刹那ごとに如来の十力を証得して間断なきことを讃嘆し、心刹那ごとにあらゆる世界海の微塵の数に等しいあらゆる法界の真理の海に入り間断なきことを示現し、あらゆる仏国土において未来の果てに至る劫まで（菩薩行に）とどまって一切智者性の道の清浄さを明示して間断なきことを讃嘆し、心刹那ごとに如来の十力を証得して間断なきことを示現し、あらゆる三世の真理の海に入り間断なきことを示現し、菩薩によるあらゆる仏国土での神通力の神変を示現して間断なきことを示現しながら、菩薩の誓願と行を示現することによって、あらゆる衆生を一切智者性に安住させているのを見た。

㈨またあらゆる毛孔から、一々の毛孔から、あらゆる世の衆生の心に等しい数の身体を化現する雲を放出し、それらの雲が、あらゆる衆生の面前に現れ、無限の一切智者性の資糧と力を示現し、不壊で無尽で不滅の法と一切智者性の心の力を示現し、不退転で退転することがない威神力の故に、あらゆる菩薩行を達成する、途切れることなき無上の力を示現し、いかなる輪廻の罪業にも染まることなき菩薩たちの力を讃嘆し、あらゆる魔の軍団を粉砕する菩薩たちの力を示現し、あらゆる煩悩の汚れに染まらぬ菩薩たちの煩悩に対する力を示現し、あらゆる業の障害の山を粉砕する菩薩たちの力を示現し、あらゆる劫に及んで（衆生たちと）ともに住んで菩薩行に倦怠なき菩薩たちの大悲の力を示現し、あらゆる仏国土を震動させ揺り動かしてあらゆる衆生を歓喜させる菩薩たちの力を示現し、あらゆる魔や異教の師の群を粉砕する菩薩たちの力を示現し、偉大な法輪を転じる智の力を世間に広めながら、あらゆる衆生に一切智者性を明示しているのを見た。

（一〇）またあらゆる毛孔から、一々の毛孔から、あらゆる世の衆生の心に等しい数の無限の色彩をもつ身体を化現する雲の海を放出し、それらの雲が、十方の無限の衆生界に遍満し、それぞれの志願と深信に応じて衆生たちに菩薩行と智の勇猛さを示現し、あらゆる衆生界の海に入る智を示現し、あらゆる衆生の心の海に入る智を示現し、あらゆる衆生の機根の海を知り尽くす智を示現し、あらゆる衆生の行の海に入る智を示現し、あらゆる衆生を成熟させ教化するのにふさわしい時期を失わない智を示現し、あらゆる法界を大声でほめ讃える智を示現し、一心刹那ごとにあらゆる法界の智と真理《ナャ》の海に遍満する智を示現し、あらゆる世界海の破滅と生成を知る智を示現し、あらゆる世界の安定の状態の荘厳を分別する智を示現し、あらゆる如来を供養するために如来の神変に親近して供養し奉仕して法輪の雲を受容する智を示現しながら、以上のような智波羅蜜行を示現することによって衆生たちに喜びを生じさせているのを見た。彼らの心を喜ばせ、歓喜を生じさせ、悦楽を生じさせ、憂苦を追い払い、心を清らかにし、心の快適さを取り戻させ、感覚器官を精錬し、深信の力を生じさせながら、一切智者性に向かって不退転(の波羅蜜行)を行なっているのを見た。

さらに、世の衆生たちに(以上の十種の)波羅蜜行を示現することによって、彼らが成熟へと進み行くのを見たように、同様にまた、(以下のような)あらゆる菩薩の法を轟かせることによって、衆生たちを成熟させているのを見た。(その菩薩の法とは)夜の女神の喜目観察衆生が最初に菩提心を発して以来の資糧であり、善知識を満足させる努力や、如来の足下に親近して供養し奉仕する努力や、善法の実践に専念する努力であり、あるいはまた㈠布施波羅蜜行によるなし難い喜捨や、㈡持戒波羅蜜を完全に清める努力や、大国の王位も随行者も享楽も王権も捨て去って出家するための努力であり、あるいはまた㈢世間において菩薩が偉大な修行と偉大な苦行の輪《マンダラ》を忍耐することの成就や、また菩薩が誓約と義務に専念して動揺なきことであり、また菩薩が堅く自らに課した法の海を実践するためにあらゆる衆生界における悪行や悪口や悪意を耐え忍ぶ努力や、身体や心に受ける苦痛に耐える努力であり、またあらゆる業の報いは決して消滅しないという法性を忍受することであり、あらゆる法を深信し忍受することであり、あらゆる法の自性を瞑想し忍受することであり、また㈣一切智者性を対象とする修行に専念する精進であり、またあらゆる仏の法を完成させる精進であり、またあらゆる精進波羅蜜行であり、また㈤禅定波羅蜜の資糧であり、禅定波羅蜜に専念することであり、禅定波羅蜜の完成と清浄さのための行であり、また菩薩の三昧により得られる神変であり、また三昧門の海に入ることであり、また禅定波羅蜜のための諸々の所行であり、また㈥般若波羅蜜の資糧であり、また菩薩の偉大な智慧の日輪を清浄にする方便に務めることであり、また偉大な智慧の雲の資糧であり、また智慧の蔵の資糧であり、また偉大な智慧の大海を修得する方便の努力であり、㈦偉大な善巧方便《ぜんぎょうほうべん》への門の努力であり、偉大な善巧方便の清浄さに専念する前世での修行であり、また菩薩の偉大な願波羅蜜の身体であり、また菩薩の偉大な願波羅蜜の完成であり、また㈧菩薩の偉大な願波羅蜜のための諸々の所行であり、また偉大な願波羅蜜に専念する前世での修行であり、また㈨力波羅蜜を獲得するための偉大な資糧であり、また力波羅蜜の条件であり、また力波羅蜜の方便の大海であり、また力波羅蜜の教説であり、また力波羅蜜に専念する前世での修行であり、また㈩智波羅蜜の方便《ナヤ》であり、また智波羅蜜の努力であり、また智波羅蜜を浄化する方便であり、また智波羅蜜の方向であり、また智波羅蜜への通達であり、また智波羅蜜の流布であり、また智波羅蜜の方便の達成であり、また智波羅蜜を現しだす方便であり、また智波羅蜜が流布する果てまで随順することであり、また智波羅蜜の遍満であり、また智波羅蜜の拡大であり、また智波羅蜜の身体であり、また智波羅蜜の海の方便であり、また智波羅蜜の完成に専念する前世での修行であり、また智波羅蜜行の多種性を見分けて証得の実現に達することであり、また智波羅蜜を達成する方便から離れずに法も非法も取り込んでいる法の智への通達であり、業の智への通達であり、仏国土の智への通達であり、劫の智への通達であり、三世の智への通達であり、仏の出現の智への通達であり、仏の智への通達であり、菩薩の智への通達であり、菩薩の心から生じる智への通達であり、菩薩を区分する智への通達であり、菩薩から生じる智への通達であり、菩薩が出立する智への通達であり、菩薩の誓願の智への通達であり、菩薩の法輪の智への通達であり、菩薩の法を見分ける智への通達であり、菩薩の法の海の方便の智への通達であり、菩薩の法の海の智への通達であり、菩薩の法の品目の智への通達であり、菩薩の法蔵の智への通達であり、菩薩の法の了解《りょうげ》の智への通達であり、さらにはかの女神の獲得した周辺も中央もないほど広大な智波羅蜜と結びつくありとあらゆる菩薩の法に至るまでのものを(見たの)である。

これらのすべてが、かの女神のあらゆる毛孔から、一々の毛孔から流れでて、それらは多様な色をもつ衆生の身体の雲となって放出され、衆生たちを成熟させているのが見えた。

即ち、色究竟天《しきくきょうてん》(1)や善見天《ぜんけんてん》や善現天《ぜんげんてん》や無熱天《むねつてん》や無煩天《むぼんてん》などの浄居天《じょうごてん》に住む神々の姿をした身体の雲が放出され、衆生たちを成熟させているのを見た。同様に、広果天《こうかてん》や福生天《ふくしょうてん》や無雲天《むうんてん》の神々の姿をした身体の雲が放出され、衆生たちを成熟させているのを見た。遍浄天《へんじょうてん》や無量浄天《むりょうじょうてん》や少浄天《しょうじょうてん》の神々の姿をした身体の雲が放出され、衆生たちを成熟させているのを見た。光音天《こうおんてん》や無量光天《むりょうこうてん》や少光天《しょうこうてん》の神々の姿をした身体の雲が放出され、衆生たちを成熟させているのを見た。大梵天《だいぼんてん》や梵輔天《ぼんほてん》や梵衆天《ぼんしゅてん》の神々の姿をした身体の雲が放出され、衆生たちを成熟させているのを見た。

アプサラス天女の群や天子たちを率いた(他化)自在天王の姿をした身体の雲が放出され、衆生たちを成熟させているのを見た。アプサラス天女の群や天子たちを率いた化楽天王の姿をした身体の雲が放出され、衆生たちを成熟させているのを見た。アプサラス天女の群や天子たちを率いた兜率天王の姿をした身体の雲が放出され、衆生たちを成熟させているのを見た。アプサラス天女の群や天子たちを率いた夜摩天王の姿をした身体の雲が放出され、衆生たちを成熟させているのを見た。アプサラス天女の群や天子たちを率いた帝釈天王(を初めとする三十三天(忉利《とうり》天《てん》))の姿をした身体の雲が放出され、衆生たちを成熟させているのを見た。

ガンダルヴァ王の持国天王《じこくてんのう》やガンダルヴァの息子やガンダルヴァの娘の姿をした身体の雲が放出され、衆生たちを成熟させているのを見た。クンバーンダ王の増長天王《ぞうじょうてんのう》やクンバーンダの息子やクンバーンダの娘の姿をした身体の雲が放出され、衆生たちを成熟させているのを見た。龍王の広目天王《こうもくてんのう》や龍の息子や龍の娘の姿をした身体の雲が放出され、衆生たちを成熟させているのを見た。大ヤクシャ王の多聞天王《たもんてんのう》やヤクシャの息子やヤクシャの娘の姿をした身体の雲が放出され、衆生たちを成熟させているのを見た。キンナラ王のドゥルマ〔大樹緊那羅王《たいじゅきんならおう》〕やキンナラの息子やキンナラの娘の姿をした身体の雲が放出され、衆生たちを成熟させているのを見た。マホーラガ王のスマティ〔善慧《ぜんね》摩睺《まご》羅伽《らか》〕やマホーラガの息子やマホーラガの娘の姿をした身体の雲が放出され、衆生たちを成熟させているのを見た。ガルダ王のマハーバラ・ヴェーガ・スターマ〔大速疾力迦楼《だいそくしつりきかる》羅王《らおう》〕やガルダの息子やガルダの娘の姿をした身体の雲が放出され、衆生たちを成熟させているのを見た。アスラ王のラーフ〔羅睺阿脩羅王《らごあしゅらおう》〕やアスラの息子やアスラの娘の姿をした身体の雲が放出され、衆生たちを成熟させているのを見た。ヤマ法王〔閻羅《えんら》法王《ほうおう》〕やヤマの息子やヤマの娘の姿をした身体の雲が放出され、衆生たちを成熟させているのを見た。

あらゆる人間の王や男や女や童子や童女の姿をした身体の雲が放出され、衆生たちを成熟させているのを見た。同様に、あらゆる境涯に所属しているあらゆる衆生たちの姿をした身体の雲が放出され、衆生たちを成熟させているのを見た。あらゆる声聞や独覚や聖仙の姿をした身体の雲が放出され、衆生たちを成熟させているのを見た。風や水や火の各々の領域の神格の姿をした身体の雲が放出され、衆生たちを成熟させているのを見た。海や河や山や森林や穀物や薬草や樹木や大地の神格の姿をした身体の雲が放出され、衆生たちを成熟させているのを見た。遊園や都城や菩提道場や夜や昼や天空や方位や足で歩くもの〔歩行神《ほこうしん》〕や身体をもつもの〔身衆神《しんじゅしん》〕の神格の姿をした身体の雲が放出され、衆生たちを成熟させているのを見た。同様に、執金剛神《しゅうこんごうしん》に至るまでの神々の姿をした身体の雲が放出され、ありとあらゆる方向に、法界が広がる限り遍満し、あらゆる衆生の眼前に現れ出て、衆生たちを成熟させているのを見た。

さらにまた、かの女神が最初に菩提心を発して以来の資糧を初めとする過去世において獲得した善き心が次々と連続する断絶なき次第《ナヤ》を、即ち、まず発菩提心《ほつぼだいしん》を讃美することが次々と間断なく続き、死して再生を得ることが次々と間断なく続き、身体を得ることが次々と間断なく続き、名前の輪《チャクラ》が次々と間断なく続き、善知識に親近することが次々と間断なく続き、仏の出現にめぐり会うことが次々と間断なく続き、法句を受持することが次々と間断なく続き、菩薩道を修めようとの心が次々と間断なく続き、三昧を獲得することが次々と間断なく続き、三昧の獲得によって仏にまみえることが次々と間断なく続き、仏国土が見えて眼が(十方に)行き渡ることが次々と間断なく続き、劫の連続を知る智の車輪が次々と間断なく続き、法界に通達する智が次々と間断なく続き、衆生界を観察する智が次々と間断なく続き、法界の真理の海への悟入の連続と生死の智の連続が間断なく続き、天耳《てんに》の清浄さによって観察する智が次々と間断なく続き、あらゆる衆生界の心を観察し弁才天《べんざいてん》に到達する門が次々と間断なく続き、最初に天眼《てんげん》に到達する門が次々と間断なく続き、最初に天耳を示現して以来(それが)次々と間断なく続き、最初に他の衆生の心を知る智(を獲得して以来、それ)が次々と間断なく続き、最初に自分と他の衆生の過去の生存を記憶する智(を獲得して以来、それ)が次々と間断なく続き、最初に無を依り所とすることを成就して以来、神通力を獲得する条件が次々と間断なく続き、大神通力の勇猛心による十方への遍満が次々と間断なく続き、菩薩の解脱の獲得が次々と間断なく続き、菩薩の解脱の海の不可思議な方便《ナヤ》への悟入が次々と間断なく続き、菩薩の神変が次々と間断なく続き、菩薩の勇猛さが次々と間断なく続き、菩薩の(さとりへの)接近が次々と間断なく続き、菩薩という意識が次々と間断なく続き、菩薩道への悟入が次々と間断なく続き、こうして、かの女神の菩薩のとても微妙な智への悟入が次々と間断なく続き、それらがあらゆる毛孔から化現身の雲として放出されて、衆生たちのために法を説いているのが見られた。法を明らかにし、明示し、示現し、宣言し、区分し、流布させ、数え上げ、指示し、知らしめ、授けているのが見られた。

それらの（雲の）あるものは、旋風〔風輪《ふうりん》〕の振動が発する音響でもって説いているのが見えた。またあるものは水の集合〔水輪《すいりん》〕の流れが発する音響でもって、あるものは火焔が発する音響でもって、あるものは大海が発する大音響でもって、あるものは大地の震動が発する音響でもって、あるものは大山の王が衝突しあって身震いする大音響でもって、あるものは神の都城が震動して甘美に発する音響でもって、あるものは天の宮殿が触れ合う音響でもって、あるものは神々の王の音声でもって、あるものは龍王の音声でもって、あるものはヤクシャ王の音声でもって、あるものはガンダルヴァ王の音声でもって、あるものはアスラ王の音声でもって、あるものはガルダ王の音声でもって、あるものはマホーラガ（王）の音声でもって、あるものは神々の音声でもって、あるものはキンナラ王の音声でもって、あるものは人間の音声でもって、あるものは梵天王の音声でもって、あるものはアプサラス天女の歌う音声でもって、あるものは天上の楽器が奏でる音声でもって、あるものは摩尼宝石王の発する音声でもって、あるものはあらゆる衆生の群が発する多様な音声でもって、かの女神の解脱の境界を衆生たちに広めているのが見えた。

同様に、菩薩の身体の雲でもって、多様な菩薩の音声でもって、如来の化現身〔如来化身〕の雲でもって、如来の音声の多様な音質を用いて、かの女神の解脱の境界を、また最初に菩提心を発して以来その成就に到達するまでを、解脱の神変とともに、あらゆる衆生に現しだしているのが見えた。

かの女神の一々の化現の色相《しきそう》の雲〔身雲《しんうん》〕でもって、心刹那ごとに、十方の世界にある不可説不可説数もの仏国土を清浄にしているのが見えた。周辺も中央もない衆生の海をあらゆる悪趣の苦しみから解放しているのが見えた。周辺も中央もない衆生界を神々や人間に生まれる幸運に安住させているのが見えた。周辺も中央もない衆生の海を輪廻の海から出離させているのが見えた。周辺も中央もない衆生の海を声聞や独覚の地位に安住させているのが見えた。心刹那ごとに、周辺も中央もない衆生の海を(菩薩の)十地《じゅうじ》に向かわせているのを、善財童子は見た。

彼は、(以上のすべてを)聞き、熟考し、思惟し、悟入し、瞑想し、了解し、追求し、熟知し、平等性に安住した。というのも、かの女神の不可思議な大勢力普喜幢という菩薩の解脱の神変や威力や威徳によってであり、過去に(女神と)同じ修行をしたがゆえにであり、如来の威神力に支えられているからであり、不可思議な善根の結実のゆえにであり、そして普賢菩薩行にふさわしいものとなったゆえにである。

さてそこで善財童子は、十方の如来の威神力によって支えられて、偉大な菩薩の喜びの勢いの海の光明〔歓喜浄光明海《かんぎじょうこうみょうかい》〕を得た者となり、その女神の面前に合掌して立ち、以下のような女神にふさわしい詩頌でもって讃嘆した。

勝者たちの深遠なる法性、あなたはそれを無限の劫に亘ってよく学ばれましたが、十方の世界に順次、それぞれの願いに応じた姿で、遍満して、世の衆生に〔説き明かします〕。　（一）

主なく、保護者なく、真実から逸脱し、邪見をいだき、常に錯乱しているのを知って、あなたは多様な神通力でもって身体の自在性を示現して、世の衆生を教化します。　（二）

あなたは寂静であり、究極的に苦悩を離れ、不二〔無二〕において清められており、法を身体とします。二（という対極）に依存する衆生を余すことなく化現された雲の轟きでもって教化します。　（三）

いかなるときにもあなたの依拠する場は（五）蘊、（十二）処、（十八）界には存在せず、全肢体に満ち渡る最高の妙身の自在性を轟きでもって示して、世の衆生を教化します。　（四）

主観客観（の対立）から解放され、二の生起の海を超越するあなたは、輪廻の海の中で諸々の境涯にいる（衆生たちに）無限の姿を現しだします。（五）

あなたにはいかなるときにも、動揺なく、妄分別なく、迷乱なく、また戯論《けろん》もありません。世間で戯論にふける愚者たちに法の自性を示現して教化します。（六）

多くの劫に亘ってあらゆる三昧の海を住居とするがゆえに、心は一点に集中しており、十方の諸仏を供養するために、毛孔より化現された雲を放出します。（七）

あなたは仏の力の方便の門に悟入し、心刹那ごとにそれぞれの違いを洞察して、限りなき衆生の摂取に専念することを示現します。（八）

あなたは生存の海が業によって多種多彩であると観察して、諸法における無礙の道を説いて、多様な姿をした衆生たちを清浄にします。（九）

あなたの色身は、普賢行によって、相好で荘厳され、清浄であります。女神よ、あなたは衆生たちの願いに応じて世間に色身を現しだしました。（一〇）

夜の女神の因縁譚　そこで善財童子は、以上のようなふさわしい詩頌でもって女神を讃嘆し終えると、次のように述べた。「女神よ、あなたは無上正等覚に安住してからどれほどの時が過ぎたのですか。また、あなたがこの大勢力普喜幢という菩薩の解脱を得

196

てからどれほどの時が過ぎたのですか」

そこで女神は善財童子に詩頌でもって答えた。

私は思い出す。国土の微塵の数に等しい多くの劫をさらにさかのぼる昔、安楽の輝きをもつマニプラバー〔摩尼光〕という名の国土があり、そのときの劫はプラシャーンタ・ゴーシャ〔寂静音〕という名でありました。（一一）

（その国土は）十百千コーティ・ナユタもの四大州（から成る世界）で満たされ、それらの中央にマニパルヴァタ〔摩尼山〕という（山のような）光明の量をもち、非常に多彩に輝く四大州がありました。（一二）

（その四大州は）十百千コーティ・ナユタもの王宮で満たされ、それらの中央に摩尼宝石の輝きをもつガンダ・ドヴァジャ〔香幢宝〕という美しい王宮がありました。（一三）

そこにヴィシャーム・パティ（という名の王）がいて、秀麗な容貌の転輪聖王でありました。彼は三十二種の相に恵まれ、（八十種の）好を具えた肢体をもっていました。（一四）

彼は蓮華の中に自然に化生《けしょう》し、その身体は金色に輝き、空中を歩んで、その輝きはジャンブ州にすべて余す所なく遍満するほどであります。（一五）

その王には千に満ちる王子がいて、すべて勇敢であり、優れた肢体をもち、端正でありました。またコーティに満ちる臣下がいて、すべてが賢く有能であり、学識がありました聡明でありました。（一六）

十コーティに満ちる妃がいて、すべてがアプサラス天女のようであり、享楽の仕方に精通しており、情愛深く親切に慈悲深く王に仕えていました。（一七）

その偉大な地上の王は、鉄囲山の果てに至るまでよく繁栄した四大州をすべて、法の力でもって所有しました。（一八）

（そのとき）この私は、転輪聖王の第一の妃であり、梵音《ぼんおん》のような声を有し、宝石の身体をもち、無垢に輝き、金色を放ち、その光明は千ヨージャナに遍満しました。（一九）

太陽の光が既に没し、王も王子も臣下も眠りにつき、楽の音も静まったとき、私もまた寝所へ行き、穏やかに眠りました。（二〇）

その夜も中夜になったとき、シュリーサムドラ〔功徳海〕と号する仏が現れました。そして、そのとき、その勝者は十方に遍満して、無限の神変を演じました。（二一）

仏は供養されると、光明の海を放ってあらゆる国土の微塵の数に等しい多様な身体を化現し、それらは十方に普く遍満しました。（二二）

大地も山も震動して、勝者が現れた、と大声をあげました。神々もアスラも人間も龍もすべてが勝者の出現を喜んだのです。（二三）

仏のあらゆる毛孔から化現された（身体の）海が放出され、それらが十方に遍満して、世界の中で、それぞれの願いに応じて、法を説きました。（二四）

勝者は、夢の中にいる私に、これらの神変をすべて見せてくれました。私は深遠なる（説法の）轟きを聞いて、夢の中で喜びを感じました。（二五）

一万の夜の女神が、私の上空に集まり、天上の声で勝者を讃嘆しつつ、私を目覚めさせようとして語りました。（二六）

「妃よ、デーヴァマティ（天慧）よ、起きなさい。勝者が既にあなたの王国に現れている。百劫の海にもめぐり会い難く、まみえるものは幸福となり清浄となる」（二七）

私が喜びにあふれて眼を覚ますと、無垢で清らかな光明が見えました。この光明を眼でたどると、菩提樹王の下に座っておられる仏を見ました。（二八）

勝者は、三十二種の相で荘厳され、毛孔から光線の海を放ち、須弥山《しゅみせん》の如くに、左右に普くそびえ立っていました。（二九）

それを見て喜びで一杯になった私には、私もこのようになりたい、との願いが生じ

ました。仏の広大な神変を見て、私は崇高な誓願をたてました。（三〇）
私は王や妃たちの群や侍者たちを目覚めさせたのです。そのすべてが広大な仏の光明を見て、身体が喜びで満たされました。（三一）
私は王とともに、ナユタの乗物を従え、コーティ・ナユタの人々に囲まれ、軍隊を引きつれて、勝者の下を訪れました。（三二）
私は、まる二万年の間、勝者を供養しました。七宝が、海もろとも大地が、善逝に寄進されました。（三三）
仏は衆生たちに、それぞれの願いに応じて、経典の海を、功徳の雲を、誓願から生じる荘厳を、そしてあらゆる如来の威力を示しました。（三四）
（二万の）夜の女神が、私を利益しようとして、私を目覚めさせたとき、私は慈悲の念を起こし、女神をうらやましく思い、私も女神のようになって、放逸な者たちを目覚めさせよう（と決意しました）。（三五）
このような最初の誓願の決意を無上正等覚に向けて発した私には、輪廻の海に入っていても諸々の生存の海によってその決意が失われることはなかったのです。（三六）
信心を起こし、輪廻の中にある神々と人間たちに（仏の）境界を喜ぶ幸福を与えよう

と望んで、私は十コーティ・ナユタの仏たちを供養しました。(三七)
最初の勝者はシュリーサムドラ〔功徳海〕といいました。その次がグナ・プラディーパ〔功徳燈〕、第三の勝者がラトナ・ケートゥ〔宝幢仏〕、第四がガガナ・プラジュナ〔虚空智〕でありました。(三八)
第五の勝者はクスマガルバ〔蓮華蔵〕であり、第六がアサンガ・マティ・チャンドラ〔無礙慧月〕であり、(第七が)ダルマチャンドラ・プラブ・ラージャ〔法月光王〕であり、第八がジュニャーナ・マンダラ・プラバーサ〔円満智燈〕でありました。(三九)
第九がラチャナールチ・パルヴァタ・プラディーパ〔宝焔山燈〕と号する両足尊《りょうぞくそん》であり、第十はトリアドヴァ・プラバゴーシャ〔三世光音〕でありました。私は彼らを喜びでもって供養しました。(四〇)
これらの十(仏)を初めとして、(十コーティ・ナユタの)人中の王たちのすべてが私によって供養されました。しかし未だに私は、それでもってこの真理の海に悟入することができる(智慧の)眼を得てはいなかったのです。(四一)
その後引き続いて、サルヴァ・ラトナーバ〔宝光〕という名の国土と、デーヴァシュリー〔天妙勝〕という名の劫があり、そこに五百の仏が出現しました。(四二)
最初の仏はシャシ・マンダラーバ〔月光輪〕といいました。第二はバースカラ・プラディーパ〔日燈〕、第三はジョーティ・ドゥヴァジャ〔光幢〕という仏であり、その次がマニスメール〔宝須弥〕でありました。 (四三)

それから、クスマールチ・サーガラ・プラディーパ〔華焔海〕、ジュヴァラナ・シュリーシャ〔焔吉祥〕、デーヴァシュリー・ガルバ〔天徳蔵〕、アヴァバーサ・ラージャ〔光明王〕、プラバ・ケートゥ〔光明幢〕、そして第十がサマンタ・ジュニャーナ・プラバラージャ〔普智光明王〕でありました。 (四四)

これらの十(仏)を初めとして、(五百の)人中の王たちのすべてが、私によって供養されましたが、未だに私は(五)蘊に依拠して楽しみ、依拠すべきでない法を依拠と思っていたのです。 (四五)

その後引き続いて、ここにダルマ・プラディーパ・メーガシュリー〔吉祥華燈雲〕という名の非常に美しい世界があり、そのときの劫はブラフマ・プラバ〔梵光明〕という名でありました。 (四六)

そこで無量の勝者たちが、侍者たちとともに私によって供養されました。私は、尊敬の念を起こして、それらの善逝たちのすべてから法を聞きました。 (四七)

最初の勝者はラトナメール〔宝須弥〕であり、その次がグナサムドラ〔功徳海〕であり、次がダルマダートゥ・スヴァラ・ケートゥ〔法界妙音幢〕であり、第四がダルマサム

ドラ・ガルジャナ〔法海大声王〕でありました。(四八)

それからダルマ・ドヴァジャ〔法幢〕、ダラニ・テージャス〔地光〕、ダルマバラ・プラバ〔法力光〕、ガガナ・ブッディ〔虚空慧〕、ダルマールチ・メール・シッカラーバ〔法焔須弥光〕、それら（十仏）の最後がメーガシュリー〔雲吉祥〕でありました。(四九)

これらの十（仏）を初めとして、（無量の）人中の王たちのすべてが私によって供養されました。しかし未だに私は、それでもって勝者の海に入ることができるこの法性に完全に目覚めてはいなかったのです。(五〇)

そのすぐ後に、スーリヤ・プラディーパ・ケートゥシュリー〔日燈吉祥幢〕という善逝がおられ、その国土はブッダマティ〔仏慧〕という名で、そのときの劫はソーマシュリー〔月吉祥〕でありました。(五一)

そこで八十ナユタの十力（をもつ仏）たちが私によって供養されました。多種多様で無限で広大な多くのすばらしい供養の仕方でもって私は供養しました。(五二)

最初はガンダルヴァ・ラージャ〔乾闥婆《けんだつば》王《おう》〕という仏でありました。第二の仏はドゥルマ・ラージャ〔大樹王〕、第三の勝者はグナ・スメール〔功徳須弥峰〕であり、その次がラトナ・ネートラ〔宝眼〕でありました。(五三)

それからヴァイローチャナ〔盧《る》舎那《しゃな》〕、プラバヴューハ〔光明荘厳〕、ダルマサムドラ・

テージャッハシュリー〔法勝〕、ローケンドラ〔世間主〕、テージャッハシュリー・バドラ〔明浄徳〕、そして最後（の第十）がサルヴァダルマ・プラバラージャ〔一切法光王〕でありました。（五四）

これらの十（仏）を初めとして、（八十ナユタの）善逝たちのすべてが私によって供養されました。しかし、未だに私はそれでもって正法《しょうぼう》の海に入ることができるような智を得てはいなかったのです。（五五）

そのすぐ後に、とても清浄で、金剛摩尼のように堅固で不壊の威光をもつ国土があり、サマンタ・プラバメーガ〔普光雲〕という名であり、多くの荘厳で飾られ、色鮮やかでありました。（五六）

そこでは多くの衆生たちが清浄であり、どこよりも健全であり、煩悩の不浄が除滅されていました。劫の名はプラシャーンタ・マティ・テージャス〔寂静慧〕といい、千もの仏の出現という荘厳が生じました。（五七）

最初の勝者はヴァジュラ・ナービ〔金剛臍《こんごうさい》〕といわれ、第二はアサンガ・バラ・ダーリー〔無礙力〕、第三の勝者はダルマダートゥ・プラティバーサ〔法界影像〕、第四はサルヴァディシュ・プラディーパ・プラバラージャ〔光照十方王〕でありました。（五八）

第五の勝者はカルナ・テージャス〔大悲威徳〕といわれ、第六の勝者はヴラタ・サムドラ〔苦行海〕、第七はクシャーンティ・マンダラ・プラディーパ〔忍辱円満燈〕、第八はダルママンダラ・プラバーサ〔法円満光〕でありました。(五九)第九はアヴァバーサ・サーガラ・ヴューハ〔光明厳海〕、その最後はプラシャーンタ・プラバラージャ〔寂静光王〕でありました。これらの十(仏)を初めとして、(千の)人中の王たちのすべてが私によって供養されたのです。(六〇)しかし未だに私は、この法性に目覚めることができず、自性は虚空の如くには浄化されておらず、その法性に安住できないがゆえに、広がる限りのあらゆる仏国土を訪れて修行することもできなかったのです。(六一)そのすぐ後に、ガンダ・プラディーパ・メーガシュリー〔香燈雲吉祥〕という名の、喜びにあふれ、煩悩の汚染が清められた国土があり、そのときの劫はスサムバヴァ〔妙出生〕という名でありました。(六二)そこにコーティの勝者が出現し、その仏たちによって十劫が荘厳されました。かの導師たちは法を説き、私はそれを想起の力でもって記憶しました。(六三)最初の勝者はヴィプラ・キールティ〔無量称〕といわれ、第二はダルマサムドラ・ヴエーガ・シュリーラージャ〔法海〕、第三はダルメーンドラ・ラージャ〔法主〕、第四

はグナメーガ〔功徳雲〕、第五はダルマシュリー〔法勝〕、第六はデーヴァ・マクタ〔天冠〕でありました。（六四）

それらの第七の両足尊はジュニャーナールチ・テージャッハシュリー〔智焔威徳〕であり、第八の仏はガガナゴーシャ〔虚空音〕であり、第九はサマンタ・サムバヴァ・プラディーパ〔普出生殊勝燈〕でありました。（六五）

それらの最後はウールナシュリー・プラバーサ・マティ〔眉間光智吉祥〕といわれる仏でありました。それら（コーティの）人中の王たちのすべてが私によって供養されましたが、しかし未だこの無礙の道を清めることはできなかったのです。（六六）

そのすぐ後に、ラトナ・ドヴァジャーグラ・マティ〔宝峰勝頂幢〕という名の西方の世界があり、よく荘厳され、全体が宝石で多彩に飾られ、よく均整のとれた世界でありました。（六七）

そのときの劫はサーローチャヤ〔明浄堅固〕という名であり、そこに五百の仏が出現しました。これらすべての自在者たちが、この解脱を熱望している私によって、供養されたのです。（六八）

最初はグナマンダラ〔円満徳〕といわれ、第二はシャーンタ・ニルゴーシャ〔寂静音〕、第三はサーガラシュリー〔功徳海〕、第四はアーディティヤ・テージャス〔日王〕、第五はギリラージャ〔山王〕、第六はラクシャナ・メール・メーガルタ・ゴーシャ〔須弥相大雲声〕でありました。第七はダルメーンドラ・ラージャ〔法王〕、第八はグナラージャ〔功徳王〕、第九はプニヤ・スメール〔福須弥〕、そしてシャーンタ・プラバ・ラージャ〔寂光〕でありました。これらの十(仏)を初めとして、(五百の)人中の王たちすべてが私によって供養されたのです。 (六九)

(それによって)私は、勝者が余す所なく遍満している場である勝者たちの道を清めることはできましたが、しかし未だに、それでもってこの勝者たちの真実に悟入できる忍辱を得てはいなかったのです。 (七〇)

そのすぐ後に、非常に美しく輝き、まことに清らかなシャーンタ・ニルゴーシャ・ハーラマティ〔寂音瓔珞智〕という名の世界がここにあり、煩悩の少ない衆生たちが住んでいました。 (七一)

(そのときの)劫はスカービラティ〔安楽荘厳光〕という名であり、そこに八十ナユタの仏がいました。私はそれらの人中の王たちのすべてを供養し、そして最高の勝者たちの道を清めたのです。 (七二)

最初の勝者はクスマ・ラーシ〔華聚〕といわれ、第二はサーガラ・ガルバ〔海蔵〕、第 (七三)

三はサムバヴァ・ギリ〔功徳生〕、第四はデーヴェーンドラ・チューダ〔天王髻〕、第五はマニガルバ〔摩尼蔵〕、第六はカーンチャナ・パルヴァタ〔金山〕、第七はラトナ・ラーシ〔宝聚〕でありました。（七四）

第八はダルマ・ドヴァジャ〔法幢〕、第九はヴァチャナシュリー〔勝財〕、それらの最後の仏がジュニャーナ・マティ〔智王〕でありました。これらの十（仏）を初めとして、（八十ナユタの）神々と人間の王たちが私によって供養されました。（七五）

その後引き続いて、スニルミタ・ドヴァジャ・プラディーパ〔善化幢燈〕という名の国土が確かにあり、劫の名はサハスラシュリー〔千功徳〕であり、そこにコーティ・ナユタの仏がいました。（七六）

（仏の名は）シャーンタ・ドヴァジャ〔寂静幢〕、シャマタ・ケートゥ〔奢摩他《しゃまた》〕、シャーンタ・プラディーパ・メーガシュリー・ラージャ〔寂静百燈雲〕、アヴァバーサヤット・プラバラージャ〔寂静光明王〕、メーガ・ヴィランビタ〔如雲行〕、スーリヤ・テージャス〔明浄日〕でありました。（七七）

それからダルマ・プラディーパ・シュリーメール〔法燈〕、アルチシュリー〔光焔〕、デーヴァシュリー・ガルバ〔天功徳蔵〕、それらの最後が獅子のように吼えるヴィドゥ・プラディーパ〔智慧燈〕でありました。（七八）

これらの十（仏）を初めとして、（コーティ・ナユタの）善逝の月たちが私によって供養されました。しかし私は未だに、それでもってこの真理の海に悟入できる忍辱を得てはいなかったのです。（七九）

その後引き続いて、サマンターバ・シュリー〔無量勝光〕という名の国土があり、劫の名はアナーラヤ・ヴューハ〔無著荘厳〕であり、そこに二十六ナユタの仏たちがいました。（八〇）

最初の仏はサマンタ・グナメーガ〔普功徳雲〕といわれ、その次がガガナ・チッタ〔虚空心〕、そしてスサンバヴァ・ヴューハ〔妙生具荘厳〕、ガルジタ・ダルマ・サーガラ・ニルゴーシャ〔法音声海〕でありました。（八一）

それから、ダルマダートゥ・スヴァラ・ゴーシャ〔法界大音声〕、ニルミタ・メーガ・スヴァラシュリー〔化音声〕、サマンタ・ディシャ・テージャス〔普方威徳〕、ダルマサムドラ・サンバヴァ・ルタ〔出生法海声〕でありました。（八二）

それから第九の勝者の太陽であるグナサーガラ・ギリ・プラディーパ〔海燈功徳山〕がここにおられて、そしてそれらの最後のラトナシュリー・プラディーパ・グナケートゥ〔宝吉祥功徳幢〕が親近され供養されました。（八三）

その両足尊、宝吉祥功徳幢が出現されたとき、この私はシャシ・ヴァクトラ〔月面〕

という名の女神となって、現に出現される仏を供養しました。　（八四）
その仏は、私のために、無所依《むしょえ》の荘厳〔無依著荘厳門〕および誓願の海の生起の荘厳〔荘厳大願海〕という経を説かれました。私はそれを聴聞して想起の力でもって記憶しました。　（八五）
そして私は、広大な眼と寂静なる三昧と陀羅尼の力を獲得し、刹那刹那に（無数の）国土におられる仏の海を次々に見ました。　（八六）
私には、大悲を内蔵し、大慈の門であり、普き光の雲のような、虚空に等しい、仏の力の無量で広大な光明のような菩提を求める心が生じたのです。　（八七）
衆生たちが、誤って逆に常楽我浄《じょうらくがじょう》に執着し、愚妄のゆえに無知の闇に覆われ、煩悩で満たされ、虚妄の考えをいだき、　（八八）
邪見という密林に入り、渇愛に服従して悪業をなし、諸々の輪廻の境遇において多様な種々雑多な業を集めているのを見て、　（八九）
またあらゆる輪廻の境涯に落ちる門を通って再生することによって、生まれている衆生たちが、肉体的にも精神的にも、生老死の苦しみを味わっている（のを見て）、　（九〇）
そのとき、衆生たちの利益と安楽のために、あらゆる国土の果てに至るまでのある

限りの場所に十力(をもつ仏)たちの出現を願う無上の心が生じました。(九一)

それからあらゆる衆生の安楽を願う心で満たされた誓願の雲が生じ、無限の資糧が生じ、そして(菩薩の)道の海の真理への通達が生じました。(九二)

(さとりへと)進みゆく誓願の雲の広大な光明を得て、迅速にあらゆる進路の清浄な門を通って、広がる限りの法界に広大な波羅蜜の雲を放出しました。(九三)

あらゆる三世の海の真理において、迅速に広大な菩薩地に踏み込み〔登地《とうじ》〕、一刹那に諸地〔十地《じゅうじ》〕において無礙自在の行をなし、あらゆる勝者の下へ赴きます。(九四)

さらに善逝の子よ、私は普賢行に踏み込み、十の法界の地平の区別の海の真理に悟入するのです。(九五)

転輪聖王と夜の女神　「さて童子よ、あなたはどう思いますか。そのときに、ヴィシャーム・パティ〔十方主〕という名の転輪聖王であり、仏の系譜を絶やさないよう努めたのは(文殊師利とは)別人でありましょうか。善男子よ、決してそう思ってはいけません。文殊師利法王子が、そのときの十方主という名の転輪聖王であり、仏の系譜を絶やさないよう努めたのです。この私を目覚めさせてくれた夜の女神は、普賢菩薩《ふげんぼさつ》が化現したのです。

善男子よ、あなたはどう思いますか。そのときに、天慧という転輪聖王の妃であり、(転輪王にふさわしい)宝石のような女であったのは、誰か他の人でありましょうか。そう思ってはいけません。この私が、そのときの天慧という転輪聖王の妃であり、宝石のような女だったのです。そういう私は、かの夜の女神に目覚めさせられて、仏にまみえるよう勧め導かれました。それ以後ずっと長い期間、善男子よ、私には無上正等覚を求める心が生じていたのです。私は、その発(菩提)心以来、仏国土の微塵の数に等しい劫の間、決して悪い輪廻の境涯に生まれることはなく、常にいつも神々か人間の境涯を赴く所としました。私はどこでも仏にまみえることから離れることはなかったのです。そしてついに、世尊・応供・正等覚である宝吉祥功徳幢如来にまみえると直ちに、この大勢力普喜幢という菩薩の解脱を得ました。それを得たがゆえに、私は以上のようにあらゆる衆生を教化し成熟させるためにすべてを捧げたのです。

善男子よ、私はただこの菩薩の解脱を知るだけであり、どうして次のような菩薩たちの行を知り、その功徳を語ることができましょうか。その菩薩たちとは、一々の刹那にあらゆる如来の足下にて一切智者性に向かって進むために大勢力の海を既に得ている菩薩たちであり、一々の刹那にあらゆる発願《ほつがん》の門において大誓願の海に入ることを既に得ている菩薩たちであり、一々の刹那にあらゆる誓願の海の道において未来の果てに至るまでの劫の間、修行の輪《マンダラ》を成就するのが巧みな菩薩たちであり、また一々の修行においてあらゆる仏国土の微塵の数に等しい身体(の化現《けげん》)を成就するのが巧みな菩薩たちであり、一々の身体でもってあらゆる法界の真理の海に遍満する菩薩たちであり、一々の法界の真理の海においてあらゆる仏国土に赴き、それぞれの願いに応じた衆生の身体で顕現して(菩薩行)を教示するのが巧みな菩薩たちであり、一々の国土の微塵において周辺も中央もない如来の海に入るのが巧みな菩薩たちであり、一々の如来において法界に遍満する最勝の如来の神変に悟入するのが巧みな菩薩たちであり、一々の如来の過去の果てに至るまでの劫に亘る菩薩行による資糧の実現に到達し悟入するのが巧みな菩薩たちであり、一々の如来の無垢の法輪を迎え入れ護持するのが巧みな菩薩たちであり、あらゆる三世の如来の神変の真理の海に入るのが巧みな菩薩たちである。こういう菩薩たちの行を知り、その功徳を語ることは私にはできません。

行きなさい、善男子よ。まさにここに、この如来の説法会の(私の)すぐ隣に、サマンタ・サットヴァ・トラーノージャッハ・シュリー〔普く衆生を救護する勢力の栄光、普救衆《ふぐしゅ》生妙徳《じょうみょうとく》〕という名の夜の女神が滞在しておられます。その女神の下に行き、いかにして菩薩は菩薩行の輪に入るべきか、いかにしてそれを清めるべきか尋ねなさい」

そこで善財童子は、喜目観察衆生という名の夜の女神の両足に頂礼し、女神の周りを幾百千回も右遶した後に、何度も何度も別れを告げて、女神の下を去った。

第三十四章　第四の夜の女神

夜の女神の普救衆生妙徳との出会い　そこで善財童子は、喜目観察衆生という夜の女神の（説かれた）あの大勢力普喜幢という（菩薩の）解脱を信じ、悟入し、理解し、没入し、広め、満たし、随順し、従い、体得し、修習し、熟慮しながら、善知識の教誡を実践し、（その）教訓と教誡の説示が中断しないように、かの夜の女神が委嘱した教えを憶念し、善知識との出会いに随順する一切の機根の輪《マンダラ》により、普き方位に向かって善知識との出会いを得るため正しく振舞うことにより、一切の慢心を離れて善知識を追い求める集中心により、（福徳と智という）大いなる資糧を産みだそうと決意して善知識への親近に邁進することにより、善知識と一体となった一切の善根により、方便に巧みな善知識の一切の行ないにおいて不壊の求道心を実践し、善知識に依存して成長するため大いなる精進の衝動の海を生じ、一切劫に善知識の平等性に随順して（善知識と）共住しようという誓願を立てて、普救衆生妙徳《ふぐしゅじょうみょうとく》という夜の女神の下に近づいた。

彼が近づくと、女神は、一切世間に現前して（如来が）世の衆生を教化する様子を示現する無限なる菩薩の解脱のもつ威力〔菩薩調伏衆生解脱神力〕を示すために、様々な相好を完全に具えた（自分の）身体を示した後、（眉間の白）毫《びゃくごう》から周辺も中央もない（無量の）光線に囲まれた普き智の焔から成る燈火の無垢の光明の幢〔普慧焔燈浄幢〕という光線を放った。その（光線）は、一切世間を照らし出した後、善財童子の頭頂に落ちて、全身に充満した。

そして、その光線が触れるや否や、善財童子は、まず究竟清浄輪という三昧を体得した。それを体得することにより、喜目観察衆生と普救衆生妙徳という夜の女神の間に横たわる大地の全域《マンダラ》にある限りの、火の微塵にせよ、水の微塵にせよ、地の微塵にせよ、金剛の微塵にせよ、種々の立派な摩尼宝石の微塵にせよ、華、香料、抹香の微塵にせよ、宝石の荘厳の微塵にせよ、一切の依処の微塵にせよ、（善財は）そのすべての微塵の中の一々の微塵において、仏国土の微塵の数に等しい世界が生成し、消滅するのを見た。

（それら無数の世界は）水の集まり、火の集まり、風の集まり、地の集まりを有していた。（それらの）世界は境目を接し、基盤を有し、様々な形状をもち、しっかりした基礎の上にあり、様々な地層により整然と構成され、様々な山々に取り囲まれ、様々な河や池が整然とあり、様々な海が横たわっていた。

（それらの世界には）天上の様々な均整のとれた宮殿が立ち並び、様々な木々がそびえ立ち、様々な天空が飾りを添えていた。（そこは）神々の都の宮殿に飾られ、龍の都の宮殿に飾られ、ヤクシャの都の宮殿に飾られ、ガンダルヴァの都の宮殿に飾られ、アスラの都の宮殿に飾られ、ガルダの都の宮殿に飾られ、キンナラの都の宮殿に飾られ、マホーラガの都の宮殿に飾られ、人間の都の宮殿に飾られ、あらゆる方角に建つ一切衆生の都の宮殿に飾られていた。（そこには）地獄世界という（悪）趣の境界があり、畜生世界の境界があり、ヤマ〔閻羅王《えんらおう》〕の世界の境界があり、人間の境遇〔趣〕という流転し、生死する境界があった。（それらの世界は）様々な生存と結合し、無限に多様な境遇と融合していた。

さらに、（善財は）それらの世界の多様性を見た。即ち、ある世界が（煩悩に）汚染されているのを見た。ある（世界）は清浄であり、ある（世界）は完全に汚染されており、ある（世界）は境遇が清浄であり、ある（世界）は汚染されているが、清浄でもあり、ある（世界）は清浄であるが、汚染されてもおり、ある（世界）は完全に清浄であり、ある（世界）は地平が平坦であり、ある（世界）は基礎が上下転倒しており、ある（世界）は形が左右逆転している（のを見た）。

それらの世界における一切衆生の境遇、一切衆生の生存において、普救衆生妙徳という夜の女神が、それぞれの教化されるべき衆生、すべての衆生に現前しているのを見た。(かの女神は)一切世間を無区別に見るがゆえに、様々な信解の対象を有する衆生を寿量に応じて、身体に応じて、彼ら自身の言葉、概念、解釈、習慣性、慣用に応じて、実践に応じて、能力に応じて、教化し、成熟させた後、一切衆生に無区別に現前しているのを見た。

即ち、様々な地獄の境遇に属する衆生たちの種々の地獄の苦しみと恐怖を取り除くために、様々な畜生(の境遇)に生まれた衆生たちの互いに食いあうという恐怖を取り除くために、ヤマの世界の境遇に属する衆生たちの飢えや渇きなどの苦しみと恐怖を取り除くために、龍世界の境遇に属する衆生たちの一切の龍の苦しみと恐怖を取り除くために、欲界に属する一切の衆生たちの欲界の一切の苦しみと恐怖を取り除くために、人間世界という境遇に属する衆生たちの漆黒の暗夜における暗闇に対する一切の恐怖を取り除くために、誹謗、侮辱、悪名の声や評判に執着する衆生たちの侮辱や悪名に対する一切の恐怖を取り除くために、集会の中でびくびくするのではないかという恐怖に捉われた衆生たちの集会の中でびくびくするのではないかという恐怖を取り除くために、死の恐怖におののく衆生たちの死の恐怖を取り除くために、悪趣に落ちるという恐怖におののく衆生たちの悪趣に落ちるという恐怖を取り除くために、生計に関する恐怖におののく衆生たちの生計に関する恐怖を取り除くために、善根消滅の恐怖におののく衆生たちの善根消滅の恐怖を取り除くために、菩提心喪失の恐怖におののく衆生たちの菩提心喪失の恐怖を取り除くために、悪友に出会う恐怖におののく衆生たちの悪友に出会うという恐怖を取り除くために、善友(善知識)との別離の恐怖におののく衆生たちの善友との別離の恐怖を取り除くために、声聞や独覚の段階に落ちるという恐怖におののく衆生たちの声聞や独覚の段階に落ちるという恐怖を取り除くために、様々な輪廻の状態で暮らす苦しみの恐怖におののく衆生たちの様々な輪廻の状態の苦しみの恐怖を取り除くために、異類の衆生と出会う(という恐怖に)おののく衆生たちの異類の衆生と出会うという恐怖を取り除くために、悪い時に生まれるという恐怖におののく衆生たちの悪い時に生まれるという恐怖を取り除くために、悪い家に生まれるという恐怖におののく衆生たちの悪い家に生まれるという恐怖を取り除くために、罪業を犯すという恐怖におののく衆生たちの罪業を犯すという恐怖を取り除くために、業と煩悩との障害に対する恐怖におののく衆生たちの業と煩悩との障害に対する恐怖を取り除くために、種々の観念に執着し束縛されるという恐怖におののく衆生たちの種々の観念に執着するという恐怖を取り除くために、(かの女神が)一切衆生に無区別に現前しているのを見た。

というのも、(かの女神は)卵生《らんしょう》、胎生《たいしょう》、湿生《しっしょう》、化生《けしょう》、有形、無形、有想《うそう》、(無想《むそう》)非想非無想《そうひむそう》の衆生、即ちすべての衆生を救護しようという誓願力を成就しているからである。広大なる菩薩の三昧の衝動と勇気の力によって、菩薩の偉大な神通力の力によって、普賢菩薩行の誓願成就の力によって、海のような大悲の方便の衝動を生じているからである。すべての世の衆生に願わずとも大慈を充満させるために、すべての衆生に楽を生じ、喜びの衝動を増大させるために、すべての衆生を摂取する智を実践するために、広大なる菩薩の解脱のもつ遊戯神通の威神力を具えているからである。

（善財は、女神が）一切智者の智の光明を生じるために、一切の（仏）国土の浄化に専念しているのを見た。一切法の智の想起に専念し、一切仏に供養し奉仕することに専念し、一切の如来の教えの保持に専念し、一切の善（根）の蓄積に専念し、一切の菩薩行の増進に専念し、一切衆生の心が無礙となるよう専念し、一切衆生の機根を成熟させることに専念し、一切衆生の深信の海の浄化に専念し、一切衆生の障害となるものの除去に専念し、一切衆生の無知の暗闇の消滅に専念しているのを見た。

そこで、善財童子は、この女神の、一切世間に現前して（如来が）世の衆生を教化する様子を示現する菩薩の解脱「調伏一切衆生解脱門《じょうぶくいっさいしゅじょうげだつもん》」のもつ不可思議な威神力の神変を見て、非常に歓喜し、海のように大いなる喜びの衝動を得て、女神に全身で礼拝した後、その顔を仰ぎ見た。

さて、普救衆生妙徳という夜の女神は、自分が具えているすばらしい菩薩の形や相を隠して、夜の女神の姿で一切の神変を起こしながら、立っていた。

そこで、善財童子は、女神の前に合掌して立ち、そのとき次の詩頌を述べた。

すばらしい相を具え、宝石に飾られたあなたの広大な身体を私は見ました。それはあたかも天空が星々に(飾られる)ように、種々様々な随好《ずいこう》に(飾られています)。(一)

光の輪を放つ、あなたのすばらしく清らかな身体は、無限の(仏)国土の(微)塵界(の数)に等しいのです。それゆえ、無限の地平を構成し、種々の比べ様のない色相をもって、諸方に充満しました。(二)

衆生の心(の数)に等しい、多くの光線の網をあなたは一切の毛孔から放出します。光線の先端の輝く蓮華に座るあなたが化作《けさ》した(仏たち)は、世の衆生の苦しみを鎮めます。(三)

世の衆生の形をして、普く清浄なる香焔の雲の薄膜をあなたは放出します。(その香焔の雲から)華々が、普き方角に雨降り、法界に属する一切の勝者を充満します。(四)

あなたの輝く額は、宝の焔の須弥山のように、広大にして、無垢であり、普く世の

衆生を照らし出します。それによって、あなたは（世の衆生から）無知の暗闇を取り除くのです。（五）

あなたの口からは、広大にして無垢なる日（輪）の雲の薄膜が、常に放たれています。

あなたの日輪の光は、ヴァイローチャナ〔毘盧遮那〕（仏）の広大な境界に注がれる。（六）

あなたの目からは、無垢なる月や星の光が、雲（のように）常に放たれています。そして、そ（の光）は、十方において世の衆生を充満して、世間が（無知の）眼翳におかされていることを明らかにします。（七）

あなたが化作した、その相が世の衆生の身体と同じである（諸仏の）海が、諸方に至ります。彼らは広大なる法界を充満し、量り知れない（衆生の）群をすべて（教化し）成熟させます。（八）

実に、あなたの身体は諸方に遍満する（化身に）より、一切の世の衆生に現前し、（彼らに）喜びを生じさせます。あなたは（彼らを）教化し、王、火、盗賊、水より生じる量り知れない恐怖をすべて鎮めてしまいます。（九）

（善知識に）命じられ、（あなたの）徳を慕いつつ、私があなたの下に近づいたとき、あなたの眉毛の間から清浄にして無垢なる光の輪が放たれていました。（一〇）

(その)光は、幾百もの諸方の海を照らしつつ、広大なる世間(の幻影)を産みだし、多くの様々な神変を示した後、私の身体にそのとき没入しました。(一一)

(その)光の輪が私(の中)に入るとき、希有にして快い安楽を感じました。私は、幾百の陀羅尼三昧に悟入し、そして、諸方において量り知れない(数の)勝者を見ます。(一二)

(私がやって来た)大小の道を順次に思い起こすとき、微塵数の真理《ナヤ》を私は知りました。私は、一微塵中に(仏)国土の微(塵の数)に等しい国土を見ます。(一三)

(その微)塵中には、個々独立で、多様であり、完全に汚染された幾百の、多くの国土が存在します。そこでは、人々が悲嘆の号泣や叫声をあげつつ、諸々の苦痛を感受しています。(一四)

さらに、多くの汚染されているが清浄でもある国土があります。そこでは楽が少なく苦が多いのです。そこには慈悲に満ちた勝者、また勝者の(直弟子である)声聞や独立の勝者(である独覚)が出現します。(一五)

さらに、清浄であるが汚染されてもいる国土の真理があり、(そこには)多くの菩薩たちが居並び充満しています。(美しい)男女に飾られて、見て楽しい所です。そこには麗しい勝者の家系が存続しています。(一六)

(その微)塵中には、表面が平坦であり、広大、無垢な国土の海が広がっています。
実に、幾百の広大なる劫の昔、毘盧遮那(仏)が修行し、浄化した所であります。(一七)

すべての国土の広がりの中に、勝者たちが最高の樹木中の王〔菩提樹〕の下にいる所が示されます。彼らはさとりをひらいた後、神変を現じ、(法)輪を転じて、世の衆生を教化します。(一八)

私はあなたがまた毘盧遮那(仏)の広大な境界に赴き、千ナユタの量り知れない供養により、すべての勝者に奉仕するのを見ます。(一九)

そこで善財童子は、以上の詩頌を述べた後、普救衆生妙徳という夜の女神に次のように言った。「女神よ、この菩薩の解脱の甚深なること、まことに不思議であります。この解脱は一体何と申しますか。あなたがこ(の解脱)を体得されてから、どれほど久しい間になりますか。そして、菩薩はどのように修行して、この菩薩の解脱を浄化するのでありましょうか」

(女神は)答えた。「善男子よ、この境地は、神々や声聞や独覚を含め世間には到達し難いものです。

それは何故かというと、これは普賢菩薩行の誓願に随順する菩薩たちの行境であるからです。これは大悲を内に秘め、すべての人々の救護を実践し、一切の（八）難処、（三）険悪趣の道を浄化することを実践し、一切の国土や無上なる仏国土の浄化を実践し、一切の仏国土において如来の家系が断絶せぬよう実践し、一切の仏の教えの護持を実践し、一切の劫において菩薩行に住し、（諸仏と）共住しようという大誓願海に悟入し、一切の法の海を（無知の）眼翳を離れた智の光明により浄化することを実践し、刹那のうちに一切三世の方便の海に智の光明により住することを得る菩薩たちの境界だからです。

それでは、如来の威神力によって、（あなたに過去の因縁譚《いんねんたん》を）さらに説き明かしましょう。

離垢円満劫の毘盧遮那威徳吉祥世界における因縁譚　善男子よ、以前、過去世、仏国土の微塵の数に等しい劫の昔、ヴァイローチャナ・テージャッハシュリー（毘盧遮那の威力の栄光、毘盧遮那威徳吉祥）という世界にヴィラジョー・マンダラ（離垢円満）という劫があり、須弥山の微塵の数に等しい仏が出現しました。さらに、その世界は、あらゆる宝石の雲が層をなし、金剛の宮殿や邸宅に飾られていました。

さて、その世界は、一切の無垢なる光明を放つ摩尼王の海に基礎を置き、一切の香王の摩尼宝石を身体とし、普く円く、清浄であるが汚染されてもいます。一切の装飾品の雲の天幕に覆われ、一切の壮麗な摩尼より成る千の鉄囲山に囲まれ、百千コーティ・ニユタの四大州がみごとに配置されています。

そのうちある四大州は、その行為が〔煩悩に〕汚染されていたり、汚染されていなかったりする衆生たちの住居であります。ある〔四大州〕は、その行為が汚染されているものと清浄なものとが相混ざっている衆生たちの住居であります。ある〔四大州〕は、清浄であるが汚染されてもいる衆生たちの住居であります。〔ある四大州は〕善根が充分温められ、咎められるべき点がわずかしかない〔衆生たちの住居であります〕。ある〔四大州〕は、完全に清浄なる菩薩たちの住居であります。

さらに、その毘盧遮那威徳吉祥世界の東、鉄囲山の続きに、ラトナ・クスマ・プラディーパ・ドヴァジャー〔宝燈華幢〕という四大州があります。その地面は清浄であるが、汚れてもいます。〔そこに住む衆生は〕耕したり種を蒔いたりしないのに、米を享受し、過去世の業の果報として出現した楼閣、宮殿、邸宅を享受します。〔そこは〕普く如意樹に覆われ、様々な香樹から秘蔵の香料の雲が常に放たれ、種々の華鬘の木から華鬘の雲が常に雨降り、多様な華樹から不可思議な色香の華の豪雨が放たれ、様々な色の抹香の木から秘蔵のあらゆる香宝の王である抹香の雨が降り、種々の宝樹からは大きな摩尼宝石の貯蔵庫から発散される色が〔辺りを〕照らし出し、天上の宝樹から〔放出される〕あらゆる楽器の雲は風に揺られ、天空から甘い音色を放ち、月と太陽は昼も夜も楽を生じ、摩尼宝石は普く大地を照らしています。

その四大州に十百千コーティ・ニユタの王国がありました。一々の王国は普く千の河に囲まれています。そのすべての河は、種々の天上の華の奔流を交えて流れ、天上の楽器の合奏が甘く心地よい音色をたて、あらゆる宝石の木が岸辺に美しく立ち並び、様々な宝石に飾られ、船が往来し、思いのままに様々な楽を享受することができます。一々の河の間には十百千コーティ・ニユタの王都がありました。一々の王都は、十百千コーティ・ニユタの村落に囲まれています。そのすべての村や都や町は、百千コーティ・ニユタの多くの天上の遊園や宮殿や邸宅に囲まれていました。

さらに、その四大州中のジャンブ州〔閻浮提〕の中央にラトナ・クスマ・プラディーパ〔宝華燈〕という中位の王国がありました。そこは豊かで、繁栄し、安穏、豊饒であり、大勢の神々や人間で満ちあふれ、十善業道を行なう衆生たちの住居《アーラヤ》であります。

さらに、その王国にヴァイローチャナ・ラトナ・パドマガルバ・シュリーチューダ〔毘盧遮那宝蓮華蔵妙吉祥髻〕という名の転輪聖王がおられました。彼は四大州の主であり、蓮華台の中に忽然と化生し、その身体は三十二の大丈夫の相に飾られ、有徳な法の王であり、（転輪聖王の）七宝を具えていました。

彼には千人もの息子がいて、みな勇敢な戦士であり、容姿端麗、よく敵軍を粉砕し、あらゆる点で完璧なすばらしい容姿の持主でありました。また、彼には十百千コーティ・ニユタの女性の後宮がありました。全員、転輪聖王と同じ善根を積み、同じ修行を行ない、ともに多くの宝石に飾られ、善心を有し、天の娘と変りなく、同じ美しさを具え、身体はジャンブ河産の黄金の色をし、四肢の毛孔からは様々な天上の薫香を放ち、身体からは天上の薫香の汚れなき光明を放っています。また、彼には〔転輪聖王の七宝の一つ、軍隊を率いる将軍である〕主兵臣宝を初めとする十コーティの大臣がいました。

その転輪聖王には、サンプールナ・シュリーヴァクラー〔具足円満吉祥面〕という王妃がおられました。〔転輪聖王の七宝の一つの〕女宝であり、美しく、愛らしく、見目麗しく、すばらしく清浄な最高の色を具えていました。黒い髪と黒い眼をし、金色の肌と妙なる声をもち、身体から常に光明を放ち、多色の天上の薫香の光明によって千ヨージャナの間を普く満たしていました。

その王妃には、パドマ・バドラービ・ラーマ・ネートラシュリー〔普喜吉祥蓮華眼〕という転輪聖王の娘がありました。全身が完璧で、美しく、愛らしく、見目麗しく、人々はみな彼女を見て飽きることがありません。善男子よ、あたかも転輪聖王を見て飽きる者がいないのと、丁度同じように、その転輪聖王の娘を見て飽きる者はいません。智慧によってすでに満足した者たちは別にしてのことですが。

そのとき、その折、衆生の寿命は無量でありました。(しかし)決まった寿命はなく、中途で夭折する者がいます。そのとき、衆生たちの形状は様々であると確認されます。また、色も様々であり、音声も様々であり、名称も様々であり、家系も様々であり、寿量も様々であり、身長や横幅も種々であり、努力、力、勇気、勢力も種々であり、所作も魅力の有無により種々であり、信解《しんげ》(の内容)も勝劣様々であると確認されました。

そのうち(肌が)金色で、広大な深信をいだき、完璧な身体を具え、美しく、見目麗しい衆生たちは、次のように言いました。「おお、人よ、私(の肌)はあなたより、はるかに金色である」。同様に、格好のよい身体をした衆生たちは、醜い身体の者たちをみな軽蔑しました。彼らは互いに軽蔑することより生じる不善根によって、寿量も失い、色も、力も、楽も失いました。

その宝華燈王国の北に、普く照らす法雲の声を旗印とする〔普光遍照法雲声幢〕という菩提道場の樹木〔菩提樹〕がありました。(その木は)一切の如来の菩提道場の荘厳を刹那ごとに示現し、その根は不壊の金剛という摩尼王の堅固さを具え、その大きく背の高い幹は一切の摩尼宝石に覆われ、あらゆる宝石から成る幹、枝、葉、華弁、華、果を伴い、普く調和がとれて分布し、枝は等しく垂れ下がっており、普く充満し無尽蔵に並び立ち、様々な宝石の焔の普く優れた稲妻により光を放ち、一切の如来の境界における神変の音を響かせます。

その菩提道場の前に、宝石の華の稲妻により法の雷鳴の鳴り響く雲の音〔宝華光明演法雷音〕という香水の池がありました。そして、その宝石の木は、すべて菩提樹の形をしていました。

その香水の池には、あらゆる摩尼宝石がみごとにちりばめられ、築かれている岸がありました。（そこには）あらゆる宝石の首飾りが垂れ下がり、清浄な宝石から成る邸宅がすべて建ち並んで美しさを添え、清浄な装身具がすべて列をなして飾られていました。そして、すべての菩提道場は、無量の蓮華台と不可思議な荘厳の大摩尼宝石より成る楼閣により普く取り囲まれていました。

十百千コーティ・ニユタの宝石の木が（その池を）取り囲んでいました。

さらに、その香水の池の中から、一切三世の如来の境界の葉の密意を解明する雲がたなびく〔普現三世一切如来荘厳境界雲〕という大きな宝石の王より成る蓮華が出現しました。

普智宝焔妙徳幢如来の出現　その大蓮華の中にサマンタ・ジュニャーナールチ・シュリーグナ・ケートゥ・ドヴァジャ〔普智の焔の栄光と功徳を目印の旗印とする、普智宝焔妙徳幢〕という如来が出現しました。かの須弥山の微塵の数と等しい如来方の中の最初の方であり、かの(離垢円満)劫においてまず最初に無上正等覚をさとる方でありました。彼は多くの幾千年の間、法を聴聞させて衆生を成熟させ、一万年の間光線の輝きの神変により、そこに一万年後その(普智宝焔妙徳幢)如来が出現するであろうと(衆生が理解するよう)成熟させました。即ち、普現三世一切如来荘厳境界雲という大宝石王より成るあの蓮華から、一切衆生の汚れを除く燈火をもつ〔一切衆生離垢燈〕という光線が放たれ、その光線に触れた衆生は、一万年後に如来が出現するであろうと理解しました。

九千年後にその如来が出現するであろうと(理解するように衆生を成熟させました)。即ち、あの大菩提樹から、無垢の栄光を内蔵する〔無垢吉祥蔵〕という光線が放たれ、その光線に触れた衆生はあらゆる微細な色形を見ました。

八千年後にその如来が出現するであろうと(理解するように衆生を成熟させました)。即ち、その同じ大菩提樹から一切衆生の業報の音声を発する〔一切衆生業報音声〕という光線が放たれ、その光線に触れた衆生はそれぞれ自分の業の海に悟入し、業に関する憶智を得ました。

七千年後にその如来が出現するであろうと(理解するように衆生を成熟させました)。即ち、その同じ大菩提樹から一切の善根を生じる音声を発する〔生一切善根音声〕という光線が放たれ、その光線に触れた衆生はすべての感官が完全無欠となりました。

六千年後にその如来が出現するであろうと（理解するように衆生を成熟させせました）。即ち、その同じ大菩提樹から不可思議な仏の境界を示す音声を発する〔顕現不可思議諸仏境界音声〕という光線が放たれ、それに触れた衆生はすばらしく広大な規模で神変を行ないました。

五千年後にその如来が出現するであろうと（理解するように衆生を成熟させせました）。即ち、その同じ大菩提樹から一切の仏国土の浄化を音声化された顕現により認知させる〔厳浄一切仏刹音声〕という光線が放たれ、それに触れた衆生はあらゆる形の仏国土の浄化を見ました。

四千年後にその如来が出現するであろうと（理解するように衆生を成熟させせました）。即ち、その同じ大菩提樹から一切の如来の境界の無区別なることを（照らし出す）燈火をもつ〔一切如来境界無差別燈〕という光線が放たれ、それに触れた衆生はかの如来があらゆる所に随順する神変に悟入しました。

三千年後にその如来が出現するであろうと（理解するように衆生を成熟させせました）。即ち、その同じ大菩提樹から一切の人々に現前（し、彼らを照らし出）す燈火をもつ〔一切衆生普照三世現前燈〕という光線が放たれ、それに触れた衆生は如来が現前していることを確信し、（如来を）見ました。

二千年後にその如来が出現するであろうと（理解するように衆生を成熟させました）。即ち、その同じ大菩提樹から三世の智の稲妻の燈火をもつ〔三世智雷燈〕という光線が放たれました。一切の如来の前世の因縁を（知らしめる）音声を放つ〔普照三世一切諸仏本事音声〕ともよばれ、それに触れた衆生はかの如来の前世の因縁の海に思いを馳せ、悟入しました。

一千年後にその如来が出現するであろうと（理解するように衆生を成熟させました）。即ち、その大菩提樹から如来の眼翳なき智の燈火をもつ〔如来離翳智慧燈〕という光線が放たれ、それに触れた衆生は一切の如来の神変と仏国土と一切の衆生を見るための普眼を獲得しました。

百年後にその如来が出現するであろうと（理解するように衆生を成熟させました）。即ち、その同じ大菩提樹から一切の人々が仏を見るという果報を産む善根を生じる〔令一切衆生見仏集諸善根〕という光線が放たれ、それに触れた衆生は如来出現の想念を得ました。

七日後にその如来が出現するであろうと（理解するように衆生を成熟させました）。即ち、その同じ大菩提樹から一切の衆生が狂喜し歓喜《かんぎ》踊躍《ゆやく》する原因となる音声を発する〔一切衆生歓喜音〕という光線が放たれ、それに触れた衆生は（まもなく）仏を見るという大いなる歓喜の衝動を生じました。

善男子よ、(普智宝焔妙徳幢如来は)以上のように、光線による無量の成熟法によって一万年の間衆生を(教化し)成熟させた後、七日間が満ちると、かの(毘盧遮那威徳吉祥)世界全体を無量の震動法によって震動させ、(それを)完全に清浄なものとして(威神力により)化現させせました。ついには十方における一切の如来の仏国土を浄化しました。さらに、毎刹那、それらすべてが仏国土の種々の不可思議な荘厳を具えている様子をそこに示現しました。ところで、最後の七日間、その世界において仏を見るよう成熟させられた衆生たちは、みな菩提道場に現前していたのであります。

さて、その世界において、一切の鉄囲山、一切の須弥山、一切の山、一切の河、一切の海、一切の木、一切の大地、一切の都城、一切の牆壁、一切の邸宅、一切の宮殿、一切の衣と装身具と日用品、一切の楽器の木、一切の器楽合奏(などの如来の)一切の化作の荘厳から、(その)一切の対象から、(かの如来は)一切の如来の境界と力とを宣揚し、一切の香料と練香の雲を放って、一切の宝石の焔の雲、一切の香料と練香の焔から生じた(雲)、一切の香料の摩尼像の雲、一切の摩尼の衣と宝石の装身具の雲、一切の宝石の華から成る須弥山の雲、一切の抹香の雲、一切の如来の光線の雲を顕示し、一切の如来の光の輪の雲を放出し、一切の楽器や器楽の雲を打ち鳴らし、一切の如来が誓願を(唱える）声の雲を解き放ち、一切の如来の声や叫びの雲を響かせ、一切如来の（三十二）相と（八十種）好の様々な顕現の雲を示して、不可思議なる如来出現の前兆を露にすると、かの普現三世一切如来荘厳境界雲という大宝石王の蓮華の（周りを）、十の仏国土の微塵の数に等しい大宝石王の蓮華が取り巻いていました。かの大宝石王の蓮華を取り巻く大蓮華の雄蕊《おしべ》やつぼみに十の仏国土の微塵の数に等しい大摩尼宝石から成る獅子座が出現しました。そして、その摩尼宝石から成る獅子座に結跏趺坐して、十百千の仏国土の微塵の数に等しい菩薩たちが出現しました。

かの尊き普智宝焔妙徳幢王という如来(1)が無上正等覚を直ちにさとったとき、まず第一に十方の一切世界の如来が無上正等覚をさとって、衆生たちのためにその願いに応じて現前に法輪を転じました。彼（普智宝焔妙徳幢王如来）によって、さらに世界の無量の衆生が一切の悪趣に落ちるのを免れました。無量の衆生が昇天を確実にし、無量の衆生が声聞の位に確定し、無量の衆生が独（覚の）菩提に向けて（教化し）成熟させられました。

無量の衆生が感激の光明により出離する菩提に向けて成熟させられ、無量の衆生が無垢の精進を旗印とする菩提に確定し、無量の衆生が法の修習により出離する菩提に確定し、無量の衆生が感官浄化の修習により出離する菩提に向かって成熟させられ、無量の衆生が平等力の行に随順することにより出離する菩提に向かって成熟させられ、無量の衆生が法の城が現前する領域への乗物を産み出し出離する菩提に確定し、無量の衆生が一切処に随行する神通力という不壊の道の乗物《ナヤ》により出離する菩提に確定し、無量の衆生が修行の実践との融合の道により出離する菩提に確定し、無量の衆生が三昧を求める道により出離する菩提に確定し、無量の衆生が一切の対象領域の浄化の輪《マンダラ》という道により出離する菩提に確定しました。無量の衆生が菩薩の菩提に向けて発心し、無量の衆生が菩薩道において確定し、無量の衆生が波羅蜜道の浄化において確定し、無量の衆生が菩薩の初地《しょじ》に確定しました。

同様に、かの如来が不可思議の仏の威神力の神変により法輪を転じるとき、毎心刹那、無限無量の衆生が第二、第三、第四、第五、第六、第七、第八、第九(地)に(確定し)、無量の衆生が第十地に確定しました。無量の衆生が誓願の卓越した菩薩行に悟入し、無量の衆生が普賢菩薩行の誓願の浄化において確定しました。

同様に、かの(普智宝焰妙徳幢王)如来が不可思議なる仏の威神力の神変により法輪を転じるとき、毎心刹那、無限無量の衆生界が教化を受けました。そして、その(毘盧遮那威徳吉祥)世界では、すべての衆生が、その願いに応じて、かの如来が様々な身体(に変る)巧みな方便により発せられる説法を理解しました。

普賢菩薩の登場　さらに、その宝華燈王国において、外見の美しさを自慢し、(五欲の)対象の享楽に酔いしれる衆生たちが互いに軽蔑しあっているのを自在に教化するために、普賢菩薩はすばらしく美しい身体に変身して、その王国にやってきて、その広大な光明によりその王国全体を照らし出しました。(すると)かの王国のすべての光明、かの毘盧遮那宝蓮華蔵妙吉祥髻という転輪聖王自身の身体から発せられる光明、(彼の王妃である)女宝の光明、宝樹の光明、大摩尼宝石の光明、月、日、遊星、星宿、星々の光明、全ジャンブ州中の光明、そのすべてが識別されなくなりました。丁度、太陽が昇り、暗闇が消え去るとき、月、遊星、星宿、星々、火や摩尼の光明が識別されないのとまったく同様に、普賢菩薩の光明に圧倒されて、そのジャンブ州中のあらゆる光明は識別されなくなりました。丁度、ジャンブ河産の黄金の像の前で、真黒の像が美しくなく、光り輝かず、目立たないのとまったく同様に、普賢菩薩の前でその衆生たちの色身は、美しくなく、光り輝かず、目立たないのです。

彼らは次のように考えました。一体このお方は誰だろう。神にせよ、梵天にせよ、その前でわれわれは美しくなく、光り輝かず、身体も、光明も、美しさも、容貌も、輝きも目立たない。われわれはこの方の(示す)兆を理解できない、と。

さて、普賢菩薩は、その宝華燈王国の中の毘盧遮那宝蓮華蔵妙吉祥髻という転輪聖王の王宮の上の空中に立って、その王に次のように告げられました。「大王よ、理解しなさい。如来・応供・正等覚がこの世に出現された。まさに、このあなたの王国において、普光遍照法雲声幢という菩提道場におられる」

するとと、普喜吉祥蓮華眼という王女が、普賢菩薩の色身と光明の神変を見、（その）装身具の音を聞き、大いなる歓喜と喜悦の衝動を生じ、そのとき、次のように発心しました。

これまで積み重ねたすべての善根により、私もこのような身体を獲得しますように。このような荘厳、このような相、このような威儀、このような神通力を（獲得しますように）。このお方が真暗な夜に光を放って、衆生たちに仏の出現を示されたように、私も衆生たちの無知の暗闇を破って、大いなる智の光明を生じることができますように。そして、私が生まれる所は何処でもこの善知識と離れることがありませんように、と。

さて、善男子よ、毘盧遮那宝蓮華蔵妙吉祥髻という転輪聖王は、（象兵、馬兵、車兵、歩兵の）四兵種から成る軍隊、七宝、おつきの女性たち、子弟、大臣、都の内外の人民たちとともに、王の大いなる神通力と、王の大いなる威神力によって、かの宝華燈王国から飛びたって、空中に一ヨージャナ上昇し、全ジャンブ州、全四州世界を大光明によって充満し、一切衆生が（普智宝焔妙徳幢王）仏を見ることができるようにすべての宝石の山々に(仏の)影像を映し、全四州世界に属する衆生たちに現前して、かの仏を見ることを詩頌を唱えて、讃えられました。

すべての生物の救護者である仏がこの世に出現された。みな立ち上がって、世間の指導者に会いに行かれよ。 (二〇)

幾コーティ劫ものうちの一時、如来方が出現され、すべての生物の利益のために法を説き明かされる。 (二一)

世間が誤った考えをもち、無知の眼翳に(智眼を)覆われ、輪廻の苦しみに打ちのめされているのを見て、大慈悲を生じ、 (二二)

衆生たちを教化するため、一切の苦を鎮めるために、コーティ・阿僧祇数劫の間、菩提のための行を修行される。 (二三)

限りなく果てしない劫の間、仏の甘露の菩提を得るために、自らの手足、耳鼻、頭を捨ててしまわれた。 (二四)

お会いして、(その教えを)聞き、お仕えすることが(決して)無意味でない世間の指導者たちは、幾コーティ劫かけても、この世では得難い方々である。 (二五)

この最高の説法者が、(今)菩提の座に座り、軍勢を伴う魔王を降し、最高の菩提に目覚めるのが見られる。 (二六)

様々な色の無限の光の輪を放って、世の衆生を楽しませる(この)仏の身体を見つめなさい。(二七)

(この)仏の毛孔から放たれた阿僧祇数の光の雲を(見よ)。それに照らし出された衆生たちは、比べるもののない歓喜を覚える。(二八)

大いに精進努力して、それぞれ自分の心で(この)指導者に供養せよ。さあ、かの(仏の)所に行こう。(二九)

さて、毘盧遮那宝蓮華蔵妙吉祥髻王は、これらの詩頌により、自国に住むすべての衆生を鼓舞した後、転輪聖王の善根により成就された一万の多様な供養の雲により、普光遍照法雲声幢という菩提道場に普く雨降らせながら、かの尊き普智宝焔妙徳幢王如来がおられる所に近づきました。虚空をあらゆる宝石の傘蓋の雲で覆い、虚空にあらゆる華の天幕の雲を広げ、虚空をあらゆる衣の雲で覆って飾り、あらゆる宝石の鈴の網の雲で天空を飾り、あらゆる薫香の海が薫じられた香焔の雲に飾られた天穹を(威神力によって)化現し、あらゆる宝石の座が置かれ、摩尼宝石の衣が配置された雲に飾られた天穹を化現し、あらゆる宝石の幢の雲が高々と飾られた天穹を化現し、あらゆる宮殿と邸宅の雲に覆われ飾られた天穹を化現し、あらゆる華の雲に覆われ飾られた天穹を化現し、あらゆる供養の資具の雲からの降雨に飾られた天穹を化現しながら（近づきました）。

（王は）尊き普智宝焔妙徳幢王如来の両足に頂礼し、その世尊の周りを幾百千回となく右遶した後、その世尊の前にある普く（十）方を照らす大摩尼宝石の蓮華台の座（普照十方光明摩尼宝蓮華座）に座りました。

普喜吉祥蓮華眼の供養　そのとき、転輪聖王の娘の普喜吉祥蓮華眼は、自分の装身具を身体からはずして、それらの装身具をかの尊き普智宝焔妙徳幢王如来に撒き散らしました。それらの装身具は、かの世尊の頭上で大きな摩尼宝石の装身具から成る天蓋となりました。（その天蓋は）様々な摩尼宝石から成る網に包まれ、龍王に体で支えられ、あらゆる装身具そのものがその周縁にみごとに配置されており、十の装身具の天蓋の輪に囲まれ、きわめて清浄であり、様々な形をした楼閣が立ち並び、あらゆる宝石の装身具の雲に覆われ、立ち並ぶあらゆる摩尼宝石樹に隠され、あらゆる薫香の海の摩尼王に荘厳されていました。

その（天蓋の）中に、法界から生じる一切の宝石や摩尼の枝が垂れ下がるという名の大きな菩提樹が周辺も中央もない（無量の）荘厳を現し、毎刹那に様々な荘厳を示すのを（彼女は）見ました。

そこに、ヴァイローチャナ〔毘盧遮那〕という如来を見ました。すべて普賢菩薩行の誓願に熟達し、様々な菩薩と不可思議なる荘厳において平等に住する、数えきれない仏国土の微塵の数と等しい菩薩たちに(その仏は)取り囲まれ、敬われていました。また、一切世間の王たちがその(仏)の前にいるのを見ました。

(彼女は)その毘盧遮那如来が行なう、周辺も中央もない(無数の)仏の神変を見ました。過去の菩薩行の劫の次第に悟入しました。また、かの(毘盧遮那威徳吉祥)世界が破滅し、成立する諸劫に悟入し、その世界の過去の諸仏の系譜の次第に悟入しました。また、その世界に普賢菩薩を見ました。(普賢菩薩が)一切の菩薩の足下で、仏の供養に従事し、一切衆生の教化と成熟に専念しているのを見ました。一切の菩薩が普賢菩薩の身体に顕現し、(彼女)自身も同じくそこに随順しているのを見ました。

一切如来の足下、普賢菩薩の身体に顕現した一切菩薩の足下、一切衆生の住居に、そしてかの諸世界の中の一々の世界に、(彼女は)仏国土の微塵の数に等しい世界を見ました。(その諸世界は)境界が整然とし、基盤がしっかりしており、(すばらしい)形状と形体を具えています。様々な荘厳により清浄であり、様々な荘厳の雲に覆われ、様々な劫の名により数えられます。(その世界で、人は)様々な如来の系譜を示され、様々な三世の道に悟入し、様々な方角の広がりに深入し、様々な法界の広がりに到達し、様々な法界の地平に深入し、様々な虚空の諸層に安住します。(その世界には)様々な菩提道場が整然とあり、様々な如来の神変が光り輝き、様々な仏の獅子座が整然と並び、様々な如来の説法会《せっぽうえ》の海があり、様々な如来の説法会の山があり、様々な如来の方便の巧みさが顕示され、様々な如来の法輪を転じる道があり、様々な如来の(妙なる)音声や叫びや言説が放たれ、様々な真言《マントラ》の真理《ナヤ》の海が説かれ、様々な経典の雲が鳴り響くのを見ました。見終ると、一層大きな歓喜と浄信の衝動を得ました。

彼女が大きな歓喜の衝動を生じたとき、かの尊き普智宝焔妙徳幢王如来は、十仏国土の微塵の数に等しい経典を伴う一切如来転法輪音という経典を説き明かされました。その経典を聞くと、彼女の内に十百千の、優しく心地よい感触の三昧門が入りました。あたかもその日入胎したばかりの胎児の母の胎内における識のように、あたかも衆生たちの業による(子供の)誕生のように、あたかもその日植えられたばかりのすばらしい沙羅《さら》樹《じゅ》の種子と芽という原因のように、その諸三昧は優しく喜ばしいものでありました。

即ち、一切の如来を現前に顕現させるという三昧〔見現在一切諸仏三昧〕、一切の国土の広がりに随順し照らし出すという三昧〔普照一切仏刹三昧〕、一切の三世の道に悟入し、深入するという三昧〔深入一切三世門三昧〕、一切の如来の法輪を転じる音という三昧〔一切如来妙音転法輪三昧〕、一切の仏の誓願の海を顕現させるという三昧〔了知一切仏願海三味〕、一切の輪廻の苦に苦しむ衆生を救いだし、音声により顕現させるという三昧〔開悟一切衆生令出生死苦三昧〕、一切の衆生の痴闇を破ろうという誓願の荘厳という三昧〔滅一切衆生痴闇満足荘厳大願三昧〕、一切の衆生を苦から解放しようという誓願により〔涅槃を〕遅延させるという三昧〔常願滅一切衆生苦三昧〕、一切の衆生の楽を成就せしめるという三昧〔令一切衆生具足快楽三昧〕、一切の衆生を教化し、成熟させて、疲れを内に秘めることのないという三昧〔教化一切衆生心無疲倦三昧〕、一切の菩薩道に入る旗印という三昧〔一切菩薩無礙幢三昧〕、一切の菩薩の位を前進せしめる荘厳という三昧〔一切菩薩住一切地自在荘厳三昧〕であります。以上を初めとする十百千の三昧が、彼女の内に入りました。

彼女は、微細なものに集中した心、不動の心、歓喜の心、安堵した心、不顕現の心、善知識に随順する心、甚深な一切智者性を対象とする心、慈悲に随順する海に広がった心、一切の執着を捨てた心、一切の世間の境界に定住しない心、如来の境界に悟入する心、一切の仏の形や色の海を照らす心、散乱しない心、動揺しない心、無礙の心、不壊の心、傲慢でない心、卑屈でない心、疲れない心、不退転の心、怠けない心、一切法の本質を思惟する心、一切法の本質へ導く真理の海に随順する心、一切法の吟味法に随順する心、一切の衆生の海に悟入する心、一切の世の衆生を救済する心、広大な仏の海に照明を生じる心、一切の如来の誓願の海に悟入する心、一切の障害の山を破壊する心、広大な功徳の資糧を集積する心、如来の十力の獲得に直面する心、一切の菩薩の境界の照明を獲得した心、一切の菩薩の資糧を増大する心、一切の方角の海に充満する心をもっています。そして、普賢なる大誓願を獲得するために、十の仏国土の微塵の数に等しい誓願の海によって、一切の如来の過去の誓願を成就しました。それは自らの仏国土を浄化するためであります。

即ち、一切の衆生を教化し、成熟させるため、法界の真理の海の広がりを普く知るため、法界の真理の海に悟入するため、一切の仏国土における未来劫の菩薩行に悟入するため、一切の菩薩行の輪《マンダラ》に未来劫において住するため、一切の如来を訪問するため、一切の善知識にお仕えするため、一切の如来への供養を完成するため、毎心刹那に一切智者の智を増長し、覚醒し、菩薩行を絶やさないためであります。

これらを初めとする十の仏国土の微塵の数に等しい誓願成就門の海によって、(彼女は)普賢菩薩行に対する誓願を成就しました。彼女(自身)が普賢菩薩行の誓願を成就するためであります。

かの尊き普智宝焰妙徳幢王如来は、過去の善根を(彼女に)授け、明らかにし、示し、解釈し、分析し、説明し、(それらの善根が)消滅しないように堅固なものにします。

（彼女が）大きく遍満するように、（それらの善根を）広大にします。一切智者性を規範とするように（彼女を）安立させます。即ち、最初の発心によって、如来の往昔の誓願の阿僧祇数の海を獲得するように。

善男子よ、その（離垢円満劫）より昔の過去世、それより十劫以前に、マニスーリヤ・マンダラ・ヴィディヨーティタ・プラバー〔摩尼の日輪の照らし出す光、輪光摩尼〕という世界において、インドラ・ドヴァジャ・シュリーケートゥ〔因陀羅幢吉祥相〕如来の教えの下に、普喜吉祥蓮華眼という娘は、普賢菩薩に勧められて、破損した如来の蓮華座像を修繕しました。修繕した後、彩色しました。彩色した後、宝石で飾りました。普賢菩薩という善知識のゆえに、無上正等覚に向けて発心しました。彼女はその善根のゆえに（悪趣に）落ちないものとなり、常に神々の王〔天王〕の家や人々の王〔人王〕の家に生まれました。いずれの場合も美しく、愛らしく、見目麗しく、最高に清浄なすばらしい色を具えていました。常に如来にまみえ、普賢菩薩と離れることはありませんでした。まさにその（普賢菩薩という）善知識に、それぞれの生存において育てられ、啓発され、（過去の善根を）思い出させられました。そして、今また彼女は、普賢菩薩に決して不快感を与えないようにお仕えしています。

善男子よ、あなたはどう思いますか。あのとき、あの折の毘盧遮那宝蓮華蔵妙吉祥髻という転輪聖王は、余人で(あると思いま)すか。善男子よ、あなたは実にそのように見てはなりません。あのとき、あの折の毘盧遮那宝蓮華蔵妙吉祥髻という転輪聖王は弥勒《みろく》菩薩《ぼさつ》であります。

善男子よ、あなたはまたこのように思うでしょう。あのとき、あの折の具足円満吉祥面という王妃は、余人であると。実にそのように見てはなりません。それは夜の女神のプラシャーンタ・ルタ・サーガラヴァティー〔寂静音海《じゃくじょうおんかい》〕であり、私のすぐ隣に座っておられます。

善男子よ、では、あのとき、あの折の普喜吉祥蓮華眼という王女は余人であると思いますか。実にそのように見てはなりません。私が、あのとき、あの折の普喜吉祥蓮華眼という王女なのです。

私は少女となって、因陀羅幢吉祥相如来の教えの下に、(普賢菩薩に勧められ)蓮華(座)上に出現した如来の像が破損しているのを修繕しました。それが、私が無上正等覚に至る原因でありました。そして、普賢菩薩が私を無上正等覚へ教導されたとき、初めて菩提のために発心しました。さらに、尊き普智宝焔妙徳幢王如来に近づいて(自分の)装身具を(その上に)撒き散らし、(かの)如来の神変の奇蹟を見、かの世尊から直々に法を聴聞したとき、私はこの調伏一切衆生という菩薩の解脱を獲得しました。

そして、かの須弥山の微塵の数に等しいすべての如来方にお仕えして、満足していただきました。あらゆる資具により供養し、尊重いたしました。一方、かの如来方は、法を説かれ、私はすべて聴聞しました。そして、かの如来方の教誡を実践しました。かの如来方に深い尊敬の念をいだきました。然るべき敬意をもって、一心刹那のうちに、一切の如来方、菩薩の説法会、一切の仏国土を私は見るのであります。

さらなる因縁譚　かの毘盧遮那威徳吉祥世界が消滅し、かの離垢円満劫が終ると、直ちに、マニチャクラ・ヴィチトラ・プラティマンディタ・ヴューハー〔摩尼輪種種妙色荘厳〕という世界とマハープラバ〔大光明〕という劫が生じました。そして、そこに五百の仏が出現しました。そのすべてに私はお仕えしました。

その大光明劫において、まず最初にマハーカルナ・メーガドヴァジャ〔大悲雲幢〕という如来が現れました。私は夜の女神となって、出家し、彼に供養しました。彼のすぐ後にヴァジュラ・ナーラーヤナ・ケートゥ〔金剛那羅延幢〕という如来が出現しました。私は、転輪聖王となって彼に供養しました。一方、彼は私に、十仏国土の微塵の数に等しい経典を伴う、一切仏出現という経典を説かれました。私はそれを聞いて、受持しました。

彼のすぐ後に、ジュヴァラナールチッヒ・パルヴァタ・シュリーヴューハ〔火焰山吉祥荘厳〕という如来が出現しました。私は、長者の娘となって、彼に供養しました。一方、彼は私に、ジャンブ州の微塵の数に等しい経典を伴う、普照三世蔵荘厳という経典を説かれました。私はそれを聞いて、受持しました。

彼のすぐ後に、サルヴァダルマ・サムドラービウドガタ・ヴェーガラージャ〔一切の法の海より湧き出る衝動の王、一切法海起王〕という如来がこの世に出現しました。私はアスラ王となって、彼に供養しました。一方、彼は私に、五百の経典を伴う、一切の法界の地平の智の区別〔分別一切法界智〕という経典を説かれました。私はそれを聞いて、受持しました。

彼のすぐ後に、ガンビーラ・ダルマシュリー・サムドラプラバ〔甚深法吉祥海光〕という如来が出現しました。私は、龍王の娘となり、如意王という摩尼宝石の雲から雨降らせて、彼に供養しました。一方、彼は私に、十百千コーティの経典を伴う、歓喜の海を増大しようとする衝動〔疾速増長歓喜海〕という経典を説かれました。私はそれを聞いて、受持しました。

彼のすぐ後に、ラトナ・シカラールチッヒ・パルヴァタ・プラディーパ〔宝石の頂をもつ焔の山を燈火とする、宝焔山燈〕という如来が出現しました。私は海の女神となり、宝石の蓮華の雲から雨降らせて、近づき、供養しました。一方、彼は私に、十仏国土の微塵の数に等しい経典を伴う、法界の海への道の光明〔法界方便海光明〕という経典を説かれました。私はそれを聞いて、受持しました。憶念の力により保持しました。

彼のすぐ後に、グナ・サムドラーヴァバーサ・マンダラシュリー〔功徳海光照円満吉祥〕という如来が出現しました。私は（神足通、天眼通、天耳通、他心通、宿命通の）五種の神通力を具えた仙人になって、大神通力の神変により、六万の仙人に囲まれて、彼に近づき、香華を上に頂く雲から雨降らせて、供養しました。一方、彼は六万の経典を伴う、無著法燈という経典を説かれました。私はそれを聞いて、受持しました。

彼のすぐ後に、ヴァイローチャナ・シュリーガルバ〔毘盧遮那吉祥蔵〕という如来が出現しました。私は、（そのとき）サマタールタ・サンバヴァー〔出生平等義〕という大地の女神でありました。私は、かの如来に供養するために無量の大地の女神に取り囲まれ、すべての宝樹の芽から宝華の雲の雨を降らせ、すべての宝石の瓔珞から雨降らせながら、近づきました。一方、彼は無量の経典を伴う、出生一切如来智蔵という経典を説きました。私はそれを聞いて、受持し、忘失することはありませんでした。

善男子よ、かの五百の仏すべての最後に、ダルマダートゥ・ガガナ・プールナ・ラトナシカラ・シュリープラディーパ〔法界虚空宝山円満吉祥燈〕という如来がこの世に出現しました。私は、そのときアビラーマ・シュリーヴァクラー〔可喜吉祥面〕という名の俳優の娘でありました。かの如来が都に入られるにあたり、演劇が上演されたとき、私は仏の威神力により、上空の空中に立って、千の詩頌によってかの如来を讃えながら近づきました。一方、彼は普照法界荘厳という光線を眉間から放ち、私自身の体を照らし出しました。その光線が私に触れるや否や、法界の真理への道の旋回を内蔵する〔法界方便不退蔵門〕という(菩薩の)解脱を獲得しました。

善男子よ、このようにして、私はそこ摩尼輪種種妙色荘厳世界において、大光明劫に出現した五百の仏すべてにお仕えし、如来方に供養しました。また、かの如来方が説かれた法をすべて記憶しています。その法門の一字一句といえども、私は忘失することはありません。一々の如来の下に伺い、仏法を賞讃して、無量の衆生のために利益をなしました。一々の如来から、一切智者性が稲妻のように光り、一切の普賢行(を行う者との)共住を達成する、三世の智を内蔵する法界のように広大である〔現三世法界蔵住広大〕という名の法界の身体の海を獲得しました。

善男子よ、私には今も各心刹那に、周辺も中央もない(無数の)如来が現れます。そして、かの如来方をすべてともに見ることにより、未だ獲得したこともなく、未だ見たこともない、一切智者性の稲妻のような光が、(私の)依り所(である身心)に入り込みました。しかし、普賢菩薩行から私は離れてはいません。それは何故かというと、この一切智者性の稲妻のような光の獲得は、周辺も中央もない（無限の）説示だからです」

さて、普救衆生妙徳という夜の女神は、そのとき、まさにその調伏一切衆生という菩薩の解脱をより詳しく説明するために、仏の威神力により、善財童子に詩頌をもって説いた。

善財よ、私の言葉を聞きなさい。それは甚深にして、会い難く、理解し難い。法の光の輪により普く照らし出し、一切の三世の地平を区別する手段であります。（三〇）

いかにして、私が仏の功徳を求めて、初めて菩提に向けて発心したか。いかにして、私がこの菩（薩）の解脱を獲得したか。この分析の手段を聞きなさい。（三一）

今から仏国土の微塵の数に等しい劫の過去、いや、それ以前、ここにヴァイローチャナ・ドヴァジャ・プラディーパシュリー(2)〔毘盧遮那の旗印である燈火の栄光、勝幢遍照燈〕という広大で、汚れなき世界がありました。（三二）

それは離垢円満劫のことでした。そこでは勝者の系譜が途切れることなく、須弥山の微塵の数に等しい完璧な十力が出現しました。（三三）

そこに最初に普智宝焔妙徳幢王という善逝が現れました。（続いて）ダルマ・ドヴァジャ〔法幢〕、シュリースメール〔福須弥〕という勝者、四番目にグナ・ケーサリーシ

ユヴァラ〔徳師子〕という勝者が現れました。（三四）
次に、シャーンティ・ラージャ〔寂静王〕という勝者、サミターユス[3]、ヤシャ・パル
ヴァタ〔称山〕、グナ・スメールシュリー〔須弥徳〕、ジナ・バースカラ〔勝日〕、尊きシ
ヤシムカ〔月面〕。この（十仏）には、これら最初の十法門があります。（三五）
（次に）ガガナーラヤ〔虚空住〕勝者、サマンタプラバ〔普光明〕、ディシャ・サンバヴ
ア〔住諸方〕、スムリティ・サムドラムカ〔正念海〕、アビウドガタ〔高無上〕勝者、スメ
ールシュリー〔須弥雲〕、ダルマールチ〔法焔〕、パルヴァタシュリー〔山勝〕善逝が（現
れました）。（三六）
九番目は、慈悲にあふれるパドモードガタ〔蓮華王〕、十番目の勝者は、ダルマダー
トゥ・クスマ〔法界華〕。この（十仏）には仏の海を照らし出す、これら第二の十法門
があります。（三七）
（次に）プラバケートゥ・ラージャマティ〔光幢王〕、ジュニャーナ・マティ〔智慧〕、
チトラールタ〔様々な意味、心義〕、インドラシュリー〔因陀羅妙徳〕、デーヴァマティ
〔天慧〕、ヴェーガ・ラージャ・マティ〔勇猛王〕勝者、ジュニャーナシュリー〔智吉祥〕、
光明王のプラバケートゥ・シュリー〔光明幢〕、（三八）
ヴィクラーンタ・デーヴァ・ガティ〔勇猛天行〕という勝者、また、十番目はダルマ

ダートゥ・パドマ〔法界蓮華尊〕。この（十仏）には、以上の広大な法門を示す第三の十法門があります。（三九）

（次に）尊きラトナールチ・パルヴァタシュリー〔宝焔山吉祥〕、そのすぐ後に、グナサムドラ・シュリー〔功徳海〕、ダルマプラバ〔法光明〕、パドマガルバ・シュリー〔蓮華蔵〕、ガティ・チャンドラ・ネートラ・ナヤナ〔智月妙眼〕善逝、（四〇）

ガンダ・プラバ〔香光明〕、マニスメール・シュリー〔妙徳宝山〕、ガンダルヴァ・カーヤ・プラバラージャ〔乾闥婆光明《けんだつばこうみょう》〕勝者、マニガルバ・ラージャ〔摩尼蔵王〕、第十番目の勝者は、栄光と威力を具えたプラシャマ・ルーパガティ〔寂静色〕。（四一）

そのすぐ後に、ヴィプラブッディ〔広大智〕勝者、ラトナプラバ〔宝光明〕、ガガナ・メーガシュリー〔虚空雲〕、ヴァラ・ラクシャナ・シュリー〔最勝相〕勝者が現れ、そして、自己の身体より光明を放つヴィラタ・マンダラ〔円満戒〕、（四二）

ナーラーヤナ・ヴラタ〔那羅延〕、スメールシュリー〔須弥徳〕、グナ・チャクラヴァーダ・シュリーラージャ〔功徳輪囲王〕、尊きアパラージタ・ヴラタ・ドヴァジャ〔無勝幢〕、その十番目の勝者は、ドゥルマ・パルヴァタ〔大樹山〕。（四三）

（次に）サーレンドラ・ラージャシュリー・ガルバ〔娑羅樹の帝王の栄光を内蔵する、帝徳婆羅王〕勝者、ローケーンドラ・カーヤ・プラティバーサ・プラバ〔世間の王の身体の輝く光、普現世主身〕、尊きアビウドガタ・プラバシュリー〔高顕光〕、ヴァジュラ・プラバ〔金剛光〕、ダラニ・テージャッハ・シュリー〔地威徳〕、（四四）

ガンビーラ・ダルマグナ・ラージャシュリー〔甚深法徳王〕、ダルマサーガラ・ニルゴーシャ・マティ〔法海大智音〕勝者、メール・ドヴァジャシュリー〔須弥幢〕、プラバーサ・マティ〔智光照〕、十番目の勝者は、ラトナ・ラージャシュリー〔妙宝吉祥王〕。（四五）

（次に）ブラフマプラバ〔梵光明〕、ガガナ・ゴーシャ〔虚空音〕勝者、ダルマダートゥ・プラティバーサシュリー〔法界像吉祥〕、尊きアーロカ・マンダラ・プラバ〔光明輪〕、ディシャ・ベーダ・ジュニャーナプラバ・ケートゥ・マティ〔諸方智光幢〕、（四六）

ガガナ・プラディーパ〔虚空燈〕、アビラーマシュリー〔微妙徳〕、ヴァイローチャナ・プラバシュリー〔遍照吉祥光〕善逝、プニヤ・プラバーサシュリー・シャーンタシュリー〔福光寂静徳〕、十番目は、マハーカルナ・メーガシュリー〔大悲雲吉祥〕。（四七）

（次に）タタープラバ〔如来の光明〕、バラ・プラバーサ・マティ〔力光慧〕、サルヴァ・ジャガービムカ・ルーパ〔現一切衆生前〕勝者、さらに、アビウドガターバ〔高顕

光〕勝者が現れました。そのすぐ後に、サマシャリーラ〔光明身〕勝者、 （四八）
次に、ダルモードガタ〔法出生〕善逝が現れました。そのすぐ後に、アニラ・ヴェー
ガシュリー〔風速妙徳〕、シューラ・ドヴァジャ〔勇猛幢〕、ラトナ・ガートラシュリ
ー〔宝肢節〕、十番目は、トリアドヴァ・プラティバーサ・プラバ〔普現三世光〕。
（四九）
〔次に〕プラニダーナ・サーガラ・プラバーサシュリー〔願海光〕、二番目はヴァジュ
ラーシャヤ・ギリシュリー〔金剛の〔ように堅固な〕道心の山の栄光、吉祥金剛山〕、三番
目はハリ・スメールシュリー〔堅固須弥徳〕、スムリティ・ケートゥ・ラージャシュ
リー〔正念を目印とする王の栄光、念幢王〕、ダルママティ〔法智尊〕、 （五〇）
プラジュニャー・プラディーパ〔般若燈〕、プラバ・ケートゥシュリー〔光明幢〕、そ
のすぐ後に、ヴィプラ・ブッディ〔広大智〕勝者、ダルマダートゥ・ナヤ・ジュニャ
ーナガティ〔法界の真理の智の境界、智行法界門〕、ダルマサムドラ・マティ・ジュニャ
ーナシュリー〔法の海の智慧と智の栄光、法海智吉祥〕が〔現れました〕。 （五一）
〔次に〕持法者のラトナ・ダーナシュリー〔布施法〕、グナ・チャクラヴァーダ〔功徳
輪〕、シュリーメーガ〔勝妙雲〕勝者、クシャーンティ・プラディーパシュリー〔忍辱
燈〕、強い感動が光るシャマタ・ゴーシャ〔寂静音〕勝者、 （五二）

シャーンティ・ドゥヴァジャ〔寂静幢〕、ジャガ・プラディーパシュリー〔世間燈〕、マハープラニディ・ヴェーガシュリー〔深大願〕仏、尊きアパラージタ・ドゥヴァジャ・バラ〔無勝幢〕、そして、ジュニャーナールチ・サーガラシュリー〔智焔海〕勝者。

〔五三〕

〔次に〕ダルメーシュヴァラ〔法自在〕勝者、アサンガマティ〔無礙智〕、ジャガ・マントラ・サーガラ・ニルゴーシャ・マティ〔世の衆生の言葉の海の音声の智、海慧音〕、サルヴァ・スヴァラーンガ・ルタ・ゴーシャシュリー〔一切の音や叫びや声の栄光、衆妙音〕、ヴァシャヴァルティ・ヤジュニャ・ヤシャ・ヤシュティ・マティ〔自在に施食するという名声の錫杖の智、自在施〕、

〔五四〕

ディシャ・デーシャームカ・ジャガ〔諸方や諸所の世の衆生に現前する、十方一切衆生現前〕、サットヴァーシャヤ・サマ・シャリーリシュリー〔衆生の志向に応じた身体の栄光、随楽身〕、パラールタ・サヴィハーラシュリー〔他者のために住居をともにする栄光、住勝徳〕仏、プラクリティ・シャリーラシュリー〔本性身の栄光、衆生吉祥身〕、バドラ〔賢徳〕勝者が〔現れました〕。

〔五五〕

そこに、以上を初めとする勝者方が現れました。出現して、人々のための燈火となりました。須弥山の微塵の数に等しい劫の間、私はその勝者の海の道を供養しまし

た。

かの仏国土の微塵の数に等しい劫の間に出現されたいかなる勝者といえども、私は　(五六)
この解脱門に悟入して、その善逝方すべてに供養しました。　(五七)
この解脱門を修習するのに、私は、かつて無量の劫をかけて修行しました。あなたも聴聞し、修行しなさい。遠からず、容易にこの(解脱)門を獲得するでしょう。　(五八)

「善男子よ、私はこの調伏一切衆生という菩薩の解脱(だけ)を知っています。(しかし)周辺も中央もない菩薩行の海において様々な信解をもって共住し、様々な求道心と身体を有し、多様な機根の海を成就し、種々の菩薩の誓願によく通達している菩薩方の行を知り、功徳を語ることが、どうして私にできましょうか。

行きなさい、善男子よ。まさにこの菩提道場の上に、プラシャーンタ・ルタ・サーガラヴァティー〔寂静なる音声の海を持つ、寂静音海《じゃくじょうおんかい》〕という夜の女神がおられます。私のすぐそばに、十百千阿僧祇数の夜の女神に取り囲まれて、台座が光の幢と摩尼宝石王に飾られた蓮華座に座っています。彼女に近づいて、尋ねなさい。菩薩がいかにして菩薩行を学び、いかにして実践するかを」

そこで、善財童子は、普救衆生妙徳という夜の女神の両足に頂礼し、その周りを幾百千回となく右遶して、繰り返し見上げた後、女神の下を去った。

第三十五章　第五の夜の女神

夜の女神の寂静音海との出会い　そこで善財童子は、普救衆生妙徳という夜の女神の(説かれた)あの調伏一切衆生という菩薩の解脱を修習し、悟入し、信じ、了達し、拡大し、満たし、広め、自在を得、光り輝かせ、普入しながら、寂静音海《じゃくじょうおんかい》という夜の女神の下に近づいて、その両足に頂礼し、その前に合掌して立ち、次のように言った。「聖なる女神よ、私は既に無上正等覚に向かって発心いたしております。私は善知識によって菩薩行を学び、菩薩行に悟入し、菩薩行を実践し、菩薩行を確立し、一切智者性を成就しようと思っています。ですから、聖なる女神よ、私にお話し下さい。いかにして菩薩は菩薩行を学び、いかにして実践すべきかを」

　すると、女神は善財童子に次のように答えた。「善いかな、善いかな、善男子よ。あなたが善知識によって菩薩行の海を求めるとは。善男子よ、私は広大な歓喜の衝動を生じる心刹那の荘厳〔念念出生広大歓喜荘厳《ねんねんしゅっしょうこうだいかんぎしょうごん》〕という菩薩の解脱を体得しています」

善財は尋ねた。「女神よ、あなたはどのような行ないをなさいましたか。どのような境界におられ、どのような修行をし、どのような観察をなさいましたか。この念念出生広大歓喜荘厳という菩薩の解脱の境界はいかがでしょうか」

女神は答えた。「善男子よ、私は心願の海の清浄なる平等性を実践し、一切世間の塵垢から離れて清らかにして不壊なる(心願の)荘厳を実行してきました。着手した事業に対して不退転にして不回転なる心をもち、宝石の山のような功徳の荘厳により不動なる心をもち、無所住《むしょじゅう》にして無執着なる心をもち、一切の世の衆生の救護に直面する心をもち、一切の仏の海を見て飽くことなき心をもち、一切の菩薩の(十)力への願いにより清らかなる心をもち、大いなる智の輝きの荘厳に対する憶念の海に住する心をもっています。一切の衆生が愁憂の荒野を越えるように実践し、一切の衆生が苦悩を捨離するように努力し、一切の衆生が不快な色、香、声、味、触に関する行動を捨離するように実践し、一切の衆生が好ましいものと別れ(愛別離苦《あいべつりく》)、好ましくないものと出会う苦しみ(怨憎会苦《おんぞうえく》)を除滅するように実践し、一切の衆生が(種々の)境界の因縁より生じることに関する無知を捨離するように努力してきました。(苦しい境界に)落ちた一切の衆生の依り所となり、一切の衆生が輪廻の世界に住する苦しみから出離する道を示すよう努力し、一切の衆生が生、老死、愁憂、悲嘆、苦、悩、不安を捨離するように実践し、一切の衆生が無上なる如来の楽を成就するように実践してきました。

一切の村落、町、都市、国、王国、王都にいる衆生たちに楽しく奉仕することにより、私は満足を覚え、彼らに法に適った防御と保護と守護をなし、次第に彼らを一切智者性へと教化し、成熟させます。

即ち、大きな宮殿や楼閣に住む衆生たちには、（自己の資産に）愛着しない（心）を生じさせ、（彼らの）あらゆる悩みを取り除きます。そして、一切の執着を断じ、一切法の本質を普く理解させるために、（彼らに）法を説きます。父母、兄弟、姉妹、親族、血縁と一緒にいて、長い間愛情を培ってきた衆生たちには、仏や菩薩の知遇を得るように法を説きます。妻子と一緒にいて（愛着する）衆生たちには、一切の生死輪廻の世界への愛着と渇愛を断じ、一切の衆生に対して平等心を起こし、大慈悲心を得させるために法を説きます。市場の中にいる衆生たちには、聖者の集まりや如来との出会いや集いに参集するように法を説きます。欲望の満足に酔いしれる衆生たちには、忍波羅蜜を完成させるように法を説きます。歌舞音曲に愛着する衆生たちには、法を喜び、好きになるように法を説きます。（欲望の）対象の享楽に愛着する衆生たちには、如来の境界と融合して一つになるように法を説きます。

怒りにあふれる衆生たちには、忍波羅蜜を確立させるように法を説きます。怠惰な衆生たちには、精進波羅蜜を浄化するように法を説きます。心が混乱した衆生たちには、如来の禅定波羅蜜を得るように法を説きます。(諸々の)謬見《びゅうけん》より成る密林に入り込み、無明の暗闇に落ち込んだ衆生たちには、謬見より成る密林と無明の暗闇を捨離するように法を説きます。智慧の劣る衆生たちには、般若波羅蜜を得るように法を説きます。

三世に執着する衆生たちには、輪廻の苦から出離するように法を説きます。信解の劣る衆生たちには、如来の菩提への誓願を満足させるように法を説きます。自己の利益に専心する衆生たちには、一切衆生に利益をもたらそうという誓願を満足させるように法を説きます。求道心の弱い衆生たちには、菩薩の力波羅蜜を浄化するように法を説きます。無明の暗闇に心が覆われた衆生たちには、菩薩の智波羅蜜を浄化するように法を説きます。

容姿の醜い衆生たちには、如来の色身を浄化するように法を説きます。身体の異様な衆生たちには、無上なる法身を浄化するように法を説きます。(体の)色のすぐれぬ衆生たちには、微妙なる如来の黄金色の皮膚を(得る)ように、カーチリンディカ布のように触れて心地よい身体を浄化するように法を説きます。

苦しむ衆生たちには、如来の究極の楽を得るように法を説きます。幸せな衆生たちには、一切智者性の楽を得るように法を説きます。疲れ果て、病気に苦しむ衆生たちには、影像のような菩薩の体を成就するように法を説きます。様々な享楽にふける衆生たちには、菩薩行の喜びを得るように法を説きます。貧しい衆生たちには、菩薩の法の貯蔵庫を得るように法を説きます。

遊園にいる衆生たちには、仏法の追求に熱中する原因となるように法を説きます。道にいる衆生たちには、一切智者性への道を実践するように法を説きます。村にいる衆生たちには、一切の三界から出離するように法を説きます。地方の土地にいる衆生たちには、声聞や縁(覚)の菩提への道を越えて、如来の位に安住するように法を説きます。町にいる衆生たちには、法王の都を照らさせるように法を説きます。(北東などの)中間の方位にいる衆生たちには、三世は平等であるという智を得るように法を説きます。(東南西北の四)方にいる衆生たちには、一切法の智に熟達するように法を説きます。

もっぱら貪欲によって行動する衆生たちには、不浄(観)により、一切の輪廻の快楽への渇望を捨離するように法を説きます。瞋恚によって行動する衆生たちには、大慈悲の方便の海に悟入するように法を説きます。愚痴によって行動する衆生たちには、一切の法門の海を吟味する智に熟達するように法を説きます。平均的な煩悩によって行動する〔等分行〕衆生たちには、一切乗の誓願の方便の海において卓越するように法を説きます。輪廻に関わる快楽を願い求める衆生たちには、輪廻に関わる快楽を捨離するように法を説きます。一切の輪廻の苦しみを味わう衆生たちには、一切の輪廻の苦しみに悩まされないように法を説きます。如来に教化されるべき衆生たちには、(諸法)不生を明らかにするように法を説きます。(五)蘊という家を願い求める衆生たちには、無住居《アーラヤ》の法の領域に住するように法を説きます。求道心の萎縮した衆生たちには、(仏)道の優れた荘厳を説き明かすように法を説きます。高慢な心をもつ衆生たちには、一切法は平等であるという忍智を説き明かします。詭計《きけい》や奸計の対象を願い求める衆生たちには、菩薩の求道心の浄化を説き明かします。

善男子よ、このように私は一切衆生を法施によって摂受《しょうじゅ》し、一切の苦に満ちた悪趣への道から抜け出させ、神々や人間(の境遇という善趣)に生まれる楽を示し、三界から脱出させ、一切智者性において確立させ、様々な方便門によって教化し、成熟させながら、広大な歓喜の衝動の海の光明〔広大歓喜法光明海〕を体得し、嬉しく、楽しく、喜んでいます。

一方、善男子よ、私が一切諸方において、菩薩の説法会の海を見ると、様々な誓願を実修する菩薩方が、様々な身体によって清浄であり、様々な光輪の荘厳を有し、無限の色の光線と光輪を放ち、様々な一切智者性の真理の海に広がる智の光明を有し、様々な三昧の海に悟入し、様々な神変を対象とし、様々な音声や言葉の海を鳴り響かせ、様々な装身具で身を飾り、様々な如来の道に悟入し、様々な国土の海の広がりに身体が広がり、様々な仏の海に悟入し、様々な自在な弁才の真理の海に悟入し、様々な如来の解脱の智の領域を照らし出し、様々な智の海の光明を体得し、様々な三昧の海への道に安住し、様々な法の解脱の宮殿における遊戯神通を対象とし、様々な一切智者性への入口に直面し、様々な法界の虚空に荘厳され、様々な荘厳の雲で虚空を遍満し、様々な説法会の海を眺め、様々な歓喜の衝動をもって世界に集まり、様々な仏国土の広がりに赴き、様々な方位の海に集まり、(様々な)如来に派遣され、様々な如来の足下に出向き、様々な菩薩の集団に仕え、様々な荘厳の雲から雨を降らせ、様々な如来の道に悟入し、様々な如来の法の海を吟味し、様々な智の海に悟入し、様々な荘厳をちりばめた座に座っています。(彼らに)私は、様々な歓喜の衝動の海を生じさせます。様々な歓喜の衝動の海を生じた彼らは、如来の説法会の海に悟入し、観察し、吟味します。彼らが如来の力の無量なることを熟考するとき、大いなる歓喜の衝動の海が生じます。

一方、善男子よ、ヴァイローチャナ(毘盧遮那)世尊の色身の清浄なること、(三十二)相に飾られ、不可思議であることを観察し、私は広大な歓喜と浄信の喜びを獲得します。各心刹那に、周辺も中央もない(無限の)色の海を示し、法界のように広大な光輪を眺めて、各心刹那に、大いなる歓喜の衝動の海を体得します。

さらに、善男子よ、毘盧遮那世尊の身体の、一々の毛孔から周辺も中央もない仏国土の微塵の数に等しい(無数の)大光線の海が放出され、一々の光線が周辺も中央もない仏国土の微塵の数に等しい(無数の)大光線の海に囲まれ、一切の仏の法界を遍満し、一切の衆生の苦しみを鎮めているのを見て、私は各心刹那に、大いなる歓喜の衝動の海を体得します。さらに、善男子よ、毘盧遮那世尊の頭と両肩先から、各心刹那に、一切の仏国土の微塵の数に等しい、一切の宝石の焔の山〔宝焔山〕の雲が放出され、一切の法界に遍満するのを見て、私は大いなる歓喜の衝動の広大な海を体得します。

さらに、善男子よ、毘盧遮那世尊の身体の、一々の毛孔から、各心刹那に、一切の仏国土の微塵の数に等しい、(様々な)色と様々な香りの光線の雲が放出され、一切の仏国土に遍満するのを見て、私は大いなる歓喜の衝動の広大な海を体得します。さらに、善男子よ、毘盧遮那世尊の身体を眺めるとき、各心刹那に、一々の相から、一切の仏国土の微塵の数に等しく、(三十二)相に飾られた、如来の身体の雲が放出され、一切の世界海に遍満するのを見て、私は大いなる歓喜の衝動の広大な海を体得します。さらに、善男子よ、毘盧遮那世尊の身体の、一々の随好から、各心刹那に、一切の仏国土の微塵の数に等しく、八十種好の輝く、如来の化身の雲が放出され、一切の仏国土の海に遍満し、一切の如来の法輪の音を鳴り響かせるのを見て、私は大いなる歓喜の衝動の広大な海を体得します。

さらに、善男子よ、毘盧遮那世尊の身体を眺めるとき、各心刹那に、一々の毛孔から、不可説数の仏国土の微塵の数に等しい仏の神変の雲が(放出され)、初発心と六波羅蜜道《ろっぱらみつどう》のみごとな浄化と菩薩の(十)地を進む神変とを示すのを見て、私は大いなる歓喜の衝動の広大な海を体得します。

さらに、善男子よ、毘盧遮那世尊の身体の一々の毛孔から、各心刹那に、不可説数の仏国土の微塵の数に等しい、神々の王の身体の雲が放出され、一切世界に遍満し、一切の神々の王の神変を示し、神々の王の身体を示現することによって教化されるべき衆生たちの前に立って、説法するのを見て、私は大いなる歓喜の衝動の広大な海を体得します。さらに、善男子よ、毘盧遮那世尊の身体の一々の毛孔から、各心刹那に、不可説数の仏国土の微塵の数に等しい、龍王の身体の雲が(放出され、一切世界に遍満し、)龍王の神変を示し、龍王の身体を示現することによって教化されるべき衆生たちの前に立って、説法するのを見て、私は大いなる歓喜の衝動の広大な海を体得します。

さらに、善男子よ、毘盧遮那世尊の身体を眺めるとき、各心刹那に、一々の毛孔から、不可説数の仏国土の微塵の数に等しい、ヤクシャ王の身体の雲が(放出され)、ヤクシャ王の神変を示し、一切の法界に遍満し、ヤクシャ王の身体を示現することによって教化されるべき衆生たちの前に立って、説法するのを見て、私は大いなる歓喜の衝動の広大な海を体得します。さらに、善男子よ、毘盧遮那世尊の身体を眺めるとき、各心刹那に、一々の毛孔から、不可説数の仏国土の微塵の数に等しい、ガンダルヴァ王の身体の雲が(放出され)、ガンダルヴァ王の神変を示し、一切の法界に遍満し、ガンダルヴァ王の身体を示現することによって教化されるべき衆生たちの前に立って、説法するのを見て、私は大いなる歓喜の衝動の広大な海を体得します。

さらに、善男子よ、毘盧遮那世尊の身体を眺めるとき、各心刹那に、一々の毛孔から、不可説数の仏国土の微塵の数に等しい、アスラ王の身体の雲が放出され、(一切世界に遍満し、)アスラ王の神変を示し、一切の法界に属する衆生たちに説法するのを見て、私は大いなる歓喜の衝動の広大な海を体得します。さらに、善男子よ、毘盧遮那世尊の身体を眺めるとき、各心刹那に、一々の毛孔から、不可説数の仏国土の微塵の数に等しい、ガルダ王の身体の雲が放出され、(一切世界に遍満し、)ガルダ王の神変を示し、ガルダ王の身体を示現することによって教化されるべき衆生たちの前に立って、一切の法界に属する衆生たちに説法するのを見て、私は大いなる歓喜の衝動の広大な海を体得します。

さらに、善男子よ、毘盧遮那世尊の身体を眺めるとき、各心刹那に、一々の毛孔から、不可説数の仏国土の微塵の数に等しい、キンナラ王の身体の雲が放出され、(一切の法界に遍満し、)キンナラ王の神変を示し、キンナラ王の身体を示現することによって教化されるべき衆生たち、(一切の)法界に属する衆生たちの前に立って、説法するのを見て、私は大いなる歓喜の衝動の広大な海を体得します。さらに、善男子よ、毘盧遮那世尊の身体を眺めるとき、各心刹那に、一々の毛孔から、不可説数の仏国土の微塵の数に等しい、マホーラガ王の身体の雲が放出され、(一切の法界に遍満し、)マホーラガ王の神変を示し、マホーラガ王の身体を示現することによって教化されるべき衆生たち、一切の法界に属する衆生たちの前に立って、説法するのを見て、私は大いなる歓喜の衝動の広大な海を体得します。

さらに、善男子よ、毘盧遮那世尊の身体を眺めるとき、各心刹那に、一々の毛孔から、不可説数の仏国土の微塵の数に等しい、人間の王の身体の雲が放出され、(一切の法界に遍満し、)人間の王の神変を示し、人間の王の身体を示現することによって教化されるべき衆生たち、一切の法界に属する衆生たちの前に立って、説法するのを見て、私は大いなる歓喜の衝動の広大な海を体得します。さらに、善男子よ、毘盧遮那世尊の身体を眺めるとき、各心刹那に、一々の毛孔から、不可説数の仏国土の微塵の数に等しい、梵天の王の身体の雲が放出され、(一切の法界に遍満し、)梵天の王の神変を示し、梵天の王の身体を示現することによって教化されるべき、一切の法界に属する衆生たちの前に立って、梵天の(妙なる)音声と言葉によって、説法するのを見て、私は広大なること法界のようであり、各心刹那に一切智者性を伴う大いなる歓喜の衝動の広大な海を体得します。

しかし、既に体得したことを(新たに)体得することはなく、既に証得したことを証得することもなく、既に悟入したことに悟入することもなく、既に遍満したところに遍満することもなく、既に見たものを見ることもなく、既に聞いたことを聞くこともありません。それは何故かといいますと、法の本質相という視点からは、一切法は唯一相のものであると遍智されるべきであり、三世の道という視点からは、一切法は周辺も中央もないと説示されると悟入すべきであるからです。

善男子よ、以上が、この念念出生広大歓喜荘厳という菩薩の解脱の方便の海の輝きです。(善男子よ、)この解脱は、法界の真理の海に悟入するがゆえに、周辺も中央もありません。この解脱は、一切智者性への発心が不壊なるがゆえに不滅であります。この解脱は、菩薩の(智慧の)眼によって識知されるべきものであるがゆえに無限であります。この解脱は、純一無雑《じゅんいつむぞう》な法界の真理の地平に遍満するがゆえに無比であります。この解脱は、単一の対象において一切の神変と融合するがゆえに普門を有しています。この解脱は、一切法の身体を不二なものとして行ずるがゆえに空しくありません。この解脱は、幻の如く行ずるがゆえに不生であります。

この解脱は、一切智者性の誓願の影像として生じるがゆえに影像の如きものです。この解脱は、菩薩行によってみごとに化作されたがゆえに化作の如きものです。この解脱は、一切の世の衆生の依り所であるがゆえに大地の如きものです。この解脱は、一切の世の衆生を大悲によって満たすがゆえに水聚の如きものです。この解脱は、一切衆生の渇愛の水を除去するがゆえに火聚の如きものです。この解脱は、一切衆生を一切智者性に確立させるがゆえに風聚の如きものです。この解脱は、一切の世の衆生の功徳による荘厳の基盤であるがゆえに大海の如きものです。この解脱は、一切法の智の宝石の海の中から出現するがゆえに山の王須弥山の如きものです。この解脱は、一切法の解脱という宮殿を整然と配置させるがゆえに(万物を)整然と配置させる風輪の如きものです。この解脱は、三世に得られる一切の如来の神変を受容するがゆえに虚空の如きものです。この解脱は、一切衆生に対して法雲から雨を降らせるがゆえに大雲の如きものです。この解脱は、一切衆生の無知の暗闇を破るがゆえに太陽の如きものです。この解脱は、大いなる功徳と智の海をみごとに蓄積しているがゆえに月の如きものです。この解脱は、あらゆる所に随行するがゆえに真実〔真如《しんにょ》〕の如きものです。この解脱は、(自分の)業法によりみごとに化作されたものゆえに自分の影の如きものです。この解脱は、(衆生の)信解に応じて一切法の音声を響かせるがゆえに反響《こだま》の如きものです。この解脱は、(衆生の)願い通りに一切衆生に顕現するがゆえに影像の如きものです。この解脱は、一切の仏の神変を開華させるがゆえに樹王の如きものです。この解脱は、不可壊《ふかえ》の法であるがゆえに金剛の如きものです。この解脱は、周辺も中央もない神変の海を成就するがゆえに如意王摩尼宝石の如きものです。この解脱は、一切三世の如来の神変が顕現するのに無礙であるがゆえに離垢蔵摩尼王の如きものです。この解脱は、一切の仏の法輪を平等に鳴り響かせるがゆえに喜幢摩尼宝石の如きものです。

善男子よ、実に、この念念出生広大歓喜荘厳という菩薩の解脱は、無量の比喩の提示に随順することにより説示されるものであります」

そこで善財童子は、寂静音海という夜の女神に、次のようにお尋ねした。「女神よ、どのように修行するとき、菩薩にそのような解脱が成就するのでありましょうか」

女神は答えた。「善男子よ、菩薩方には、以下の十(妙法)の大いなる蓄積、大いなる拡大の法、大いなる展開、大いなる光明、大いなる照明、大いなる威神力の輝き、大いなる幸運、大いなる分配、大いなる出生、大いなる自在力があります。それを修行するとき、菩薩に今述べたような解脱が成就するのであります。

十とは何かと言いますと、即ち、(一)願い通りに一切の衆生海を満足させるために菩薩が広げる布施という大いなる拡大の法、(二)一切如来の功徳海に悟入する修行のために菩薩が広げる持戒という大いなる拡大の法、(三)一切法の自性を思惟するために菩薩が広げる忍辱という大いなる拡大の法、(四)一切智者性をめざす努力から不退転となるように菩薩が広げる精進という拡大の法、(五)一切衆生の煩悩の熱を鎮めるために菩薩が広げる禅定という拡大の法、(六)一切の法の海を遍智するために菩薩が広げる般若(の智慧)という拡大の法、(七)一切の衆生海を教化し、成熟させるために菩薩が広げる方便という拡大の法、(八)未来の果ての劫(尽未来劫《じんみらいごう》)の一切の(仏)国土において菩薩行に悟入するために、菩薩が一切の(仏)国土の海に向かって広げる誓願という拡大の法、(九)一切の(仏)国土において毎刹那にさとりを示現して止むことがないように、菩薩が一切の法界の真理の海に広げる力という拡大の法、(一〇)三世の一切法に対する無礙の智を得るために、菩薩が如来の力によって広げる智という拡大の法であります。

善男子よ、菩薩方には、以上十の大いなる蓄積、大いなる拡大の法があり、それらを確立した菩薩方には、先に述べたあの解脱が成就し、浄化され、生じ、成長し、集積し、出現し、存在し、堅固となり、広大となり、完成し、持続するのであります」

夜の女神の寂静音海の因縁譚　善財は尋ねた。「女神よ、あなたが無上正等覚に向かって発心して以来、どれほど久しい間になりますか」

女神は答えた。「善男子よ、クスマタラ・ガルバ・ヴューハーランカーラ〔華の層の台のみごとな荘厳、華蔵荘厳〕という世界海の東、一万の世界海を越えた向こうに、サルヴァラトナ・ヴィマラプラバー・ヴューハ〔一切浄光衆宝荘厳〕という世界海があります。その中に、サルヴァ・タターガタ・プラバー・プラニディ・ニルゴーシャ〔一切仏光明願音〕という世界系譜(1)〔世界種〕があります。その中に、カナカ・ヴィマラプラバー・ヴューハ〔無垢金光荘厳〕という世界があり、一切の宝石の雲により〔覆われて〕すばらしく、下方世界においては一切の宝石の瓔珞や網の海に基盤を置き、一切の薫香の金剛摩尼王の荘厳を本体とし、形は楼閣が周囲を囲むようであり、清浄にして、汚れもあり、天上の宮殿や邸宅の雲が〔上空を〕覆っています。

そこに、サマンターヴァバーサ・ドヴァジャ〔普照光幢〕という劫がありました。その世界に、〔サマンタ・サンプールナ・シュリーガルバ〔普満妙蔵〕という国があり、そこに〕サルヴァラトナ・ガルバ・ヴィチトラーバ〔一切宝蔵衆色光明〕という菩提道場がありました。そこにおいて、アヴィヴァルティヤ・ダルマダートゥ・ニルゴーシャ〔不退転法界妙音〕という尊き如来が、無上正等覚をひらかれました。

そして、そのとき、その折、私はその菩提樹において、プニヤ・プラディーパ・サンパット・ケートゥプラバー〔具足福徳燈光明幢〕という菩提道場の女神〔菩提樹神〕でありました。その如来が菩提をひらく神変を見て、そのとき、私は無上正等覚に向かって発心いたしました。そして、その如来を見るや否や、如来の功徳海を照らし出す〔普照如来功徳海〕という三昧を体得しました。

その後、その同じ世界で、普満妙蔵という王都の、その同じ菩提道場において、ダルマ・ドゥルマ・パルヴァタ・テージャス〔法樹威徳山〕という如来がさとりをひらかれました。そして、私は転生して、同じ菩提道場のジュニャーナシュリー・プニヤプラバー〔吉祥福智光明〕という夜の女神でありました。そのとき、私はかの尊き法樹威徳山如来が法輪を転じる神変を見て、一切の世の衆生に示現すること平等なる光明の境界〔普照一切離貪境界〕という三昧を体得しました。

その後、同じ菩提道場においてサルヴァ・ダルマ・サーガラ・ニルゴーシャ・ラージャ〔一切法海音声王〕という如来にお仕えしました。その〔如来〕を見るや否や、私は一切法の位を高める場〔増長一切善法地〕という三昧を体得しました。その後、同じ菩提道場において、ラトナ・ラシュミ・プラディーパ・ドヴァジャ・ラージャ〔宝光明燈幢王〕という如来にお仕えしました。その〔如来〕を見るや否や、私は普き樹の光明の雲〔普現神通光明雲〕という三昧を体得しました。

その後、同じ菩提道場において、グナ・スメール・プラバ・テージャス〔功徳須弥光〕という如来にお仕えしました。その（如来）を見るや否や、私は仏の海の輝き〔普照諸仏海〕という三昧を体得しました。その後、同じ菩提道場において、ダルマメーガ・ニルゴーシャ・ラージャ〔法雲妙音声王〕という如来にお仕えしました。その（如来）を見るや否や、私は（一切の）法海の燈火〔一切法海燈〕という三昧を体得しました。

その後、同じ菩提道場において、ジュニャーノールカーヴァバーサ・ラージャ〔智炬光照王〕という如来に、神々の娘となってお仕えしました。その（如来）を見るや否や、私は一切衆生の苦しみを鎮める光明の燈火〔滅一切衆生苦清浄光明燈〕という三昧を体得しました。その後、同じ菩提道場において、ダルマ・ヴィクルヴィタ・ヴェーガ・ドヴァジャシュリー〔法の神変への衝動を旗印とする栄光、妙法神通速疾幢〕という如来にお仕えしました。その（如来）を見るや否や、私は三世の如来の発心の輝きを内蔵する〔三世如来所行光明蔵〕という三昧を体得しました。

その後、同じ菩提道場において、ダルマ・プラディーパ・ヴィクラマ・ジュニャーナ・シンハ〔法燈勇猛智慧師子王〕という如来にお仕えしました。その（如来）を見るや否や、私は一切世間において無礙なる智の輪の光の威力〔一切世間無礙智輪威徳光〕という三昧を体得しました。その後、同じ菩提道場において、ジュニャーナバラ・パルヴァタ・テージャス〔智力具足威徳王〕という如来にお仕えしました。その〔如来〕を見るや否や、私は三世の一切衆生の修行の機根を照らし出す〔普照三世衆生諸根行〕という三昧を体得しました。

善男子よ、以上のように、そのとき、私は無垢金光荘厳世界において、その普照光幢劫に、十仏国土の微塵の数に等しい如来方にお仕えしました。ときには神々の王となり、ときには龍の王となり、ときにはヤクシャの王となり、ときにはガンダルヴァの王となり、ときにはアスラの王となり、ときにはガルダの王となり、ときにはキンナラの王となり、ときにはマホーラガの王となり、ときには人間の王となり、ときには梵天の王となり、ときには神となり、ときには人間となり、ときには男となり、ときには女となり、ときには少年となり、ときには少女となって、お仕えしました。私は、手に入るままの供養の資具によってすべての如来方に供養しました。すべての如来方を尊重しました。そして、かのすべての如来方の説法を聴聞しました。

それから、私は転生して、その同じ世界で、仏国土の微塵の数に等しい劫の間菩薩行を行なった後、そこから転生して、この華蔵荘厳という世界海の娑婆世界に生まれました。そこで、私は、尊きクラクッチャンダ〔迦羅鳩孫駄《からくそんだ》〕如来にお仕えしました。その〔如来〕を見るや否や、私は一切の暗闇の汚れを離れた輝き〔離一切塵垢影像〕という三昧を体得しました。

その後、カナカムニ〔黄金の聖者、拘那含牟尼《くなごんむに》〕という如来にお仕えしました。その〔如来〕を見るや否や、私は一切の（仏）国土の照明に随順し、遍満する〔普光遍照一切刹海〕という三昧を体得しました。その後、カーシャパ〔迦葉《かしょう》〕如来にお仕えしました。その〔如来〕を見るや否や、私は一切衆生の言葉《マントラ》の海に鳴り響く音声〔演一切衆生妙音声海〕という三昧を体得しました。(2)

その後、この尊き毘盧遮那如来にお仕えしました。その菩提道場において、如来が菩提をひらく神変門の海を各心刹那に示現するのを見て、私は、この念念出生広大歓喜荘厳という菩薩の解脱を体得したのであります。それを体得するや否や、十不可説不可説数の仏国土の微塵の数に等しい、一切の法界の真理の海に悟入しました。

そして、それら一切の法界の真理の海に属する一切の仏国土にある一切の微塵の、一々の微塵において、十不可説数の仏国土の微塵の数に等しい仏国土に悟入して、私は（如来の神変を）見ます。さらに、それら一切の（仏）国土の一々の仏国土において、毘盧遮那世尊が、最高の菩提道場にあって、各心刹那にさとりの神変を示現し、一々のさとりの神変によって、一切の法界の真理の海に遍満するのを私は見ます。さらに、それらすべての如来の、一々の如来の足下に自分がいるのを私は認知します。さらに、それらの世界において菩提道場にいる如来方は、説法をされますが、そのすべてを私は聴聞します。

さらに、それらすべての如来方の、すべての毛孔から変化の海が放出され、法雲の海を鳴り響かせ、様々な神変を示現し、一切の法界の方位の海にある(仏)国土の海において、一切の世界系譜において、一切の世界の広がりにおいて、一切の衆生の広がりにおいて、様々な境涯への誕生において、衆生の願いに従って、様々な観念によって法輪を転じますが、そのすべてを私は(記憶に)保持し、理解し、思惟します。一切の意味や語句や文字を迅速に把握する陀羅尼〔速疾陀羅尼力〕によって、私は把握します。一切法の輪《マンダラ》の浄化の核心に随順する智慧〔明了智〕によって、私は浄化します。一切法の海を吟味する神通力〔自在智〕という道によって、私は随順します。三世に亘る広大な智〔周遍智〕によって、私は遍満します。如来の平等性に随順する智慧〔平等智〕によって、私は平等視し、一切の法門を成就します。

一切の法の雲の中に経〔修多羅《しゅたら》〕の雲を成就します。一切の経の雲の中に、法の海を確立します。一切の法の海の中に、法の章を集めます。一切の法の章の中に、法の雲を了知します。一切の法の雲の中に、法の流れを生じさせます。一切の法の流れの中に、法の歓喜の衝動の海を体得します。法の歓喜の衝動の海の中に、(十)地を獲得しようという衝動を成就します。一切の(十)地への衝動の中に、三昧の海への衝動を成就します。一切の三昧の海の雲の中に、観仏の海を体得します。一切の観仏の海の中に、光明の海を体得します。一切の光明の海の中に、三世の智の輪《マンダラ》の諸地を確立します。

即ち、それは周辺も中央もない(無限の)方位の海に遍満することにより、無量の如来の過去世の修行の海に悟入することにより、無量の如来の過去世の因縁の海に対する智の照明により、無量の如来の(喜捨し難きを布施する)智の光明を体得することにより、無量の如来の持戒の輪《マンダラ》を浄化する照明により、無量の如来の忍辱の地を浄化することにより、無量の如来の大いなる精進への衝動を増大させる力である智の輝きを体得することにより、無量の如来の禅定の輪《マンダラ》と禅定の要素の海を浄化する実修の輝きを体得することにより、無量の如来の般若波羅蜜の真理の海を浄化し顕現させる照明により、無量の如来の巧みな方便波羅蜜の真理の海に悟入することにより、無量の如来の願波羅蜜の真理の海に悟入することにより、無量の如来の福徳と智との力波羅蜜を増大し薫習する智を体得することにより、無量の如来の智波羅蜜の海を吟味することを得ることによるのであります。

無量の如来の前世の菩薩地における躍進に対する智の輝きを体得することにより、無量の如来の(菩薩)地における躍進と結合の神変の劫の海に住することにより、無量の如来の前世の菩薩地の輪《マンダラ》において躍進することにより、無量の如来の菩薩地に住することにより、無量の如来の菩薩地を浄化することにより、無量の如来の智の海を吟味することにより、無量の如来の智の輝きを体得することにより、無量の如来が菩薩となり、過去世の仏に残りなくまみえ、従うのを顕現させることにより、無量の如来が菩薩となって、過去世の仏の海に残りなくまみえる劫の海に住することにより、無量の如来が過去世の菩薩となって、残りなく(仏)国土の海に遍満する身体を成就することに対して智の輝きを体得することにより、無量の如来の広大な過去世の菩薩行によって残りなく法界を遍満することにより、無量の如来が過去世の菩薩行の様々な方便によってたやすく一切衆生を教化し、成熟させるのを示現することにより、無量の如来の一切の方位の海を残りなく光明の広がりによって遍満することにより、無量の如来の衆生に対する神変を示現することにより、無量の如来の(菩薩)地における躍進に対する智の輝きにより、無量の如来の菩提をひらく神変に対する智の輝きを体得することにより、無量の如来の法輪を転じるとき一切の法の雲を残りなく受持し、保持することにより、無量の如来の(三十二)相の海を顕現させる智の輝きを体得することにより、無量の如来の海のような身体の振舞いを顕現させる輝きを体得することにより、無量の如来の広大な境界に対する智の輝きを体得することによるのであります。

私は、各心刹那に、かの如来方の初発心から正法が滅するまでの一切に悟入します。 229

ところで、「あなたが念念出生広大歓喜荘厳という菩薩の解脱を体得して以来、どれほど久しい間になりますか」とお尋ねですが、私は、二仏国土の微塵の数に等しい仏劫の以前に、無垢金光荘厳世界において、具足福徳燈光明幢という菩提樹の女神でありました。不退転法界妙音如来の説法を聞いて、無上正等覚に向かって発心し、かの二仏国土の微塵の数に等しい劫の間、菩薩行を行じた後、この娑婆世界に生まれ、クラクッチャンダに始まり、シャーキャムニ（釈迦牟尼）に終る（われわれが属するこの）賢劫の如来方にお仕えしました。さらに、未来の一切の（如来）にお仕えするでしょう。この世界においてと同様に、すべての世界において、未来の一連の仏（仏種）にお仕えし、供養するでありましょう。

善男子よ、かの無垢金光荘厳世界は、仏の系譜が絶えることなく存続しています。ですから、善男子よ、菩薩の大勇猛心をもって、この（法）門を実修すべきであります」

さて、寂静音海という夜の女神は、そのときまさにその念念出生広大歓喜荘厳という菩薩の解脱をより詳しく説明するために、善財童子に詩頌でもって説いた。

いかにして、この清浄なる解脱を体得したか、善財よ、私の言葉を聞きなさい。聞いて歓喜の力を生じ、この解脱に悟入しなさい。 （一）

多くの劫の海の昔、修行中の(私は)、一切智者の智の都に向かって広大な深信(信《しん》楽《ぎょう》)の衝動を生じて、自らの心の願いを浄化しました。(二)

三世に専心する善逝方(の教え)を聞いて、彼らに対して広大な深信を生じ、幾百多劫の間、お供の方も含めて、彼らに一切の安楽をもって奉仕しました。(三)

私は過去世の善逝方を見て、人々のために供養し、修行しつつ、広大な歓喜の力を生じて、この無比の法を聴聞しました。(四)

そのとき、私はこの解脱に悟入しつつ、父母や師を常に利益と安楽をもって尊敬し、尊重し、お仕えしました。(五)

老人、病人、財産のない人々、感官が不完全であったり、寄る辺がなくて苦しむ人、多くのそのような人々を、私は慈愛の心で安楽にし、百の転生の間、財産をもたせ、保護を与えました。(六)

王、火、強盗、水から生じる(恐怖)、獅子や象、他の敵に対する恐怖、様々な恐怖心をもって(この)生存の海を行く人々を、かつて私は修行して、救護しました。(七)

常に三界の煩悩が燃え盛り、不浄の業が優勢であり、輪廻の山の険難所を行く人々を、私は諸々の生存の境遇において救護しました。(八)

苦しい悪趣の難所への恐怖、激しく、たえまない多くの苦難、生老病死の恐怖を残りなく、私は世間において(修行しつつ)鎮めました。 (九)

衆生たちの輪廻の激しい苦を鎮めて、あらゆる安楽を与え、究極の仏の安楽を与えることが、未来劫における私の誓願であります。 (一〇)

「善男子よ、私は、この念念出生広大歓喜荘厳という菩薩の解脱を承知しております。(しかし)どうして私が、一切の法界の真理の海に悟入し、内外の苦から残りなく自由であり、一切の劫の名称に関する智を体得し、一切の世界海の生成と消滅に関する智に熟達している菩薩方の行について知ることができましょうか。また、功徳について語ることができましょうか。

行きなさい、善男子よ。まさにこの菩提道場において、毘盧遮那世尊の説法会の中に、サルヴァ・ナガラ・ラクシャー・サンバヴァ・テージャッハシュリー〔あらゆる都城を守護できる威力の栄光、守護一切城増長威徳主《しゅごいっさいじょうぞうじょういとくしゅ》〕という夜の女神がおられます。彼女の所に近づいて、いかにして菩薩は菩薩行を学ぶべきか、いかにして実践すべきかを尋ねなさい」

そこで善財童子は、女神に、以下のふさわしい詩頌によって答えた。

善知識に教えられて、女神よ、あなたの下にやって参りました。あなたが周辺も中央もない広大な身体により座に着いておられるのを私は見ます。（一一）
色や形の特徴を対象とし、生存に依拠する者たち、存在の観念を有する者たち、転倒した考えをもつ劣った衆生たちには、あなたのこの境界を理解することはできません。（一二）
神々を含む世間は、たとえ無限劫の間観察したとしても、あなたの色や形の特徴を理解することはできません。あなたの色（身）は、見るところ無限だからであります。（一三）
女神よ、あなたは（五）蘊への愛着から出離し、（十二）処に依拠せず、世間を越えて疑惑を除き、世間に神変を示現しておられます。（一四）
あなたは不動にして無過失、無執着であり、優れた智の眼を浄化しておられます。その（眼）で、あなたは（微）塵の上にすべての（微）塵（数）ほど（多く）の仏が神変を示すのを御覧になります。（一五）
実に、あなたの身体は法の身体を内蔵し、あなたの智から成る心は無執着であります。あなたは普く光によって照らし、無限の光明を世間に生じさせます。（一六）
心から無限の業が、業から多様なる一切世間が生じ、世界は心を自性とすると知っ

て、あなたは自身の身体を世の衆生に似せて示されます。（一七）

この世間は夢幻の如く、一切諸仏は影像の如く、諸法は残りなく反響の如しと知って、あなたは世の衆生に執着することなく活動なさいます。（一八）

三世に属する（無数の）人々にさえも、女神よ、あなたは各刹那に、自身の身体を示現されます。しかも、あなたの心中に二（という思念）が起ることはなく、あなたはあらゆる方位において説法されます。（一九）

実に、（微）塵上の無限の大海、また無量の衆生の大海、そして、周辺も中央もない善逝の海、これがあなたの解脱の境界であります。（二〇）

そこで善財童子は、寂静音海という夜の女神を以上の詩頌によって讃嘆した後、幾百千回となく（その周りを）右遶し、繰り返し見つめた後、女神の下を去った。

第三十六章　第六の夜の女神

夜の女神の守護一切城増長威徳主との出会い　そこで善財童子は、かの念念出生広大歓喜荘厳という菩薩の解脱を心に思い、受け入れ、寂静音海という夜の女神の教訓や教誡を心にとどめ、把握し、一々の句や音節や多くの方便や無量の志願を（心にとどめ）、法性に導く智を心にとどめ、記憶に結びつけ、聡明さで探求し、了解で通達し、覚知でもって拡大し、身体でもって触れ、（それに）とどまり、悟入し、証得しながら、次第に、守護一切城増長威徳主《しゅごいっさいじょうぞうじょういとくしゅ》という夜の女神の下にたどり着いた。彼は、その夜の女神が、不可説数の夜の女神たちに囲まれて、あらゆる方向の衆生と世間にその身体を現前させ、あらゆる衆生の姿と同じ身体で、あらゆる衆生に現前する身体で、いかなる世の衆生にも汚染されない身体で、あらゆる衆生の身体と同じ身体で、あらゆる衆生を超越する身体で、あらゆる衆生を成熟させ教化するのに適った身体で、十方に普く轟く咆哮を発する身体で、いかなる世の衆生にも流転しない身体で、あらゆる障害をことごとく取り除く身体で、如来の自性をもつ身体で、あらゆる衆生の教化を成就し完結する身体で、あらゆる城の宮殿を照らし出す宝玉の王を内蔵する大蓮華座〔光明普照一切宮殿摩尼宝王大蓮華蔵獅子之座〕に座っているのを見た。

それを見て善財童子は、満足し、心高まり、狂喜し、歓喜し、欣喜と愉悦を生じて、その夜の女神の両足に頂礼し、その女神の周囲を幾百千回も右遶した後に、その女神の面前に合掌して立ち、以下のように語った。「女神よ、私は既に無上正等覚に向けて発心いたしております。女神よ、どうか私に語って下さい。㈠いかにして菩薩は菩薩行において前進して衆生たちを利益する者となるのか。㈡いかにして菩薩は衆生たちを無上の㈣摂事《ししょうじ》でもって包容するのか。㈢いかにして菩薩は如来によって菩薩として認可されて菩薩の行為に専念するのか。㈣いかにして修行した菩薩が法王の座に座ることになるのか」

このように言われて、その夜の女神は善財童子に語った。「善いかな、善いかな、善男子よ。あなたが、あらゆる世の衆生を成熟させ教化することを究め尽くすために、あらゆる如来の系譜を持続させるための修行を究め尽くすために、あらゆる法界の真理の海に悟入することが現前するために遍満する智に専念するために、あらゆる方向に広がりに、虚空に等しい地平で無限の智によってのみ知られうるものに遍満するために、あらゆる如来の法の輪《マンダラ》を受け入れ保持するために、願いに応じてあらゆる衆生の海に法の雲から（法の）雨を降らすための修行の方法《ナヤ》を尋ねるとは。私は、善男子よ、心に適った音声の深遠な神変に入る〔甚深自在可愛妙音《じんじんじざいかあいみょうおん》〕という菩薩の解脱を獲得しています。

　そういう私はまた、善男子よ、この解脱を体得して、絹布を額に結んだ無礙なる大説法師の位を獲得することに専念し、あらゆる如来の法蔵を分け与えるという誓願をいだき、そして大慈大悲の力を獲得したのも、あらゆる衆生を菩提心に安住させるためであり、あらゆる衆生を利益する行に着手したのも、たゆむことなく菩提への心をいだき、善根や（福徳と智の）資糧を積むためであり、あらゆる世の衆生の調御者たる位をめざして出発したのも、あらゆる衆生たちを一切智者性への道に安住させるためであり、あらゆる世界において法の雲や法の太陽となって現れることに専念したのも、無量の善根から生じる（光明で）あらゆる世界を照らすためであり、あらゆる世界に平等な心でたゆむことなく広がったのも、あらゆる衆生が善根を蓄積して浄化に専念する智のためであり、心の浄化に専念したのも、あらゆる善業の道による賢明な活動のためであり、あらゆる衆生の導師たろうと志してあらゆる悪業の道を放棄し、あらゆる衆生を善き法に安住させる務めに専念してあらゆる衆生が安楽な境遇に出会うことに専念し、あらゆる衆生を導く乗物の荘厳となって先頭に立って出発し、あらゆる善き法輪の進路にあらゆる衆生を安住させることに専念し、あらゆる善知識に常に近侍し喜ばせることに着手し、あらゆる衆生を如来の教誡に安住させることに専念し、法を施すことを初めとしてあらゆる善き法の務めに専念し、一切智者たることへの発心から生じる堅固で壊れることのない志願をいだき、金剛のナーラーヤナ〔那羅延《ならえん》〕を内蔵するかのような堅固な仏の力に支えられた広い心の輪《マンダラ》をいだき、そして善知識を頼りとしてこれまでをすごしてきました。あらゆる煩悩や業の障害の山を吹き散らすような心をもち、一切智者性の資糧を得ることを務めとし、あらゆる清らかな法の成就に専念し、周辺も中央もない一切智者性の現前に支えられているという自覚でもって修行に励んできました。

そういう私はまた、善男子よ、次のようにあらゆる衆生に明らかに知らしめる法の光明の門を清らかにし、善根を積み資糧を準備して、法界を十の観点から観察し、法界に通達し、法界に広がります。どのような十の観点かというと、即ち、㈠広大な智の光明を獲得することによって法界が無量であることに私は通達します。㈡あらゆる如来の神変を示現するために法界が周辺も中央もないことに私は通達します。㈢あらゆる仏国土を遍歴して如来への奉仕と近侍を円満に成就するために法界が無際限であることに私は通達します。㈣あらゆる世界海に菩薩行を顕示するために法界が限界に達しないことに私は悟入します。㈤区別のない如来の智の輪《マンダラ》に入るために法界が分断されていないことに私は悟入します。(六)あらゆる衆生にそれぞれの願いに応じて明らかに知らしめる如来の音声の輪に入るために法界が単一となっていることに私は悟入します。(七)あらゆる世の衆生の教化が完成し、往昔の誓願の成就に悟入するために法界が自性として無垢であることに私は悟入します。(八)普賢菩薩行が及ぶ限りの際限に踏み込むために法界があらゆる衆生の平等性に随順していることに私は悟入します。(九)普賢菩薩行による神変の装飾に入るためにあらゆる法界が同一に装飾されていることに私は悟入します。(一〇)あらゆる善(根)が法界に遍満して清浄で不滅の法性のために法界が不滅であることに私は悟入します。善男子よ、あらゆる善根と資糧を積み重ねるために、仏の偉大な威徳に入るために、不可思議な仏の境界に通達するために、私はこれらの十の観点でもってあらゆる法界を観察し、通達し、法界に広がります。

さらにまた、善男子よ、このような私は、如来の偉大な威徳に随順する集中力を具えた一万品目もの陀羅尼の輪《マンダラ》〔陀羅尼輪〕によって、衆生たちに法を説きます。まず十とは何かというと、即ち、(一)普入一切法海陀羅尼輪、(二)普持一切法蔵陀羅尼輪、(三)普受一切清浄法雲陀羅尼輪、(四)普念一切如来智燈陀羅尼輪、(五)普入一切衆生業海浄諸垢障陀羅尼輪、(六)普入一切諸乗行海速疾円満陀羅尼輪、(七)普演一切如来名号音声陀羅尼輪、(八)普入三世諸仏平等願海陀羅尼輪、(九)一切法現前旋流勇猛陀羅尼輪、(一〇)速疾出生一切智智勇猛成就陀羅尼輪によってであります。善男子よ、これらの十の陀羅尼の輪を初めとする一万品目もの陀羅尼の輪によって、私は衆生たちに法を説きます。さらにまた、善男子よ、私は聴聞による智慧〔聞慧〕によって衆生たちに法を説き、思索による智慧〔思慧〕と修習による智慧〔修慧〕によって衆生たちに法を説きます。私はまたわずか一生存の品目に言及して衆生たちに法を説いても、あらゆる生存の海の品目に言及する法を衆生たちに説いています。わずか一如来の（名号の輪《チャクラ》に言及して法を説いても、あらゆる如来の）名号の輪の海に言及する法を説いています。一世界海に言及して法を説いても、あらゆる世界海に言及する法を説いています。一仏の授記《じゅき》の海に言及して法を説いても、あらゆる如来の授記の海に言及する法を説いています。一如来の説法会の海に言及して法を説いても、あらゆる如来の説法会の海に言及する法を説いています。一如来の法輪に言及して法を説いても、あらゆる如来の法輪の海に言及する法を説いています。一（如来の）経文に言及して法を説いても、あらゆる如来の法輪が一つに融合する経文に言及する法を説いています。一如来の説法会への参集に言及して法を説いても、あらゆる如来の説法会の海に言及する法を説いています。一人の一切智者の心に言及して法を説いても、あらゆる菩提心の要素に言及する法を説いています。一つの乗物〔一乗〕に言及して法を説いても、あらゆる乗物による出離の海に言及する法を説いています。

私は、善男子よ、これらを初めとする多様な不可説数もの説法の方便を体得して衆生たちに法を説きます。このようにして私は、善男子よ、法界の真理と区別されない如来の海に入り、あらゆる衆生に説法して無上の法（を説き）摂事を行なって、未来の果てに至るまでの劫の海を普賢菩薩行に住んで、この甚深自在可愛妙音なる菩薩の解脱を修習するのですが、その解脱の境界を修習する方便が心刹那ごとに追加され、そして解脱の境界を修習する一々の方便によって一々の心刹那に私はあらゆる法界に遍満します」

善財童子が問う。「女神よ、なんと希有なことでしょう。この菩薩の解脱がそんなに深遠であるとは。聖者よ、あなたがこの菩薩の解脱を獲得してからどれほどの時がたつのですか」

守護一切城増長威徳主の因縁譚　（女神が）答える。「昔、善男子よ、過去の時に、世界転の微塵の数に等しい劫〔世界転極微塵数劫〕よりも以前に、ダルマールチ・ナガラ・メーガー〔法界焰光吉祥雲〕という名の世界がありました。それは四大州から成る世界の微塵の数に等しい香料や摩尼宝にあふれた須弥山〔香摩尼須弥山〕の網の中にあり、あらゆる如来の往昔の誓願を響かせる蓮華が連なって荘厳され、あらゆる衆生の業の海から生じた摩尼王の海をその身体となし、大きな蓮華の姿をしており、清められて汚れなく、須弥山の微塵の数に等しい華の鉄囲山によって周りを囲まれ、須弥山の微塵に等しい数の香料や摩尼宝によって須弥山を越えるほどに飾られ、須弥山の微塵の数に等しい大きな四大州で飾られていました。それほどの数の四大州の一々に百千ナユタ・不可説不可説数もの都城がありました。

実に、善男子よ、その世界にヴィマラプラバ〔無垢焔光〕という名の劫があり、須弥山の微塵に等しい数の如来が出現しました。またかの法界焔光吉祥雲世界にはヴィチトラ・ドヴァジャー〔種種色妙荘厳幢〕という名の中位の四大州がありました。その中心にサマンタ・ラトナ・クスマプラバー〔普宝拘蘇摩光〕という名の王都がありました。その王都から遠くないところにダルマラージャ・バヴァナ・プラティバーサ〔普現法王宮殿影像〕という名の菩提道場がありました。その菩提道場にサルヴァ・ダルマ・サーガラ・ニルゴーシャ・プラバラージャ〔一切法海大声光明王〕と号する如来が、かの須弥山の微塵の数に等しい如来の最初として現れたのです。その同じときに、ヴィマラ・ヴァクトラ・バーヌプラバ〔無垢面日光明〕という名の転輪聖王がいました。この王は一切法海大声光明王如来の下であらゆる法の海〔一切法海旋〕という名の経文を修得しました。修得した後、法輪が繰り返し転じられました。（その如来が）完全な涅槃に入った後に、その王が出家して教誡を護持しました。（そのとき）教誡が千もの異種に分裂して、教誡がまさに消滅しかかり、一千もの方法に分裂して法が説かれ、劫の堕落が間近に迫ったとき、衆生たちはあらゆる業の苦悩と障害に覆われ、また比丘《びく》たちは喧嘩や論争や論戦に落ち入り、仏の教誡と功徳を求めることなく感官の対象を喜ぶことにふけり、王の歴史や盗人の話題を喜び、女や辺地の海の話題を喜び、世俗的な言説を喜んでいました。そういう比丘たちの心に動揺を引き起こすために、法に適い注目を引く言葉が（王によって）発せられました。

「ああ、悲しいかな。多くの劫をかけてもたらされたこの偉大な法の炬火《かがりび》が消滅しようとしている」。そして心を揺さぶるに違いない話が語られました。王は空中に七ターラまで上昇して、その身体から限りなき色彩の光線の雲を放出し、多彩な色の大きな光明の網の荘厳を放ち、多彩な色の光明でもって世界の苦悩の熱を鎮めて、無量の衆生たちを菩提に安住させたのです。こうしてかの如来の教誡は再び輝きだして、六万年もの間、持続しました。

さて丁度そのとき、ダルマチャクラ・ニルマーナプラバー〔法輪変化光〕という名の比丘尼がいました。彼女はかの転輪聖王の無垢面日光明の王女であり、百千の比丘尼の侍女たちがいました。王女は、その（王の）心を揺さぶる話を聞いて、またその偉大な奇蹟を目にして、侍女たちと一緒に菩提に向けて発心しました。そして、その百千の比丘尼たちは無上正等覚において不退転となったのです。そして、如来の現前の集合〔現見如来平等出生〕という名の三昧を得ました。さらにあらゆる如来の法輪を化現する光明〔一切如来転法輪金剛光明〕という名の陀羅尼と、あらゆる法の海の真理の証得〔普入一切法門海〕という名の般若波羅蜜を得ました。また比丘尼の法輪変化光は、あらゆる如来の教誡の出現を照らし出す燈火〔出生一切仏教光明燈〕という名の三昧と、上述の甚深自在可愛妙音という極めて微妙な菩薩の解脱を得ました。それを得たがゆえに、かの一切法海大声光明王如来の神変のすべてが(この王女に)現前したのであります。

どう思いますか、善男子よ、かのときに無垢面日光明という名の転輪聖王がいて、一切法海大声光明王如来の教誡の下に出家して、法輪が繰り返し転じられ、(如来が)完全な涅槃に入った後に教誡が消滅しようとしたときに、教誡を護持し、偉大な法の炬火に火をつけたのですが、この転輪聖王は(普賢菩薩と)別人でありましょうか。決して、善男子よ、そう思ってはなりません。普賢菩薩が彼だったのであり、かのときにはそういう名の転輪聖王であったのです。

どう思いますか、善男子よ、かのときにその転輪聖王の王女で百千の比丘尼を侍女とする法輪変化光という名の比丘尼がいましたが、彼女は(この私と)別人でありましょうか。決してそう思ってはなりません。私が彼女だったのであり、かのときには私はそういう名の比丘尼であったのです。この私によって、かの一切法海大声光明王如来の教誡が護持されたのです。また(私によって)かの百千の比丘尼たちのすべてが、無上正等覚において不退転となり、現見如来平等出生という三昧に安住させられ、一切如来転法輪金剛光明という陀羅尼と普入一切法門海という般若波羅蜜において安住させられたのです。

また私は、その如来の次には、無垢法山頂智光明と号する如来に仕えて喜ばせました。その次には法輪円満光明髻と号する如来に仕えて喜ばせました。その次には法日吉祥雲と号する如来に、その次には法海門妙声王と号する如来に、その次には法日智輪燈と号する如来に、その次には法拘《ほうく》蘇《そ》摩《ま》幢雲《どううん》と号する如来に、その次には法焔光山幢王と号する如来に、その次には甚深吉祥円満月と号する如来に、その次には法智出生普光明蔵と号する如来に、その次には出生根本智蔵と号する如来に、その次には吉祥蔵山王と号する如来に、その次には普門智須弥賢と号する如来に、その次には速疾精進幢と号する如来に、その次には法宝拘蘇摩吉祥雲と号する如来に、その次には甚深寂静山光明髻と号する如来に、その次には法焔光明影月と号する如来に、その次には智焔光吉祥海と号する如来に、その次には普賢円満智と号する如来に、その次には無上神通智光明王と号する如来に、その次には福徳焔光開敷拘蘇摩燈と号する如来に仕えて喜ばせました。

その次には智師子幢王と号する如来に、その次には普日光明王と号する如来に、その次には須弥相宝荘厳王と号する如来に、その次には日光勇猛普照影像と号する如来に、その次には法網覚勝月と号する如来に、その次には法蓮華開敷吉祥雲と号する如来に、その次には日輪普光明と号する如来に、その次には普光吉祥大声と号する如来に、その次には師子無畏金剛那羅延と号する如来に、その次には普智勇猛幢と号する如来に、その次には普法開敷蓮華身と号する如来に、その次には功徳拘蘇摩吉祥海と号する如来に、その次には高山法門光明蔵と号する如来に、その次には高山智焔光明雲と号する如来に、その次には普法高山面門光明と号する如来に、その次には道場吉祥月と号する如来に、その次には熾然法炬《しねんひんこ》吉祥月《きっしょうげつ》と号する如来に、その次には普影像光明髻と号する如来に、その次には法速燈幢と号する如来に、その次には金剛海幢雲と号する如来に仕えて喜ばせました。

その次には名称山吉祥雲と号する如来に、その次には栴檀吉祥月と号する如来に、その次には普吉祥拘蘇摩威徳光と号する如来に、その次には照一切衆生光明王と号する如来に、その次には功徳蓮華吉祥蔵と号する如来に、その次には香焔普光明王と号する如来に、その次には波頭摩華因《はとうまけいん》と号する如来に、その次には衆相山毘盧遮那と号する如来に、その次には普音声名称幢と号する如来に、その次には須弥山普門光明と号する如来に、その次には法城吉祥光明と号する如来に、その次には大樹山威徳と号する如来に、その次には普吉祥毘盧遮那と号する如来に、その次には吼法海大音声光と号する如来に、その次には出生威徳一切法宮殿と号する如来に、その次には普智最勝光と号する如来に、その次には最勝吉祥相と号する如来に、その次には法力勇猛幢と号する如来に、その次には転法輪妙音声と号する如来に、その次には功徳焔冠智慧光と号する如来に仕えて喜ばせました。

　その次には出生吉祥法輪月と号する如来に、その次には法輪蓮華毘盧遮那幢と号する如来に、その次には宝蓮華光明蔵と号する如来に、その次には宝吉祥雲山燈と号する如来に、その次には普清浄拘蘇摩と号する如来に、その次には種種吉祥焔須弥蔵と号する如来に、その次には焔輪円満山王と号する如来に、その次には福徳雲種種色と号する如来に、その次には法山雲幢王と号する如来に、その次には功徳山王光明と号する如来に、その次には法日雲燈王と号する如来に、その次には法雲名称遍満王と号する如来に、その次には法輪雲と号する如来に、その次には開悟菩提智威徳幢と号する如来に、その次には普照法輪吉祥月と号する如来に、その次には摩尼金山威徳賢と号する如来に、その次には妙高吉祥威徳賢と号する如来に、その次には普智慧妙声雲と号する如来に、その次には法力吉祥功徳山と号する如来に、その次には吉祥雲香焔王と号する如来に仕えて喜ばせました。

　その次には金色摩尼山妙音声と号する如来に、その次には頂髻蔵出一切法円満光明雲と号する如来に、その次には法輪熾盛威徳王《ほうりんしじょういとくおう》と号する如来に、その次には無上出生威徳と号する如来に、その次には普精進炬光明雲と号する如来に、その次には三昧印広大智慧光明冠と号する如来に、その次には妙宝威徳王と号する如来に、その次には法炬宝帳妙音声と号する如来に、その次には普照虚空界無畏法光明と号する如来に、その次には相好荘厳幢と号する如来に、その次には種種色光明焔山雲と号する如来に、その次には照無障礙法虚空光明と号する如来に、その次には妙相華開敷身と号する如来に、その次には最勝世主妙光明音と号する如来に、その次には一切法三昧妙光明音と号する如来に、その次には妙弁才法音功徳蔵と号する如来に、その次には熾然光明法海妙音雲と号する如来に、その次には普照三世大光明相威徳王と号する如来に、その次には普照法輪吉祥山広大光明と号する如来に、その次には法界師子光と号する如来に、その次には一切三昧海普遍光焔師子王と号する如来に、その次には普智光明燈と号する如来に、その次には普智慧光明法城燈と号する如来に、私は仕えて喜ばせました。

以上のように、善男子よ、これらの百(余)の仏たちを初めとして、かの無垢焔光という劫の間に、須弥山の微塵の数に等しい如来たちが出現しました。さらにまた、善男子よ、その須弥山の微塵の数に等しい如来たちすべての最後は、ダルマダートゥ・ナガラーバ・ジュニャーナ・プラディーパラージャ〔法界城智慧燈光王〕と号する如来であったのです。私は、善男子よ、一切法海大声光明王を最初とし、法界城智慧燈光王を最後とする須弥山の微塵の数に等しい如来たちのすべてに仕えました。また、私はそれらの如来たちのすべてに近侍しました。また、それらの如来たちのすべての説法を聴聞しました。また、それらの如来たちのすべての教誡の下で私は出家しました。また私は、それらの如来たちのすべての教誡を護持しました。また私は、それらの如来たちのすべてのそば近くで、かの甚深自在可愛妙音という菩薩の解脱を多くの種類の獲得の仕方で獲得しました。また私は、それらの如来たちのすべてのそば近くで、周辺も中央もない衆生たちを成熟させました。

それ以来、仏国土の微塵の数に等しい(劫の)間に出現した限りの如来たち、その如来たちのすべてを、私は法に適った振舞いでもって、供養しました。さらにまた、善男子よ、それ以来そのおかげで、輪廻転生の暗夜の境涯において無知の睡眠を貪っている衆生たちの中で私は独り目覚めており、衆生たちに心の城を守護させ、彼らを三界の城から出離させ、一切智者性の法城に安住させるのです。

私は、善男子よ、この甚深自在可愛妙音という菩薩の解脱が、世間の綺語から離れさせ、両舌を語ることをさせず、真理《サティヤ》の確立に到達させるものであると知っています。しかし、私は次のような菩薩たちの行については知らないし、彼らの功徳を語ることもできません。そういう菩薩たちとは、あらゆる無礙の言語道の本質を知っており、心刹那ごとにあらゆる法をさとることが無礙自在であり、あらゆる衆生の言葉や音声や喧騒の海に入り、あらゆる言説の海の用い方を知るのに巧みであり、あらゆる法の数と名の海による指導と規定を知っており、あらゆる法に普入する陀羅尼海において無礙自在であり、あらゆる衆生にその願いに応じて法の雲を成就することが巧みであり、あらゆる衆生を成熟させ教化する行を完成させている、という菩薩たちです。また私は、こういう菩薩たちがあらゆる衆生をひきつける方法も知らないし、またどのようにして菩薩が無上の行為の企てを実践するのかも、菩薩が微妙な智へ通達するのかも、菩薩が法を貯蔵する蔵を分有して牡牛のような威力を得るのかも、菩薩が法を説くための獅子座に上るのかも、私には知ることができません。なぜかというと、そういう優れた人たちは既にあらゆる法の位の輪《マンダラ》〔諸法地円満〕という陀羅尼に入っているからです。

行きなさい、善男子よ、まさにここなる毘盧遮那世尊の足下に、サルヴァ・ヴリクシャ・プラプッラナ・スカ・サンヴァーサー〔あらゆる木々の開華の安楽とともにある、能開敷《のうかいふ》一切樹華《いっさいじゅけ》安楽主《あんらくしゅ》〕という名の夜の女神がやってきており、私のそばに一緒に座っています。その女神の下へ行き、いかにして菩薩たちは一切智者性を学ぶのか、またどのように修めて彼らはあらゆる衆生を一切智者性に安住させるのか尋ねなさい」

さてそのとき、その夜の女神は、この甚深自在可愛妙音という菩薩の解脱をさらに重ねて明らかにしようと、善財童子に詩頌でもって語りかけた。

仏子たちの解脱は、深遠にして見難く、虚空の相たる普き平等性への入口であります。それによって、菩薩たちは、三世におられるありとあらゆる仏の下に、また周辺も中央もない法界に遍満する仏の下に赴きます。　（一）

（菩薩の）資糧であり起源である解脱の真理《ナヤ》は無限であり、不可思議で量り知れない法性が彼らの利得であります。実に、普き方向に無礙の勢いを増大させなさい、そして三世の真理により慈心という道に入り込みなさい。　（二）

というのも、仏国土の微塵(1)の数の自乗に等しい劫〔刹転微塵劫〕よりも以前に、まず現れた国土があり、法界焔光という名の吉祥なる世界でありました。また、無垢焔光という名の壮大な光明の劫がありました。　（三）

まさにその劫の間には、仏の系譜が途切れることがなかったゆえに、須弥山の微塵の数に等しい仏たちが出現しました。まず最初に一切法海大声光明王という仏が、それらの諸仏たちの最初として現れたのです。　（四）

それらの善逝たちすべての最後に現れたのは、法界城智慧燈光王と号する勝者でありました。私は近づいてそれらのすべての仏たちを供養しました。また私は歓喜をいだいて、彼らの法を聴聞したのです。　（五）

私が最初に出会ったのは、金色の光線を発する一切法海大声光明王でありました。三十二相で飾られ、須弥山のように見えました。その様子を見た後、「自分も仏になりたい」という思いが私に生じました。　（六）

その如来を目にするや否や、私には一切智者性から流れだし一切智者性を起源とする因縁によって、強力な勝者の虚空界のように無垢で真如を本質とする心が最初のものとして現前しました。　（七）

それによって、三世に属するあらゆる仏たちが、子息（菩薩）たちの海に囲まれて余す所なく、普き方向に華開くように現れました。またあらゆる国土の海や衆生の海も現れました。憐れみの甘露の大海が生じるように。　（八）

私は心を決めたのです、あらゆる余す所なき国土に身体でもって遍満しようと、衆生の願いに応じて（種々の）身体を示現しようと、余す所なき国土を照らし出し震動させようと、さらには衆生を成熟させようと。（九）

かの仏たちのうちの二人目の勝者の下に赴いてからも、十方の国土海に住んでおられる勝者の王たちにお会いしました。（須弥山の）微塵の数に等しい国土海に、そのような国土海におられる勝者たちの最後に至るまで、私はお会いしました。（一〇）

（仏）国土の微塵の数の自乗に等しい劫の間の最後の最後まで、世間の燈明として現れた勝者たち、そのすべての勝者の下に、私は赴いて供養しました。このようにして、私は（菩薩の）解脱の神通の海を清浄にしました。（一一）

そこで善財童子は、甚深自在可愛妙音という菩薩の解脱を得た者となり、周辺も中央もない三昧門の海に入り、広大な陀羅尼門の海より生じる心を得て、菩薩の大神通の光輝を獲得し、大きな喜びの海に入り、広大な喜びの興奮の海によって増大させられた心でもって、その夜の女神を以下のような女神にふさわしい詩頌でもって賞讃した。

あなたの智慧は、実に、広大な法の海を既に修行し終り、また周辺も中央もない生死の海を既に渡っています。善き智という身体をうちに秘め、長寿であり病にかかることもありません。女神よ、あなたはこの説法会に臨席して輝いています。

法の本質は虚空の如しとさとられて、あなたは無礙にあらゆる三世の真理に入られます。またあなたは、心刹那に、かの不可思議な境界が分別を離れたものであると思量しもします。　(一三)

智の眼をもつあなたは、真理としては衆生は無であると認知されながらも、慈悲の心をもって無限の衆生の海に入り込むのです。深遠なる解脱に入り込んだあなたは、覚知によって無量の衆生たちを教化し、成熟させます。　(一四)

あなたは、法の輪《マンダラ》の熟慮の仕方によく通達しておられ、法の自性の洞察の仕方に目覚めておられ、あらゆる崇高で無垢なる道を広めつつ、世間を余す所なく清浄にしつつ、輪廻から出離するでありましょう。　(一五)

あなたは、女神よ、一切智者の無垢なる智を受け取って、衆生の最高の調御師となり、あなたに打ち勝つ者はおりません。あなたは、法界に達してあらゆる衆生に遍満し、法を明らかにして、あらゆる世界の恐怖を鎮めます。　(一六)

女神よ、無礙で広大で無垢なる覚知を身につけたあなたは、毘盧遮那如来の誓願の道を指針にして進み行くでありましょう。あらゆることにおいて勝者の力に向かっ

て前進しながら、あなたはあらゆる国土(に赴くこと)によって勝者の神変を見ます。（一七）

あなたの心は、虚空の如く近づき難く、あらゆる煩悩の汚れが最初から清められており、無垢であります。そこ(心)において三世のあらゆる国土が、そして菩薩の集団を引き連れた仏たちがあらゆる衆生とともに集まり一つに融合します。（一八）

あなたは刹那のうちに、夜昼、刹那、ラヴァ〔羅婆〕、季節、半月、月、年を、そしてそれぞれの名称と数を伴った壊劫《えこう》や成劫《じょうこう》を含む劫の海や世の人々の観念の海をも明らかにします。（一九）

色や形をもつ者(もたない者)、意識をもつ者もたない者、それらすべての衆生の十方における生死に至るまで、またそれらの世俗の真理の道を洞察して、最高の菩提へと導きます。（二〇）

毘盧遮那如来の誓願の網の家系に生まれ、あらゆる善逝と同一の崇高な身体をもつがゆえに、法を身体とし清浄であり、心は無礙であるあなたは、衆生たちの願いに応じて自分の身体を示現します。（二一）

そこで善財童子は、以上のようなふさわしい詩頌でもって、夜の女神を賞讃した後、夜の女神の両足に頂礼し、夜の女神の周りを幾百千回も右遶した後に、何度も何度も別れを告げて、その夜の女神の下を去った。

第三十七章　第七の夜の女神

夜の女神の能開敷一切樹華安楽主との出会い　そこで善財童子は、甚深自在可愛妙音という菩薩の解脱をさらに繰り返し修習し、実現し、増大させながら、能開敷《のうかいふ》一切樹華《いっさいじゅけ》安楽主《あんらくしゅ》という夜の女神の下にたどり着いた。彼はその夜の女神があらゆる香木と珊瑚の枝でつくられた楼閣の中で、一万の夜の女神たちに囲まれて、珊瑚の芽でできた獅子座に座っているのを見た。

さてそこで善財童子は、その夜の女神の両足に頂礼し、その面前に合掌して立ち、以下のように語った。「聖なる女神よ、私は既に無上正等覚に向けて発心いたしております。しかし、私にはまだ次のことがわかっておりません。つまりいかにして菩薩は菩薩行を実践すべきか、いかにして菩薩行を学ぶべきか。女神よ、どうか私に語って下さい。いかにして菩薩たちが菩薩行を実践し、いかにして菩薩行を学ぶのか。彼らはどのように実践し、どのように学んで一切智者性に達するのかを」

このように言われて、その夜の女神は善財童子に次のように語った。「善男子よ、この娑婆世界において日没の時になると、夜を安楽のうちに休息するために、満開の蓮華は華を閉じ、遊園に出かけて快楽と遊興にふける都城の女たちのすべての群は帰宅しようとの心を起こし、街道や脇道にいる衆生たちは夜の休息の中で深い思いにふけり、あらゆる世の衆生の守護を志す者となり、洞窟や森林や空洞を住処とする衆生たちは洞窟や森林や空洞の中に入り、樹木を家とし住処とする衆生たちは樹木の家なる住処に向かう者となり、くぼみを住処とする衆生たちはくぼみの中にもぐりこみ、村落や都城や都市や国に住んでいる衆生たちは村落や都城や都市や国に帰って行き、水を住処とする衆生たちは水の中に入り、他国の方角へ出かけた衆生たちは自分の国の方角へ戻ろうという気持ちを起こすのですが、これもすべて私の威力によってなのです。

さらにまた私は、善男子よ、若年にして活発な男女の群に、青春に酔いしれ、踊りや歌や器楽の快楽に酔い、諸々の欲望にふけっている衆生たちに、生老死という大きな闇の恐怖を除去するために、善根を生むことに励むことを推奨します。また私は、慳貪《けんどん》の衆生たちを布施に従事させます。戒を守らない衆生たちを持戒に安住させます。悪意の衆生たちには慈心を推奨します。心が揺れ動く衆生たちを忍辱に安住させます。怠惰な衆生たちを菩薩の精進の努力に安住させます。錯乱した心の衆生たちを禅定に安住させます。悪しき智慧の衆生たちを般若波羅蜜に従事させます。小乗を信じる衆生たちを大乗に安住させます。三界に愛着し、様々な生存の境遇の状況の輪《マンダラ》をさまよう衆生たちを菩薩の願波羅蜜に安住させます。障害に支配され、業の煩悩によって苦しめられ、福徳と智の二力を欠いている衆生たちを菩薩の力波羅蜜に安住させます。無知の闇に覆われ、「私」という考えにより無明の暗闇に入り込んでいる衆生たちを菩薩の智波羅蜜に安住させます。

さらにまた私は、善男子よ、広大な喜びを産みだす大満足の光明〔出生広大歓喜光明《しゅっしょうこうだいかんぎこうみょう》〕という菩薩の解脱を獲得しています」

善財が尋ねる。「女神よ、その菩薩の解脱の境界はどういうものですか」

答えて言う。「この解脱は、善男子よ、如来の福徳により衆生たちを（四摂事でもって）包容する智と方便の光明をもつのです。それはどうしてなのか。善男子よ、衆生たちが享受する幸福は、それがいかなる幸福であっても、すべて如来の福徳の威力によってなのであり、如来の教誡の道によって、如来の言葉を修めることによって、如来を見習うことによって、如来の威神力によって、如来の智の道を修めることによって、如来と同類の善根を植えつけることによって、如来の説法の効果によって、如来の智の日輪の光明によってなのです。実に、善男子よ、如来の種姓《しゅしょう》の浄業《じょうごう》の輪《マンダラ》の輝きによって、衆生たちの諸々の幸福は生まれるのです。

毘盧遮那如来の過去世での修行　それはどうしてなのか。なぜなら、善男子よ、かの毘盧遮那如来の過去世での菩薩行の海をすべて記憶しており、それに悟入し、それに深く入っているがゆえに、次のように知り、次のように通達しています。過去世において菩薩の位にあり(菩薩行に)専念していたその世尊が、次のような衆生たちを、つまり、「私」だとか「私のもの」という考えにとりつかれ、無明という暗闇に入り込み、誤った見解の深い荒野に迷い込み、渇愛の奴隷となり、貪欲の紐で縛られ、憎しみにより心は嫌悪しており、迷妄により不善を続け、嫉みや嫉妬に縛りつけられ、心は煩悩に満ちており、輪廻転生の大きな苦しみを味わっており、輪廻転生において貧困の苦しみに悩まされ、仏にまみえる機会ももたない、そういう衆生たちを眼にして、彼に大悲の心が生じたのです。

さらに、あらゆる衆生たちの利益のために、あらゆる世の衆生を援助し財宝でもって包容しようとの心が、輪廻転生するあらゆる衆生の援助の根源たろうとの心が、あらゆる財産への執着を離れた心が、あらゆる感官の対象に愛着しない心が、あらゆる快楽に流されない心が、あらゆる享楽への欲望を捨てた心が、あらゆる布施においてその果報を期待しない心が、あらゆる世間的な成功を追い求めない心が、因縁にうろたえない心が、注意深く求められた如実の法を瞑想する心が、あらゆる衆生の利益と帰依所を成就しようとの願いが、その如来に生じたのです。

このようにして彼は、如実にあらゆる法の自性に悟入した心で、あらゆる衆生界において大慈の心を平等に実践し、あらゆる世の衆生を大悲の雲で覆い尽くすことに努め、あらゆる衆生の世界を覆う大きな法の傘蓋の輪《マンダラ》となり、あらゆる衆生の煩悩の山を打ち砕く大智の金剛撃となり、あらゆる世の衆生に幸福をもたらす満足の衝動で意欲が育まれ、あらゆる衆生に究極の幸福を実現しようという誓願の心をいだき、衆生にそれぞれの願いや目的に応じた財物の雨を降らせることを願い、あらゆる衆生を見捨てることなく平等に専念することを願い、聖なる財宝でもってあらゆる衆生を満足させることを願い、最高の十力という智の宝を獲得することを願い、菩薩の大神通力を身につけ獲得し、菩薩の種々の大神変の雲でもって、法界の最高である虚空界の果てに至るまであらゆる衆生界に遍満し、あらゆる衆生の眼前に立ち、あらゆる種類のあらゆる援助の大雲を発散させ、あらゆる宝石の装身具の大雲の雨を雨降らせながら、例えば、あらゆる衆生たちに、それぞれの好みにあった享楽のために、種々の財物の限りない喜捨を、無量の援助のための種々の行ないを、種々多様なあらゆる布施による摂取の実践を、多種多様な財物の喜捨によるもてなしを、不可説数の援助によって生じる荘厳の完成を、種々の特徴をもつ布施の多種多様な準備を、それぞれの願いに応じて衆生を満足させることを、限りなき喜捨の規定に通達してそれぞれの願いに応じて衆生を喜ばせるものをもたらすことを、あらゆる財物を喜捨し放棄することを、間断なくあらゆる衆生を無常転変の苦しみから救済することへの専念を(次のようにして成就しました。即ち)あらゆる衆生に報恩を期待せず、心はあらゆる衆生の平等性に到達し、あらゆる衆生の心の宝石を清浄にしながら、あらゆる仏の欠けることなき善根の海に匹敵するほどのあらゆる衆生の願いに応じた援助の雨による摂事の実践を、あらゆる衆生に一切智者性の福徳の海の勢いを増大させながら、心刹那ごとにあらゆる衆生を余す所なく成熟させ教化して次々に清浄にするために、成就しました。

心刹那ごとにあらゆる国土を余す所なく次々に煩悩に汚されていない無上の仏国土の飾りで浄化された荘厳の輪で満たすために、心刹那ごとにあらゆる法の真理の海を余す所なく清浄にするために、心刹那ごとにあらゆる虚空界の地平に余す所なく遍満する智の方便を成就するために、心刹那ごとにあらゆる衆生の下に余す所なく入る智の方便を清浄にするために、心刹那ごとにあらゆる世の衆生を余す所なく教化する智の光明を得るために、心刹那ごとにあらゆる時間に余す所なく法輪を回転させるために、心刹那ごとにあらゆる一切智者の智と威神力の巧妙さを余す所なく示現してあらゆる世の衆生の援護者となるために、心刹那ごとに余す所なくあらゆる世界として数えられる所へ遊行した時にはあらゆる世界海の上に上昇したのであり、あらゆる世界海が一つに融合する時は多様な世界が膨張することを教示し、それぞれに異なった世界系譜がつながって荘厳されるときは多様な住居と身体を示し、種々の荘厳と多様な様相を示す世界において、あるいは汚染され、かつ浄化され、あるいは浄化され、かつ汚染され、あるいはまったく完全に浄化され、あるいはまったく完全に汚染され、あるいは広く大きく無量、あるいは狭く微細、あるいは高く、あるいは平坦、あるいは逆転、あるいは上方、あるいは頂上、四方八方へと多様な方角の海が一つに融合し、種々の門の無量の入口による多種多様な有り様で荘厳された、そのような世界において、広がる限りのあらゆる世界において、菩薩行を修行しつつ、菩薩の解脱が約束された位に入り終って、多様な菩薩行の神変でもって遍満するために、心刹那ごとに余す所なくあらゆる三世の仏身を他の衆生の心の願いに応じて現しだすために、あらゆる衆生に一切智者性の福徳の海の勢いを増大させながら、(菩薩行を)成就しました。

このようにして、善男子よ、尊い毘盧遮那如来が過去世での菩薩行を修めていたとき、人々は、福徳と智との資糧を欠き、世俗の中で暮らし、忘恩の輩で満ちあふれ、無知の闇で覆われ、自分とか自分のものとかに執着し、無知という暗闇や霞に包まれ、浅薄な考えが蔓延し、邪見の深い森に入り込み、因果をわきまえず、業の煩悩に支配され、輪廻の大密林に入り、苦しみの深淵に落ち込み、種々の貧窮や苦しみを味わっていました。

彼は大悲の心を起こし、広大な波羅蜜行の雲を成就し、あらゆる衆生のために善根という堅固な基盤を賞讃して輪廻の貧窮と苦しみを回避させ、偉大な福徳と智との資糧を輝かせ、原因の輪《マンダラ》についてはこれを明示し、業と法の調和の方向を実現させ、仏法の輪《マンダラ》の証得に向けて光を放ち、あらゆる衆生の決意に向けて光を放ち、あらゆる衆生の国土について説き明かし、あらゆる如来の種姓を断絶させぬことに関してはこれに専念し、あらゆる仏の教訓についてはこれを守護し、あらゆる善ならざることに関してはこれを回避させ、一切智者性の資糧に関してはこれを賞讃しながら、あらゆる衆生界に遍満して、大きな波羅蜜の雲を成就して、それぞれの願いに応じて衆生を満足させ、衆生たちを究極の法による摂取の上に安住させました。一切智者性の資糧へ鼓舞しました。偉大な菩薩の波羅蜜へ悟入させました。あらゆる聖なる宝を獲得するように手助けしました。一切智者性を歓喜する衝動で衆生たちの善根の海を増大させました。あらゆる如来の神変の門へと彼らを導入し、究極的な余す所のない安楽の摂取で摂取し、如来の威厳を現前させ、菩薩の摂取の智に安住させせました」

善財が語る。「女神よ、あなたは無上正等覚に向けて発心してからもうどれくらいになるのですか」

答えて言う。「善男子よ、その境地はなし難く、知り難く、信じ難く、入り難く、説き難く、到達し難く、神々を含む世間も、いかなる声聞も独覚も入ることはできません。ただ、如来の威神力に支えられ、そして善知識の恩顧により、心が広大な福徳と智との資糧に支えられることにより、志願の清らかさにより、下劣でなく汚れてなく正直で健全でひるむことなく、そして曇りない心により、普く照らす智の光明の心により、あらゆる衆生の利益や幸福を積み上げることに回向された心により、あらゆる魔の軍勢の誘惑が接近し難い心により、一切智者性の智の獲得が認められる心により、あらゆる生死流転の幸福を希求することなく如来の安楽を体得し、あらゆる衆生の苦しみや憂いを鎮めようと努め、如来の福徳の海に入り前進することに顔を向け、あらゆる法の自性を瞑想して虚空を境界とし、殊勝な深信の道で浄化され、輪廻の奔流に背を向け、あらゆる如来の智の海に顔を向け、法の都城へ行くことを決意し、如来の境界に近づく勇敢さをもち、仏の境地に赴くために大きく踏みだし、一切智者性の力を成就することに顔を向け、十力を獲得し終えている衆生たち、こういう衆生たち以外は、その境地には、入ることも、信じることも、理解することも、追求することも、知ることもできません。その理由は何か。善男子よ、実にこの境地は如来の智の領域であり、いかなる菩薩たちによっても踏み込めない、ましてその他のいかなる衆生たちによって踏み込めようか。しかしながら、私は、如来の威神力に支えられて、然るべき素性の衆生たちの志願を正しく浄化するために、善根を修めた衆生たちのより堅固な志願が自在力を得るように、そしてあなたの堅固な志願からの解明を求める問いに答えて、法性を転じるために説きましょう」

そこでそのとき、その夜の女神は、さらに重ねてその意義を明らかにしようとして、三世にゆきわたる如来の境地を審観《しんかん》し、以下の詩頌を語った。

仏子よ、実にあなたの問うている仏の境界は、深遠にして無辺であります。不可思議数の国土の微塵の数に等しい劫をかけても、そのすべてが語り尽くされることはありません。㈠

貪欲の衆生たち、また悪意の心の人々、そして無知の暗闇に覆われた人々、偽善と高慢によって志願の傷つけられた人々にもまた、勝者の寂静なる法性が知られることはありません。㈡

嫉妬や慳貪に服従している人々には、詐欺や策略や汚濁に傾く人々には、そして煩

悩と業の障害に覆われた人々には、この仏の境界が知られることはありません。（三）
蘊、界、処にとどまる人々には、また有身《うしん》(見《けん》)に安住する人々には、見解や思想が転倒した心には、この仏の位は知られることはありません。（四）
勝者の境界は、寂静にして知り難く、無垢と無分別をその自性とします。輪廻に執着する人々や生存に依拠する人々は、この法に精通することはありません。（五）
仏の種姓をもってその家系に生まれた人々、そしてあらゆる如来の威神力によって篤く支えられている人々、法王の家系や系譜を護持する人々、これは、実に、そういう賢人たちの境界であります。（六）
心は白浄なる法の海に満足し、善知識たちによって摂取され、心の雲は牟尼の威力を想う、そういう人々がこの寂静なる法を聴聞して受け取るのです。（七）
無垢の堅固な志願は一切の分別を離れ、あたかも虚空中の四方八方におけるが如く、あらゆる暗闇が打破され、覚知の燈火の雲となる、これはそういう無垢なる人々の境界であります。（八）
大慈悲の志願でもって普く三世に亘ってこの衆生の海に遍満する、そしてその大慈の心は衆生の一人残らずにいきわたる、そういう人々がこの勝者の道に入っている

のです。　　　　　　　　　　　　　　　　　　　（九）
一切の執着心を離れて心は歓喜し、いつもあらゆる所有物の布施を喜ぶ、あらゆる衆生たちの中にいてともに進む、これはそういう執着心のない人々の位であります。　（一〇）

心は汚染されておらず、非難されるべき行為を離れ、後悔することが完全になくなり、仏の教訓を実践することに専念する、これはそういう無垢なる人々の境界であります。　（一一）

動揺することなき心、動乱することなき心をもつがゆえに、心が法の自性から離れることなく、業の海においてさえも心が（法に）逆らうことがない、これはそういう不滅の人々の解脱であります。　（一二）

心に懈怠《けたい》なく、不退転の心で、勇気と精進において自在たらんと努め、一切智者の資糧に向けて限りなき精進をなす、これはそういう善く自己を抑制する人々の境界であります。　（一三）

心は寂静となり、三昧に入り、究極の寂滅に至って熱悩を離れ、一切智者の禅定の要素の海を修行する、これはそういう寂静に至った人々の道であります。　（一四）

心があらゆる執着から解放され、心が法の自性に通達し、勝者の法界への道に入っ

ている人々、これはそういう智慧の燈明《とうみょう》である人々の道であります。（一五）

心が衆生の自性に通達し、心が生存の海を渇望することなく、衆生の心に映る月となる人々、これはそのように道に精通した人々の解脱であります。（一六）

三世におられる勝者の海の誓願と種姓の海から出生したがゆえに、あらゆる国土において未来の果てまで修行する人々、これはそういう普賢なる者たちの道であります。（一七）

法界の真理の海によって、あらゆる世の衆生の海に、あらゆる成と壊との劫をもつ世界に入る人々、これはそういう分別を超えた人々の解脱であります。（一八）

あらゆる方向の国土の微塵の中に、無数の仏が(菩提)樹王の下に座り、菩提に目覚めて、あらゆる衆生を教化するのを見る人々、これはそういう無礙眼の人々の道であります。（一九）

あなたは、劫の大海において善知識に近侍しつつ、法を求め、法を追求して懈怠なく、ここにやってきました。法を聴聞して、それを護持することがあなたには可能であります。（二〇）

あなたの志願を清めんがために、牟尼の威神力により、毘盧遮那仏の無量で無礙なる境地が、私の口から転じられたのです。（二一）

一切法音円満蓋王の因縁譚　「昔、善男子よ、過去の時に、世界海の微塵の数に等しい劫〔世界海微塵数劫〕よりもさらに以前に、マニカナカ・パルヴァタシカ・ヴァイローチャナ〔普光明真金摩尼山〕という名の世界海がありました。その世界海にはまた、善男子よ、ジュニャーナパ・ルヴァタ・ダルマダートゥ・ディク・プラタパナ・テージョーラージャ〔普照法界智慧山寂静威徳王〕と号する如来がいました。さらに善男子よ、その如来が過去世で菩薩行を修めていたときに、その世界海が清められたのです。その世界海には、大地と山の微塵の数に等しい世界が広がっていることが明らかにされます。そのように広がった世界の一々には、世界系譜〔世界種〕の微塵の数に等しい世界があることが明らかにされます。そして、その世界系譜の一々には、世界の微塵の数に等しい劫があることが明らかにされます。そして、その劫の一々には、種々の連続した劫があることが明らかにされます。そして、連続した劫の一々には、種々の世界の差異が明らかにされ、そこに如来が出現し、種々の神変が説かれます。そして、如来の出現の一々において、世界の微塵の数に等しい経典が説かれることが明らかにされます。そして、経典の一々において、世界の微塵の数に等しい菩薩の授記が明らかにされ、周辺も中央もない衆生の教化が明らかにされ、種々の乗物の道によって、多様な神変の奇蹟による教化が転じられました。

またその普光明真金摩尼山という世界海には、サマンタ・ディガビムカ・ドヴァーラ・ドヴァジャ・ヴューハ〔普荘厳幢〕という名の中位の世界系譜がありました。さらに、善男子よ、その中位の世界系譜には、サルヴァ・ラトナ・ヴァルナ・サマンタ・プラバーサシュリー〔一切宝色普光明〕という名の世界がありました。その世界は、あらゆる如来の菩提道場を映しだす珠玉の王〔一切如来道場影像摩尼王〕が世界の境界線の荘厳となり、あらゆる宝石の華の海に位置し、その骨格はあらゆる如来の化現や出現を映しだす摩尼の王〔一切化仏影摩尼王〕であり、天上の都城のような外観をもち、浄穢《じょうえ》が相混じっていました。さらにその世界には、須弥山の微塵の数に等しい四大州から成る世界がありました。さらにその須弥山の微塵の数に等しい四大州から成る世界には、サルヴァ・ラトナ・シカラ・ドヴァジャ〔一切宝山幢〕という名の中位の四大州から成る世界がありました。さらにその一切宝山幢（という名の）四大州から成る世界には、無限数ヨージャナの百千倍もの長く広大な四つの大州がありました。その大州の一々には、一万もの大都城がありました。さらにまた、その四大州から成る世界の中のジャンブ州の中央には、ラトナサーラ・ヴューハ・メーガ・ドヴィーパ〔堅固妙宝荘厳雲燈〕という名の王宮があり、一万もの都城に囲まれていました。さらにそのジャンブ州では、人間の寿命は一万もの年でありました。さらにその王宮には、サルヴァダルマ・ニルナーダ・チャトラ・マンダラ・ニルゴーシャ〔一切法音円満蓋〕という名の転輪聖王がいました。さらにその王には五百の大臣がいました。六万の婦女の後宮がありました。七百の王子がいて、すべてが、勇敢、英雄、容姿端正、上品な顔立ち、大威徳、大威力の男たちでありました。さらに敵の軍勢や対抗者はすべて打ち負かされており、その王の一つの傘蓋が全ジャンブ州を収めていました。

さてそのときに、世界の中劫が尽きようとしており、世界には五濁《ごじょく》が現れ、十善業道《じゅうぜんごうどう》は見られず、ほとんどの衆生たちが十悪業道《じゅうあくごうどう》に従事して、悪趣に落ちようとしていました。彼らは、十悪業道を行なうがゆえに、寿命は僅少となり、享楽は甚少となり、醜いもの、色あせたもの、身体の損なわれたものとなり、安楽な行為は少なく、苦しみの行為が増え、互いに論争しあうことにふけり、互いに喧嘩しあい、悪罵を口にし、雑乱の言をはき、感官の対象への欲望に征服され、悪意をいだき、種々の邪見の深い森に入り込んでいました。彼らは、非法の貪欲に染まり、不正の欲望に征服され、偽りの教えに囲まれていたので、天は、時が至っても、雨を降らせず、よって大地には種子の類も穀物の類も生長することはありませんでした。

さらにまた、それによって、草も灌木も薬草も繁みも遊園の大樹も乾きあがり、種々の疾病にとりつかれ、衆生たちは保護を求めて、四方八方に走りまわっていました。彼らはすべてが一緒になって、かの王宮に向かい、近づき、それをぐるりと取り囲んで、ある連中は腕を高く上げ、ある連中は虚心合掌し、ある連中は身体を震わせ、ある連中は肢体を高く上げ、ある連中は頭を垂れて倒れ、ある連中は全身で平伏し、ある連中は地面に膝を屈し、ある連中は空中に腕を曲げ、ある連中は裸で衣を着けず、ある連中は醜悪な顔と眼をして、一切法音円満蓋王に向かって、悲しみの大声を発して嘆いていました。「われわれは悲惨な目にあっています。王よ、われわれは見放され、飢えと渇きに悩まされ不幸に苦しんでいます。種々の恐怖におののいています。われわれに救いはありません。王よ、われわれには頼る者も保護してくれる者もありません。苦しみの檻に閉じこめられた生活は逼迫《ひっぱく》し死に直面しています」等々の種々の悲嘆の語を、種々の声色で種々の言葉で、醜悪な顔と眼をして、口にしながら、種々の思いを表現し言葉にし請願する句でもって、種々の利益を指示し表現する句でもって、叫び声をあげていました。

また、その王宮にいた男女童子童女たちは、飢えと渇きに悩まされ、身体には装身具なく、裸で衣を着けず、ひどく青ざめており、乾いて荒れた身体で苦しんでおり、憂悩し、心になんの喜びもなく、彼らもまた、苦しみを厭いながらも苦しみの恐怖に消沈していました。彼らは、かの転輪聖王の下に、大智の人、頼るべき人として、庇護を求めてやってきました。あらゆる安楽を得ようとの思い、あらゆる愛する者との出会いを得ようとの思い、生きる希望で満たされた宝庫を得ようとの思い、指導者に出会おうとの思い、大道を進もうとの思い、大乗という船への思い、大智の宝の島への思い、大きな利益を得ようとの思い、天上のあらゆる享楽や安楽を得ようとの思いをいだいてやってきました。

かの王は、あらゆる方向からのその大勢の懇願者たちの群が発する大きな辛苦の叫び声を聞きました。聞き終ると、その王に、十百千阿僧祇数もの大悲の門が生じました。大悲の教えを決意し思念し思考した彼は、瞬時に、心が集中するのを感じて、十種の大悲に専心する語句を発しました。

どのような十種でしょうか。「(一)哀れなるかな、依拠する者をもたない衆生たちは輪廻の大きな落とし穴に落ち込んでいる。私が、彼らを如来の休息の境地に安住させることによって、その輪廻の大きな落とし穴に落ち込んでいる衆生たちの休息処となるのは、いつのことであろうか。(二)哀れなるかな、救いをもたない衆生たちは種々の煩悩の苦悩によって逼迫している。私が、彼らを過失なき行為に安住させることによって、種々の煩悩の恐怖によって逼迫して救いをもたない衆生たちの救済処となるのは、いつのことであろうか。㈢哀れなるかな、頼るものをもたない衆生たちはこの世で老死の恐怖にとりつかれている。私が、彼らのあらゆる輪廻の恐怖を消滅させることによって、頼る者をもたない衆生たちの帰依処となるのは、いつのことであろうか。㈣哀れなるかな、最後の頼りをもたない衆生たちは種々の世間の恐怖によって逼迫している。私が、彼らを究極の至福である一切智者性の道に安住させることによって、種々の世間の恐怖によって逼迫して最後の頼りをもたない衆生たちの最後の頼りとなるのは、いつのことであろうか。㈤哀れなるかな、あらゆる衆生は無明の闇黒の中にあり、愚鈍と疑惑に覆われている。私が、あらゆる衆生の無明の闇黒を消散させることによって、炬火となるのは、いつのことであろうか。㈥哀れなるかな、衆生たちは光明を欠いている。私が、あらゆる衆生に闇を離れた智の門を見させることによって、大智の光明を発するのは、いつのことであろうか。㈦哀れなるかな、智の光明を欠いたあらゆる衆生界は嫉妬や不満や策略や詐欺や不正の温床である。私が、あらゆる衆生を究極の清らかさに安住させることによって、無上の智の輝きを発するのは、いつのことであろうか。㈧哀れなるかな、導師を欠いたあらゆる衆生は大きな輪廻の海の恐ろしい奔流の中にいる。私が、あらゆる衆生を業の海の真理に悟入させることによって、導師となるのは、いつのことであろうか。㈨哀れなるかな、指導者を欠いたあらゆる衆生は正しく教化されていない。私が、あらゆる衆生をあらゆる方法で成熟させ教化するために如来の威神力の機会にめぐり会うことによって、指導者となるのは、いつのことであろうか。(一〇)哀れなるかな、案内者を欠いたあらゆる衆生は生来の盲目である。私が、あらゆる衆生を障害なき一切智者の智の真理に悟入させることによって、案内者となるのは、いつのことであろうか」

彼は、以上のような大悲に専心する語句を発すると、その王都に鐘を鳴らして宣告しました。大いなる喜捨の太鼓を響かせました。「私はあらゆる世の衆生を満足させよう。何であろうと誰かの利益になるものは、それをその人に与えよう」と。彼によって、全ジャンブ州の中のあらゆる王都にある、あらゆる村落、都城、集落、地方、町にあるすべての援助のための庫が開かれました。あらゆる四つ辻、車道、広場には種々の援助の訓示が立てられました。あらゆる人々の必需品が充分用意されました。あらゆる庫や穀倉が開かれました。大きな宝庫や宝蔵が開示されました。多くの種類の多様な宝石の山が置かれました。食物や飲物や衣や乗物や華や華鬘や香料、塗香、粉香、種々の香や色《しき》衣《え》や宝石の庫が開かれました。美しく装飾された寝具や座具や衣や邸宅や宮殿や家は、あらゆる財宝や黄金であふれ、光輝の幢という宝石の王が配列されて闇が駆逐されました。

彼は、その衆生たちの欲求に応じたあらゆる願望を満足させるために、自分と同じ姿の身体を化現して、彼らの家々に、その一々を現しました。またあらゆる衆生のあらゆる疾患を鎮めるために、医術や薬草や看護人や種々の生命に資するものや必要な手段を豊富に用意しました。またそれぞれにふさわしい種々の援助物で満たすために、多種の宝石の多彩な容器を用意しました。即ち、金剛宝の容器は多種の香料の宝玉で満たされ、多種の香料の宝玉の容器は種々の高貴で多彩に染色された衣で満たされました。数多くの乗物は多種多様な形の多彩な宝石で装飾され、良種の馬や象や牛がつながれました。またあらゆる地方の国々に、王にふさわしい種々の車、あらゆる宝石の装飾をもつ什器、そして多種の宝石の光彩をもつ種々の幔幕《まんまく》が張られ、宝石の鈴の網で覆われ、そびえ立つ傘蓋《さんがい》や幢《はた》や幡《のぼり》で荘厳された定め通りの座具が置かれました。そして、村落、都城、集落、地方の譲与を宣言しました。多くの種類の遊園や美しい庭園や神聖な森での享楽も、あらゆる住居、召使、息子、童子の喜捨も、値のつけようがないあらゆる宝石の喜捨も、自分の心臓、髄、直腸、腎臓、脂肪、肉、血液、皮膚、手足、腕、耳、鼻、眼、舌、歯、唇、頭の喜捨も、ある限りの自己の内外の一切の種類のものに至るまで喜捨することを宣告しました。

彼は、上に述べたような援助や喜捨の仕方で、大きな施しの場をつくりました。それはかの王宮の東方にあるマニシカラ・テージャス〔摩尼山光明〕という名の城門の前でありました。その場所は、幅と長さが同じで、最高に広い大地で、でこぼこが取り除かれ平坦となり、坑も断崖もなく、いかなる杭も刺《とげ》もなく、砂利や瓦礫も消え、あらゆる宝石の層の集積であり、あらゆる宝石から成る宝石の王が散布された地平であり、多種の宝石の荘厳で飾られ、多種の宝石の華が散らされ、あらゆるすばらしい香料の王の粉末で満たされ、あらゆる香料の煙で薫じられ、宝石の焔を燈火とし、光輝と威厳のあらゆる香りの幕の雲が虚空に充満して荘厳し、あらゆる宝石の樹木が列をなして配置されて輝き、多種の邸宅、宮殿、楼閣で荘厳され、傘蓋や幢幡が高くそびえ立ち、多種の宝石の絹布が垂れてきらめき、種々の宝石の華の網に覆われ、あらゆる香料の王の宝網の傘蓋の輪をもち、黄金の網の宝鈴が鳴り響き、多種の宝石で輝く幔幕が張られ、あらゆる香料の王の粉末が散布され、あらゆる宝石の華が散布されて楽しませ、百千コーティ・ナユタもの楽器がすばらしい音響を奏で、あらゆる宝石の多彩な装飾の荘厳で清められ、菩薩の〔浄〕業の果報として出現したのです。

その中心には大獅子座が出現し、その座は、十宝が積まれた多彩な大地の上に位置し、十宝の多様な欄楯が周りを囲んで輝き、十種の摩尼樹の枝から成る欄楯の内部は配置がきれいに整えられて美しく荘厳され、脚は不可壊《ふかえ》の金剛の車輪《チャクラ》の地面によってよく支えられ、あらゆる宝石に映った影像の個々の形が保持されている座の車輪をもち、多くの宝石でつくられた百の塔で荘厳され、多様な宝石をちりばめた多彩な荘厳で装飾され、あらゆる方向に配置が整えられた宝石の幢が高くそびえ、多様な宝石の幡が垂れて多彩に荘厳し、宝石の鈴の網で飾られ、多様な天上の摩尼と多彩な黄金の網が広げられ、場所に応じて種々の宝石の華の網や大きな摩尼の王の網や多彩な衣と宝石の網によって覆われ美しく荘厳され、多くの芳香の摩尼を含む水の輪から香雲が流れだし、不可思議な色と芳香の摩尼の王が散らされ、すばらしいいろいろな形のあらゆる香りの幕の雲が流れだし、辺り一面にあらゆる天上の香りが薫じられ、天上のこのうえなき快楽に触れさせる多くの色彩の摩尼宝の布が(座の上に)敷かれ、多くの百千の天上の楽器が奏でられ、あらゆる方向に演奏のすばらしい甘美な音響が響き、多様な宝石の階段は列をなす幡がきれいに配置され、欄楯で飾られて荘厳され、多くの摩尼宝がちりばめられ、種々の形に自在に変化する宝石の影像の個々の形がきらめく光明を放ちます。

その座に、かの転輪聖王は座っていました。彼は端正な容貌で、顔立ちよく、見目よく、最高に輝かしい光彩を豊富に身に帯びて、清らかな大丈夫の相を獲得し、毘盧遮那摩尼宝石の光輝を頭冠となし、不可壊の那羅延金剛のように堅固な身体をもち、頑強な脇腹で締められた骨節を内に秘め、あらゆる肢体が円満で、普賢であり、普く端麗で、普く美しく、すべてのものを完全に具え、偉大な法の王の家系に生まれ、あらゆる所有物に関する自在を獲得し、法を説く自在で浄化され、自己の心を自在に支配し、無礙の弁才の輪《マンダラ》をもち、揺るぎなき智を具え、法に基づく正しい実践を確立しており、（こ
うして彼の）限りなき功徳の賞讃が語られました。 253

さらにまた、その王が大獅子座に座っている間、頭上の虚空には大きな傘蓋の輪が出現しました。上に突き抜ける多彩な摩尼宝の柄を具え、大きな摩尼の被膜の内側にはあらゆる宝石の百千の傘骨が完全に広げられ、燃えあがる多くの光彩、威光、光明で荘厳され、ジャンブ河産の黄金の輝きを清浄な覆いとし、多様な宝石をちりばめた鮮やかな黄金の網の断絶なき荘厳に覆われ、種々の真珠の瓔珞が垂れ下がり、普く多様な宝石の網で覆われ、宝石の鈴の網や美しい色彩の摩尼の鐘に宝石の組紐の帯が結ばれて垂れ下がり、大きな摩尼宝の瓔珞をあらゆる方向に垂らして荘厳し、天上の甘美ですばらしい響きが辺り一面に流れ、あらゆる衆生を善業の道へと押し進める鐘の響きが広がりました。

その王は、宝石の払子《ほっす》で虫を払いながら、神々の王シャクラをも凌ぐ威光できらめき、輝いていました。彼がその獅子座に着座するとすぐに、あらゆる人々の群が、彼に顔を向け、合掌し、礼拝しながらたたずんでいました。

さて、その王のもとに、百千コーティ・ナユタ・阿僧祇数の衆生たちが、つまり、様々な哀願者たちが、様々な財物を一人占めにし、様々な援助物に心を傾け、様々な生まれに属し、様々な境遇に巻き込まれ、様々な欲望を心にいだき、様々な願望や志向をもち、様々な方向から集まってきて、様々な領域の享楽に近づき、様々な享楽に熱心であり、様々な志向や風習をもち、様々な人間の部類に属し、様々な家系に再生して、様々な地方から集まってきて、様々な音声や言葉や呪文を使用し、様々な音声の輪を放出し、様々な財物をほのめかして求め、様々な言葉や句を発し、その王を一つの大功徳の須弥山と仰ぎ見て、彼こそ一人の大智の人であると心を定め、大功徳に支えられ大喜捨の志願を獲得した大丈夫の月であると見上げ、菩薩の請願の心によって集まり、菩薩の誓願の心によって化現されて集まったとき、その大きな哀願者たちの集合を見て、哀願者たちの前で、その王に、憐れみの心、歓喜の心、清らかな心が生じました。善知識に会いたいとの思い、とても広大な大悲の激流が生じました。未来の果てに至る劫の間、あらゆる哀願者を満足させようとの不退転の勇気の衝動が湧きでました。あらゆる衆生に平等に喜捨を実践しようとの心の雲が衝動しました。

さらにまた、その転輪聖王は、それらの哀願者たちを眼にすると直ちに、心に大きな喜びを得ました。その喜びは、無辺際数《むへんざいすう》の劫の最後の最後まで三千世界の転輪聖王の地位を得ても得られず、百千コーティ・ナユタもの多くの劫の最後の最後までシャクラ神の威力をもつ王座を得ても得られず、百千コーティ・ナユタもの多くの劫の最後の最後まで夜摩天王の王座を得ても得られず、百千コーティ・ナユタもの多くの劫の最後の最後まで兜率天王の王座を得ても得られず、無限数の劫の最後の最後まで化楽天王の大王座を得ても得られず、不可思議数の劫の最後の最後まで(他化)自在天王の王座を得て美しい顔のアプサラス天女や魅力ある神々の娘たちの接待によっても得られず、梵(衆天)の座を得て、不可説数の劫もの間梵界での快楽の極みによっても得られず、無量数の劫の極みに至る光音天の快楽によっても得られず、無比数の劫によっても尽きない遍浄天の快楽によっても得られず、無辺数の劫の極みに至るまで浄居天での寂静なる解脱の快楽に生きても得られないほどの喜びでありました。

例えば、善男子よ、もっぱら(肉親への)愛着に専心する人がいて、父母、兄弟、姉妹、親友、親類、類族、血族、息子、娘、妻のことごとくと長い間離別して、荒野に迷い込み、彼らと再会することを望んでいるなら、その人には、彼らと再会することによって、彼らに出会った満足で、必ずや大きな喜びが生じるでありましょう、丁度そのように、善男子よ、かの王にも、哀願者たちに出会うや否や、大きな喜びの衝動が生じたのです。心の満足と安らぎがやってきたのであり、大きな心の歓喜の衝動が湧きいで、大きな喜悦の戦慄の衝動が生じ、仏のさとりへの高揚した浄信と深信の衝動の勢いが増大し、一切智者たることの根底が定まった浄信が増大し、あらゆる仏の教えに向かう志願の清浄な力が増大し、菩薩の能力の堪能さが生じ、心を悦楽で満たす大きな浄信の衝動が生じたのです。広大な心の喜悦の衝動によって善知識たる能力と志願が敏速に現れました。

それはどういう理由からでしょうか。なぜなら、かの転輪聖王に、一切智者性に依拠して修行し、一切智者性の法性に帰依し、一切智者性の道と門に向かい、あらゆる世の衆生を満足させることに専心し、あらゆる仏の功徳の海に入り取得することに向かい、あらゆる魔の行為による煩悩の障害の山を粉砕することに努め、あらゆる如来の教誡を充分に理解する段階に達しており、あらゆる善根の海を普門によって獲得しようとの努力を神髄とし、性向はあらゆる執着を離れており、あらゆる世間の事物に執着せず、あらゆる法の自性が虚空の(如しと知る)境地にあるその王に、かの哀願者たちのすべてに対して、一人息子であるとの思いが生じたからです。母であり父であるとの思いが、聖者であるとの思いが、善知識であるとの思いが、得難き人であるとの思いが、難行をなした人であるとの思いが、多くをなした人であるとの思いが、最高の援助者であるとの思いが、菩提への道を支える者であるとの思いが、師であるとの思いが、教訓者であるとの思いが生じたからです。

彼は、それらの哀願者たちのすべてを、やって来るがままに、到着するがままに、いかなるときに集まって来ようとも、いかなる方角や場所に住んでいようとも、いかなる物を乞い求めようとも、それぞれの好みに応じて、それぞれの志向に応じて、願望するがままに、求めるがままに、いかなる物を求めようとも、無礙自在に、大慈の輪でもって、哀願者の群から顔を背けることなく、大喜捨の光線で、あらゆる衆生に対する平等を実践し、喜捨の門で、満足させました。彼は、食物を求める者には食物を与えました。飲物を求める者には飲物を、衣を求める者には衣を、華を求める者には華を与えました。このようにして、香料や香煙や華鬘や塗香や抹香や衣や傘蓋や幢や幡や宝石の装身具や座具や寝具や邸宅や宮殿や精舎や庭園や遊園や苦行林を、また馬や象や戦車や歩兵や乗物や馬車も、さらには金貨や黄金や摩尼宝や真珠や瑠璃や螺貝《らばい》や玉石や珊瑚や金銀をも与えました。さらにまた、自分の住居や宮殿や後宮の侍者たちも与え、またあらゆる宝蔵を開き、配分して、「各々が望みの物を手に入れるべし」と言って、求める者たちに与えました。国を求める者には国をも与えました。村落を求める者には村落をも、都城を求める者には都城をも与えました。彼は、自分の所有物の一切を喜捨することによってあらゆる衆生に対して平等に行動し、それらの哀願者たちのすべてをあらゆる物の喜捨でもって覆い尽くしました。

またそのとき、ラトナプラバー〔宝光明〕という名の長者の娘が、六十人の娘に従われて、まさにその大きな施しの場にやってきていました。かの娘は、容姿端麗で、顔立ちよく、見目よく、最高に輝かしい光彩を豊富に身に帯び、金色の肌と漆黒の髪と眼をもち、快い香りを漂わせ、梵音を発し、すばらしい衣をまとい、すばらしい装身具で飾られ、記憶、思考、理解に優れ、恥じらい、決意、慎み深さを具え、威儀や所行を完成し、師を敬い、最高の注意深さで行動し、行動は深遠で、法を理解し実践しさとることにおいて明敏であり、過去世で善行の善根を積み、心は法で浸され澄浄となり、清浄な善き志願をもち、深信は虚空の境界の如く広大で心は他人の利益へと向けられ、仏が見られる方向に顔を向け、一切智者の智を求めていました。その長者の娘の宝光明は、一切法音円満蓋王の大獅子座を右遶し、王に頂礼しつつ、その近くに合掌して立ちましたが、しかしその娘は何も手に取りません。ひとりで立ったままの娘は次のようなことを考えていました。私の利得は既によく得られている、私はこのように偉大な善知識に出会い遭遇する機会を得たのだから、と。

その娘は、かの王の面前で、（彼こそ）善知識であるとの思いを、慈悲の人であるとの思いを、恵み深き人であるとの思いを、仏であるとの思いをいだいて、錯覚や偽りの一切ない心で最高に高揚した喜びと浄信と歓喜の勢いを得て、身体から装身具を取り去り、かの王の方へと投げました。それらの装身具は彼の足下の獅子座を囲む欄楯の中の大地の輪《マンダラ》の上に落ちました。娘はそれらの装身具を撒き散らすと、次のような誓願を起こしました。この一切法音円満蓋王がよるべなく闇黒に遭遇している衆生たちの避難所となったように、この私も未来の時にそのようになるべし、この王が知っている法性、それを私もまた知るべし、この王がそれによって出離するであろう乗物、それによって私もまた進むべし、この王が修めた道、それを私もまた修めるべし、この王が眺めて飽きることのないほど美しく、無尽の財物と無限の侍者をもち、不屈で無敵で難伏であるように、私もまたそのようになるべし、どのような境遇に彼の再生があろうとも、そのすべての境遇に私もまた再生すべし、と。

かの王は、娘が以上の如く心に思い定めたことを知って、娘を見つめて次のように言いました。「娘よ、おまえの望むものを取りなさい。私は、娘よ、あらゆる衆生を満足させるために、あらゆる所有物の喜捨を実践する」と。そこで娘は、かの王に注目されたことによって、さらなる浄信を得ました。娘は、そのとき、澄みきった心となり、高貴で広大な善根の激流が増大して、かの王に、以下の詩頌でもって語りかけました。

昔、獅子王よ、未だあなたがお生まれになられないとき、この堅固(妙宝)荘厳雲(燈)王宮は、快楽なく、光明なき場であり、またあたかも餓鬼の巣窟のように、恐

るべき所でございました。（二二）

人々は殺生にふけり、また抑制なき者たちは偸盗《ちゅうとう》にふけりました。妄語や悪口を語り、誹謗を口にし、意味のないこともしゃべっていました。（二三）

心は他人の財産を貪り、他人に悪意をいだき、邪見に依拠し、悪行に親しみ、不正を行なって悲惨な境涯に落ちます。（二四）

人々は、法に反する行為をなし、無知と迷妄と闇黒に覆われ、正見《しょうけん》の止滅により転倒して見るがゆえに、天は、多年にわたって雨を降らせませんでした。（二五）

天が雨を降らさないがゆえに、種子は実を結ばず、穀物も生長せず、また樹木も肥大せず、湖も池も河の流れも乾きあがり、草も薬草も森の大樹も乾ききりました。（二六）

とても清らかな眼の王よ、あなたが未だお生まれになられないときには、河川は余す所なく干からび、あらゆる遊園は荒野のようになり、大地は白骨であふれていました。（二七）

しかしながら、哀願者たちにあなたとのつながりが生じましてからは、実にあらゆる哀願者が満足させられました。そのとき、四方に雲が生じ、低地も台地もすべて活気づけられました。（二八）

もはや盗人も、傭兵も、無頼漢もおりません。誰も打たれず、誰も刺されません。さらに寄る辺なき人々も死に至ることはありません。あなたこそあらゆる保護なき世界の保護者であります。(二九)

(昔)人々は殺生を楽しみ、互いに他を殺害しては、その血を飲み、その肉を食らいました。そういう彼らが、あなたの賜物によって、慈悲の心の人となりました。(三〇)

そのときは、百千を数える肢体のうちの一体が衣で覆われていました。そのときは、身体を藁《わら》や木の葉の衣で覆い隠し、あたかも餓鬼のように飢餓に苦しんでいました。(三一)

しかし、あなたがこの世界の保護者として生まれられると、穀物は種も播《ま》かず耕しもせずに現れ、また如意樹は宝庫を開放し、男も女も賢者に見えるようになります。(三二)

昔は、わずかひと月や半月の糧のために、悪事を働き蓄えに励んでいました。しかし、今では、充分に着飾り高価な衣を身に着け、喜びにあふれて、あたかも神々のように遊んでいます。(三三)

以前は、男たちは邪悪で荒々しいことに従事し、不法な欲望をいだいて愛欲に染ま

っていました。女たちや娘たちは自他によって保護されながらも、毒に染まって眠りました。（三四）

今では男たちは、妙なるアプサラス天女の容貌のように美しく、立派な衣を身に着け、きれいな装身具で飾られ、身肢に白檀《びゃくだん》の香油を塗った他人の妻を眼にしても、自分の妻に満足しており、あたかも兜率天の神々のようであります。（三五）

以前は、人をだますために、偽りで耳障りで卑劣で意味をなさない言葉を語りました。今では、これらの四種の悪言（妄語、悪口、両舌、綺語）を捨て、邪見から解放されて、法を行ないます。（三六）

快い楽器や音声の響きも、かの天の合奏の響きも、妙なる音声〔梵音《ぼんおん》〕を具えたカラヴィンカの声も、あなたの音声の足下にも及びません。（三七）

あなたの頭上には傘蓋が懸かっています。宝石が密にはめこまれ、黄金の網で覆われた傘蓋は、瑠璃の柄を具え、繁栄を宿す宝庫であり、あらゆる方向に（鳴り響く）最高の宝石の鈴の網をもちます。（三八）

鈴から流れ出るあらゆる響きは、世間のあらゆる音響を凌駕し、仏の音響と同様に、妙法を声高らかに宣揚し、寂静を行じます。（三九）

それを聴聞するや、衆生たちは煩悩を鎮めます。さらにあらゆる方向に間断なく続

く仏国土の一々において、劫の海や仏の海や賢者の海の名称の輪《チャクラ》を(告げます)。(四〇)

過去の果てから次々に間断なく、仏国土および(それらの仏国土の仏の)名号を、さらにはあらゆる方向に妙法輪を、あなたの威光で、鈴は宣揚します。(四一)

あなたの鈴の音は、無礙自在に、ジャンブ州の隅々にまで充満し、梵天や帝釈天のような神々の王や世界の王たちにそれぞれの業の法則を語っています。(四二)

人間や神々は、鈴の響きが各々の業が蔵に貯蔵されていることを(告げるのを)聞くと、悪を捨て、清浄を修行し、そしてすべてが仏の菩提に安住します。(四三)

光明で輝かしい〔浄光明〕という名の王が、あなたの父上でありました。彼の妃の蓮華のように輝かしい〔蓮華光〕(という名の妃)が、母上でありました。父王は、五濁が過度になったときに、その無法の国を受け取られました。(四四)

王のために、広大な遊園がありました。華できれいに荘厳され、宝玉で飾られ、さらに一々が千本の樹木で囲まれた五百の蓮池によって荘厳されていました。(四五)

それらの一々の美しい岸辺には、千の柱がそびえ立つ宮殿がありました。千の美しい欄楯で荘厳され、網や三日月状の装飾で普く輝いています。(四六)

そのとき、無法が力を得たがゆえに、天は長年に亘って、雨を降らせませんでした。

水は蓮池に満たされず、樹木は残らず、葉や樹皮もろとも枯渇しました。(四七)そのとき、あなたが生まれられようとする一週間前から、奇瑞の相が現れました。それを観察して、衆生たちは、一切の疑いを捨てて、「実にわれわれの救済者がお生まれになられる」と語りました。(四八)

実に、王よ、夜半になると大地は六種に震動しました。非難の余地のない(という名の)蓮池の中にも、日輪の如き光明が現れました。(四九)

また五百の蓮池も八功徳水《はっくどくすい》で満たされました。樹木は、勢いよく、充分に枝を伸ばし、華や実をつけました。(五〇)

かの蓮池は、水であふれ、その林を残らず活気づけました。そのあふれた水から流れ出た激流によって、ジャンブ州が水であふれました。(五一)

樹木も薬草も穀物も草も生長しました。木々は華や実をつけました。そして、大地にある限りの種子がすべて水に浸されて成長しました。(五二)

水に浸された大地は、そのとき、そのすべてが平坦となりました。高台も低地も、地上のあらゆる地域が、そのとき、まさに平坦となりました。(五三)

坑も絶壁も、またでこぼこの場所も、そのとき一瞬にして平坦となりました。刺や砂利などのものは消え去り、すばらしい宝の種姓が現れました。(五四)

男女の群は喜びで興奮しました。そして、渇きに苦しめられていた人々は水で喉を潤しました。彼らは次のような歓喜の言葉を発しました。今日のこの安らぎはいったい誰の威徳なのか、と。（五五）

大地の王浄光明は、そのとき、王子を伴い、妃とともに大臣の群を率い、千コーティもの臣民に囲まれ、喜びで沸く遊園へと出かけられました。（五六）

園の中央にあって、とても美しい非難の余地のない（という名の）蓮池は、香水であふれていました。王は、そこの妙法への渡し場（という名の）楼閣に上り、妃とともにすごしました。（五七）

七日目の夜になったとき、まさにその夜半に水が湧き出ました。さらに山もろとも、宮殿の連なりもろとも、その同じ（夜）に、あらゆる大地が揺れ動きました。（五八）

非難の余地のない（という名の蓮池）の中央からは、千の華弁をもつ大きな蓮華が現れ出ました。その千の日輪の如き光彩の雲の網は、光明でもって、須弥山の頂上まで覆い尽くして、（五九）

その金剛の茎は清浄な衆生を内蔵し、宝玉の王の華弁は広大でしかも清らかであり、そして高価なジャンブ河産の黄金を蓮華台となし、妙香の王の燃え上がる（煙）が雄蕊でありました。（六〇）

救いの主よ、その蓮華台の上に、あなたがお生まれになられ、あなたは結跏趺坐の姿勢で、種々の要素の相好で輝き、百の神々によって尊敬されていました。(六一)

王は、大いに喜んで、楼閣の頂上から降り、あなたをいだいて妃に渡しました。そして、次のように語りました。「これがそなたの子なり、喜ぶべし」と。(六二)

あなたが世界の主としてお生まれになられたとき、コーティ(数)の宝庫が出現し、木々は財宝を解き放ち、空中には楽器が奏でられました。(六三)

ジャンブ州にあってあなたを仰ぎ見た衆生たちのすべてが、喜び満足しました。そして合掌して、「おお、あなたは寄る辺なき人々の保護者なり」と語りました。(六四)

あなたの身体からは光明が発せられ、大地を普く照らしました。世の衆生の闇黒を打ち破り、病をことごとく鎮めました。(六五)

ヤクシャやクンバーンダやピシャーチャの群、およびその他の害をなす者たち、それらはその後は一切消え去りました。猛毒をもち、生物の殺害にふける毒蛇も、そのときは、動きまわりませんでした。(六六)

損失や非難、侮辱や苦しみ、種々の災難、病、そして不慮の事故、これらがまとめて一度に鎮まり、消え去り、世間に喜悦が生じました。(六七)

そのとき、あらゆる人々が、互いに相手を母親と同様に思い、慈悲の心をもち、敵意をいだかず、害することなく、一切智者たる道に励んだのです。（六八）
法の王によって、悪趣は遠ざけられ、天界への大道が開かれました。またあなたによって、一切智者の進路が教示され、世の衆生に大きな利益がもたらされました。（六九）
大海の如き施主であるあなたに出会うことによって、われわれには最高の利得がありました。世の衆生が長い間（指導者を）失っていたときに、あなたは寄る辺なき人々の救い主としてお生まれになられた希有な指導者であります。（七〇）

さてそこで、長者の娘の宝光明は、一切法音円満蓋王を、以上の詩頌でもって、ほめ讃え、賞讃し、讃嘆した後に、幾百千回も右遶し、平伏した後、退いて、合掌して礼拝して立ちました。

そこで王は、その長者の娘を見て、こう語りました。「善いかな、善いかな、娘よ。そなたが最高の人の卓越した功徳の智の神通に悟入したとは。娘よ、最高の人の功徳を信じることのできる衆生は、どんな世界においても、得難いものである。娘よ、闇に覆われ、智が未熟な衆生たち、覚知をもたず、心が散乱し、考えが揺れ動き、精神が暗く、もともと志願が失われており、善行から逸脱している衆生たち、そういう衆生たちは、最高の人の卓越した功徳を知らないがゆえに、菩薩の諸功徳に悟入することはできないし、如来の諸功徳を想像することもできない、またあらゆる功徳の智の卓越した神通に達することもできない。娘よ、まちがいなく、そなたは、高貴な人の神通によって、このような菩薩の諸功徳に悟入し、菩提に向かって進んでいる。そなたはわれわれの王国にこのような智を身につけて生まれてきた人である、そういう人の、われわれの衆生を摂取せんとする勇気は、ジャンブ州において、（まちがいなく）実のあるものとなる」と。

さてそこで王は、大きな値のつけようのないほどの宝石や燦然と輝く種々の宝石、および値のつけようのない宝衣を、自ら手に取って、長者の娘に与えました。さらに彼女の従者の娘たちのすべてに、一人一人に、種々の宝衣を与えました。そして、こう語りました。「娘よ、この宝衣を受け取りなさい。受け取って自分で楽しみなさい」と。

そこで長者の娘は、従者たちと一緒に、両膝を地につけて平伏し、その宝衣を両手で受け取り、頭上に掲げ、引《ひ》き退《さが》って、その宝衣を身につけました。また従者の娘たちもすべて一人一人が自分の宝衣を身につけました。娘は、その宝衣を身につけると、自分の従者の娘たちと一緒に、王の周りを右遶しました。彼女たちすべての宝衣に、あらゆる星宿の光明が反映して、きらきら輝くのが見えました。人々の群は、彼女たちを見て、こう語りました。「娘さん、このあなたの従者の少女たちはとても美しい。あなたは、少女たちに囲まれて、あたかも群なす星によって荘厳された夜の女神のように、このうえなく輝いています」と」

さてそこで、かの夜の女神は、善財童子に以下のように語った。「善男子よ、どう思いますか。まさにそのとき、一切法音円満蓋王であった彼は、誰か別人でありましょうか。決してそう思ってはなりません。今ここにおられる尊き毘盧遮那如来・応供・正等覚が、まさにそのときのそういう名の王だったのです。さらに、善男子よ、あなたは思うかもしれません。まさにそのとき、蓮華光という名をもち、浄光明という名の王の妃であり、一切法音円満蓋王の母であった彼女は、誰か別人であると。決してそう思ってはなりません。妃のマーヤー〔摩耶《まや》〕が、まさにそのときのそういう名の王妃だったのです。かの自然に現れた〔化生〕童子は、彼女によって、膝の上にいだかれました。さらに、善男子よ、あなたは思うかもしれません。まさにそのとき、浄光明という名の王で、一切法音円満蓋王の父であった彼は、誰か別人であると。決してそう思ってはなりません。シュッドーダナ王〔浄飯王《じょうぼんおう》〕が、まさにそのときのそういう名の王だったのです。さらに、善男子よ、あなたは思うかもしれません。まさにそのとき、宝光明という名の長者の娘であった彼女は、誰か別人であると。決してそう思ってはなりません。私が、まさにそのときのそういう名の長者の娘だったのです。

さらに、善男子よ、あなたは思うかもしれません。まさにそのとき、そこジャンブ州に生まれ、かの転輪聖王による四種の摂取でもって摂取された、かの衆生たちは、誰か別人であると。決してそう思ってはなりません。今ここにいる菩薩たち、無上正等覚からもはや退転することなき菩薩の地に安住させられ、まさにここで、世尊の説法会に集まっているあらゆる菩薩たちが、彼らだったのです。その幾人かは初地にあり、幾人かは第二の、幾人かは第三の、幾人かは第四の、幾人かは第五の、幾人かは第六の、幾人かは第七の、幾人かは第八の、幾人かは第九の、幾人かは第十の菩薩地に安住させられているのです。彼らは、多種多様な誓願によって、種々の一切智者性への出立によって、種々の資糧によって、種々の海のような聖言によって、種々の熟達によって、種々の道の荘厳の清浄によって、種々の神変の威力によって、多様な道の荘厳によって、目的を達成しており、種々の解脱を生きることによって、この説法会において、種々の法の宮殿という住居に住んですごしています」

さてそこでかの夜の女神は、そのとき、出生広大歓喜光明という菩薩の解脱をさらに重ねて明らかにしようと、善財童子に詩頌でもって語りかけた。

勝者の子よ、私の眼は広大なのです。多くの種類の広大な(仏)国土の大海、さらに衆生たちの海をも駆けめぐり、それでもって私はあらゆる方向を観るのです。(七一)

すべてに及ぶ国土において、勝者たちが、法樹〔菩提樹〕の下に座して、無垢清浄となり、神通により十方に遍満してたえず法を説くことによって、人々を教化している(のが見えます)。(七二)

私の耳の海はとても清浄なのです。それでもって私はありとあらゆる音声を残らず聞くのです。ありとあらゆる仏によって説かれるあらゆる法を残らず、このうえなき喜悦の心で聞くのです。(七三)

私の智は(主客の)二がなく、無礙自在であり、他人の心の領域にも届くのです。世の衆生のとても広大な心の海に、一瞬にして、余す所なく、私は入るのです。(七四)

過去の果てを記憶する三昧の力によって、無量の劫の大海を私は観察します。自分および世の衆生たちの、多くの幾百もの(現世とは)異なった過去の生存の海を私は知るのです。(七五)

一(仏)国土の大海にある微塵の数に等しい劫を、また諸々の境涯に輪廻転生してい

る衆生たち、および神変に集まった人々の群とともにある仏たちを、私は一瞬にしてすべて残らず知るのです。（七六）

また私は、世間をよく知っている仏たちに、どのようにして最初の誓願が生じたか、(菩提への)出立を可能にする諸々の長い期間に亘る方便《ナヤ》によって、修行に関して成就されたことのすべてを記憶しています。（七七）

灌頂の位に達するまでの間、比類なく量り知れない多くの功徳をもつ仏たちの菩提をさとるための方便は広大です。それらのすべてに、私は一瞬にして悟入します。（七八）

善逝たちは、ありとあらゆる方便を用いて、世の衆生に無上の(法)輪を転じました。無量の功徳をもつ彼らの心の寂静が、法の常住性が彼らにとって必然であることが、（七九）

汚れなき彼らの乗物の海の道が、また広大な彼らの衆生の教化が、世界に示現されました。それらの一つ一つに、量り知れない種々の方便で、私は悟入します。（八〇）

この喜びの宝蔵に匹敵する満足の財宝の光明という(菩薩の)解脱の道を、実に百劫もの長きに亘って、私は修習しました。あなたもまた、速やかにこの道に入りなさい。

（八二）

「私は、善男子よ、この出生広大歓喜光明という菩薩の解脱を知っています。しかし私は、次のような菩薩たちの行については知りませんし、彼らの功徳を語ることもできません。つまり、あらゆる如来の足下にて、一切智者たることに向けて出立しようとの誓願の海に入り、あらゆる如来の過去の誓願の海を成就しようとの誓願を満たし、菩薩の一つの地に上ることによって菩薩のあらゆる地の海に踏み込むという勇猛果敢な智をもち、一々の菩薩行においてあらゆる菩薩行の海に遍入するほど誓願の行は清められ、一々の菩薩の解脱においてあらゆる菩薩の解脱の海に遍満し、そこを住居とするほどの自在な力をもつ、という菩薩たちであります。

行きなさい、善男子よ。まさにこの菩提道場には、サルヴァ・ジャガッド・ラクシャサー・プラニダーナ・ヴィーリヤ・プラバー〔あらゆる衆生の守護を誓願する精進の光明、願《がん》勇光明守護衆生《ゆうこうみょうしゅごしゅじょう》〕という名の夜の女神がやってきて、世尊の下にいます。その女神の下に行き、いかにして菩薩は、衆生たちを無上正等覚へと成熟させるべきか、いかにしてあらゆる仏国土を清浄にすべきか、いかにしてあらゆる如来に究極の奉仕でもって仕えるべきか、いかにして菩薩はあらゆる仏の教えを実践すべきか尋ねなさい」

そこで善財は、その女神の両足に頂礼し、女神の周りを幾百千回も右遶した後に、何度も何度も見つめて、女神の下を去った。

第三十八章　第八の夜の女神

夜の女神の願勇光明守護衆生との出会い　そこで善財童子は、願勇光明守護衆生《がんゆうこうみょうしゅごしゅじょう》という夜の女神の下にやってきた。彼はその女神が、まさしくその説法会の中で、あらゆる衆生の宮殿を映し出す摩尼の王でできた座〔普照現一切衆生宮殿影像摩尼王蔵獅子之座〕に座っているのを見た。

女神の身体を見ると、(一)その身体が法界の真実を映し出す摩尼宝石の網で覆われており、(二)身体が日月などの天体の七曜や星宿の影像を示現しており、(三)身体が衆生たちの眼にそれぞれの願いに応じて現れる姿を示現しており、(四)身体があらゆる衆生の身体の形に似せて自分の体形を現しており、(五)身体が周辺も中央もない色彩の海の広大な崇高さを視覚に示現しており、(六)身体があらゆる威儀や思考の仕方を示現しており、(七)身体が普門を眼前に現しだしており、(八)身体があらゆる方向に現前して衆生を成熟させようとしており、(九)身体が普く法の雲を轟かせる多種多様な神変をあらゆる方向に遍満させてあらゆる衆生の眼前に現れており、(一〇)身体があらゆるときに衆生の利益のために現前しうるように虚空に懸垂しており、(一一)身体があらゆる如来の足下に平伏しており、(一二)身体があらゆる衆生の善根の集積と安楽を第一としており、(一三)身体があらゆる如来に直面して法の雲を受領し記憶して、誓願の成就を完成しようとの意志から顔を背けないことを常に思い出して忘れることがなく、(一四)身体が周辺も中央もない光輝によってあらゆる方向に遍満しており、(一五)身体があらゆる衆生の闇を吹き散らす法の燈火の光明という普き(方向に)放たれた光輝を示現しており、(一六)身体が幻の如き法と無垢の智を骨格とすることを示現しており、(一七)身体が闇と塵とを離れた法を骨格とすることを示現しており、(一八)身体が幻の如き法性より生まれており、(一九)その心は法性に目覚めて闇がなく、(二〇)普門の智の光明の光輝を獲得しており、(二一)その意識の身体は究極的に苦痛なく苦悩なく、(二二)法身という不可壊なる堅固な成分から生じており、(二三)定着することのない〔無所依住《むしょえじゅう》〕如来の威神力によって本来的に汚れなく自性として無垢なる法性の身体という浄らかな身体の持主であった。

　善財童子はそういう女神を見ると、五体投地し、仏国土の微塵の数に等しい示現の仕方に思いをめぐらしながら、近くの地面で礼拝したままで、長い時間をすごした。それから善財童子は、その地面から立ち上がり、合掌して女神の身体に注目しているうちに、次のような十種の清浄なる考えを得た。そしてそれらを得ることによって、あらゆる善知識との共通性を得たのである。

それらの十種とは何かといえば、即ち、(一)善知識について自己の心であるとの考えを得た。(というのも)一切智者性に向かって邁進する勇気の住処となり、あらゆる外境〔所縁《しょえん》〕といつも結びつくためにである。(二)(善知識について)自己の業が熱した結果であり清浄な自性であるとの考えを得た。善知識に奉仕して広大な善根の集積を成就するためにである。(三)(善知識について)菩薩行の荘厳であるとの考えを得た。あらゆる誓願を荘厳し菩薩行とともにあるためにである。(四)(善知識について)あらゆる仏の法の完成であるとの考えを得た。あらゆる善知識が忠告する道を実践するためにである。(五)(善知識について根と境との)接触(による感覚)の生起であるとの考えを得た。あらゆる仏の境界である無上の法の熟慮の光明を示現するためにである。(六)(善知識について)一(乗)による出離であるとの考えを得た。普賢乗によって出離するための誓願と行とを浄化するためにである。(七)(善知識について)一切智者の福徳の海の源泉であるとの考えを得た。あらゆる善き法を取得し増大させるためにである。(八)(善知識について)欠けることなき善き法の成就であり増大であり保持であるとの考えを得た。仏の菩提に向かって一切智者の智と勇気の衝動を増大させるためにである。(九)(善知識について）あらゆる善根の成就であるとの考えを得た。あらゆる衆生のあらゆる願望を満足させるためにである。㈩善知識についてあらゆる利益を成就するものとの考えを得た。あらゆる菩薩の法の自在に安住させるためにである。

仏国土の微塵の数の菩薩の共通性　これら十種の清浄な考えを得た。そしてそれらを得ることによって、その夜の女神が得ている菩薩の共通性を、仏国土の微塵の数だけ、善財童子は得たのである。それらは即ち、㈠十方のあらゆる如来を三世に亘って憶念する仕方という点での、憶念の共通性である。㈡あらゆる法の海の真実の無区別性を確信するという点での、覚知の共通性である。㈢あらゆる如来の法輪の輪《マンダラ》の理解に到達してその無区別性を見分ける巧みさという点での、了解の共通性である。㈣虚空の如き正しい覚知によってあらゆる三世の真理《ナヤ》の海を照らし出す光明を獲得するための、覚知の共通性である。㈤あらゆる菩薩の能力〔根〕の海によって智の光明を獲得するための、根の清浄の共通性である。㈥あらゆる気質の衆生を摂取するという荘厳によって、また菩薩の道の功徳に励むという荘厳によって道を実践するための、心の清浄さの共通性である。㈦如来の智の境界を照らす光明を得るための、境界の共通性である。㈧あらゆる点で（一切を知る）一切智者性の真理の海に入る道を照らす光明を得るための、真理への随順の共通性である。㈨あらゆる法の自性を智でもって洞察することを得るための、意義の洞察の共通性である。(一〇)あらゆる障害の山を粉砕するための、無畏の共通性である。

(一一)衆生たちの願いに応じてそれぞれに異なった身体を示現し多様な相好をもつ身体の清浄さを得るための、色身の清浄さの共通性である。(一二)菩薩の諸力を完成し一切智者たる基盤を増大させるための、力の共通性である。(一三)心や願いが虚空の如く清浄であるための、あらゆる法の真理の海における無畏の共通性である。(一四)あらゆる劫に亘って菩薩行とともにあって倦怠なきことを得るための、精進の共通性である。(一五)あらゆる法を知る障りなき智の光明を得るための、弁才の共通性である。(一六)あらゆる衆生を超越する身体の清浄さのための、無敵の威力の共通性である。(一七)あらゆる説法会を満足させるという清浄さのための、恐れなく勇敢に語ることの共通性である。(一八)あらゆる法の真理の海の響きを轟かすための、音響の共通性である。(一九)あらゆる衆生の言語表現や習慣の方便の海においての、音声の清浄さの共通性である。(二〇)如来の教誡に従い功徳に励むという清浄さにおいての、功徳の清浄さの共通性である。

(二一)無過失の行為の成熟した結果という清浄さのための、仏の法と行為の系譜に背かないという共通性である。(二二)あらゆる仏の出生と転法輪のための、法の智の位〔智地〕を確立する共通性である。(二三)あらゆる如来の境界と智から離れないための、禁欲〔梵行〕の清浄さの共通性である。(二四)種々の慈悲の行為でもって一々の心刹那にあらゆる衆生の海に遍満するための、大悲の心の共通性である。(二五)あらゆる衆生界を庇護しようとして法の雨を降らすための、大悲の行為の海に入ることの共通性である。(二六)あらゆる衆生を成熟させる方便の熟達の類似性のための、身体の業の共通性である。(二七)あらゆる法を言説しようと願望することにおいての、言葉の業の清浄さの共通性である。(二八)あらゆる衆生の心に一切智者という対象をもたらすための、心の業の共通性である。(二九)あらゆる仏国土において多様なあらゆる荘厳で装飾する(ための、荘厳の)共通性である。(三〇)あらゆる仏の出生の海の中であらゆる如来に親近するための、親近することの共通性である。

(三一)あらゆる如来に法輪を(転じることを勧請《かんじょう》するための)、勧請の共通性である。(三二)常にあらゆる如来にあらゆる供養でもって仕えるための、供養の共通性である。(三三)あらゆる衆生界においてあらゆる衆生を成熟させ教化する(ための、教化の)共通性である。(三四)あらゆる衆生のために法の真実を(照らす光明を得るための)、光明獲得の共通性である。(三五)あらゆる三昧の方便の海に(入るための)、三昧獲得の共通性である。(三六)菩薩行を実践し神変を示そうとあらゆる仏国土の海に遍満するための、普き遍満の共通性である。(三七)あらゆる菩薩の神変の真理の海という点での、菩薩の精舎の共通性である。(三八)あらゆる菩薩行の中に住むという点での、侍者の共通性である。(三九)あらゆる世界にとても微細に悟入するという点での、悟入の共通性である。(四〇)あらゆる仏国土の広大さ(を知るという点での)、心の分別の共通性である。

(四一)あらゆる仏国土の海に入りそれぞれの違いに通達するという点での、多種多様な通達の共通性である。(四二)あらゆる仏国土を区別する無限の智が顕現するという点での、普く真理《ナヤ》を弘めることにより遍満するという共通性である。(四三)あらゆる仏国土(の上に昇るという点での)、上昇の共通性である。(四四)あらゆる方向に遍満して融合する威神力から退転しないための、不退転の共通性である。(四五)あらゆる仏が菩提道場でさとりを開いたのと同じ智の輪《マンダラ》の光明を得るための、闇を吹き消すことの共通性である。(四六)あらゆる仏の説法会の海(に入るという点での)、到達の共通性である。(四七)不可説数の仏国土の如来たちに仕え供養に励むという点での、あらゆる仏国土の集合に網のように遍満することの共通性である。(四八)法の真理の海の一々から一時も離れないという点での、智の現前の共通性である。(四九)正しい方向に向かうためにあらゆる法の真実に直面することに励むという点での、修行の共通性である。(五〇)法を求める激しい意欲でもって出立することの清浄さという点での、探求の共通性である。

(五一)身体、言葉、心の(三《さん》)業《ごう》でもって仏の功徳を荘厳することを誓うという点での、清浄さの共通性である。(五二)不平等ではないと思考する心の輪とあらゆる法を知る智の輪の清浄さという点での、善き心の共通性である。(五三)あらゆる善根や資糧を準備し完成させようと励む点での、精進の共通性である。(五四)あらゆる菩薩行を完成するという点での、行の荘厳の共通性である。(五五)あらゆる法の真相を洞察するという点での、無礙自在な思考の共通性である。(五六)法を熟慮し、智による神変をいたるところで演じるという点での、善巧方便なる手段の共通性である。(五七)それぞれの願いに応じて衆生たちを平等に見ることの体得という点での、知覚と認識の領域の清浄さの共通性である。(五八)あらゆる法の瞑想を獲得するという点での、菩薩の三昧の門を獲得することの共通性である。(五九)あらゆる如来がいつも隣人であるという点での、(如来の)威神力の共通性である。(六〇)あらゆる仏や菩薩の地を獲得するという点での、地に到達することの共通性である。

(六一)あらゆる菩薩のそれぞれに異なった(地)に安住するという点での、安住の共通性である。(六二)あらゆる仏の授記を受けるという点での、予言の共通性である。(六三)一心刹那にあらゆる三昧の海の真理《ナヤ》(に入る)という点での、三昧の共通性である。(六四)多様な特徴をもつ仏の所行を(示す)という点での、三昧のそれぞれに異なった(段階)に安住することの共通性である。(六五)あらゆる正念の基盤に導く方便の海(に入る)という点での、正念の共通性である。(六六)未来の果てまでの劫に亘って菩薩がなすべきことをなそうと決意するという点での、菩薩の修行の共通性である。(六七)無量の仏智を深信して歓喜の興奮の海を増大させるための、浄信の共通性である。(六八)あらゆる障害の山(を粉砕する)ための、(力を)増大させることの共通性である。(六九)仏智という無限の資糧を生じるための、不退転の共通性である。(七〇)あらゆる衆生を成熟させ教化するため時に応じて(生まれる)という点での、出生の共通性である。

(七一)一切智者性の真理の門という点での、精舎の共通性である。(七二)法界の真理において威神力の領域に踏み込むという点での、領域の共通性である。(七三)あらゆる執着を離れた心を得るための、無執着の共通性である。(七四)法の平等性を知る智に入るという点での、あらゆる法を説くことの共通性である。(七五)あらゆる仏の威神力を自分の身に常にこうむるための、勤行《ごんぎょう》の共通性である。(七六)あらゆる衆生に(菩薩行を)知らしめる方法という点での、神通力の共通性である。(七七)あらゆる方向の国土海に入るという点での、業の蓄積がもはやありえないという神通を得ることの共通性である。(七八)あらゆる陀羅尼の海の光明を得るための、陀羅尼の段階に達することの共通性である。(七九)あらゆる経典の法を説く言説(を理解する)という点での、あらゆる仏の法輪の密意に悟入することの共通性である。(八〇)虚空の如きものと法を洞察するという点での、深遠なる法を洞察することの共通性である。

(八一)あらゆる広がる限りの世界(を照らす)という点での、光明の共通性である。(八二)衆生たちの願いに応じて(姿を)現すという点での、歓喜させることの共通性である。(八三)国土を神通力(で震動させ、)神変を衆生たちに示すという点での、震動の共通性である。(八四)見ること、聞くこと、追憶することにおいて衆生たちを教化するという点での、有益な行為をなすことの共通性である。(八五)あらゆる誓願の海の真理を成就し十力(をもつ如来)の智に目覚めるための、出離《しゅつり》することの共通性を彼は得た。

こうして善財童子は、その夜の女神を見て、心が清澄となり、これらの十種の(善知識についての)清浄な考えを得たがゆえに、上記のものを初めとする、仏国土の微塵の数もの、女神が得ている(菩薩の)共通性を獲得したのである。

そこで善財童子は、女神(の身体)が仏国土の微塵の数だけ現れることの方便に悟入し、周辺も中央もない善知識についての(十種の)清浄な考えを獲得し、仏国土の微塵の数の(菩薩の)共通性の方便に悟入し終って、一方の(左)肩を袈裟《けさ》で覆い、女神に向かって合掌して礼拝した後、次のような詩頌を述べた。

例えば私の心に無礙自在の力が生じ、私にとても堅固で不退転の菩提を求める意志が生じたように、あなたの心に生じたのと同じものが、女神よ、今、私自身のもの

として確かに生じました。（一）
私はあなたの見目麗しい姿を見て、邪悪は残らず浄化され、美しく輝かしい果報が得られ、不滅の白浄の法が集積されました。（二）
私の心はあふれるほどの功徳で荘厳され、様々な衆生を利益する道を進むことによって荘厳されて、あらゆる国土において、未来の果てに至る劫の間、私は菩薩行を修めるでしょう。（三）
聖者よあなたは、私を利益するために、あらゆる法の成就を明らかに示されました。さらに私のために恩寵をとの思いでもって、最高の法の教訓を与えて下さい。（四）
悪趣に落ちる道は遠ざけられ、清浄なる天界への道が示されました。さらには、余す所なき如来たちが（進むべき）道として後を追った一切智者たることへの道も、あなたによって明らかにされました。（五）
今あなたの下で、私には、無比にして希有な最高の出離の思いが生じました。一切智者性の法門は、虚空の如く無垢にして無量であり、清浄であります。（六）
一切智者性は美しい（福徳の）無量の蔵であるとの思いが、今あなたによって、私の心に生じました。虚空のように広大な福徳の海（の思い）が、心刹那ごとに私の心に生じます。

聖者よ、波羅蜜でもって私を成長させて下さい。不可思議な福徳でもって私を増進させて下さい。あらゆる功徳と福徳でもって増進して、私はほどなく一切智者の絹布を得るでしょう。（七）

実に私はいつも、善知識の下で一切智者性への道を成就しようとの思いをいだきます、このゆえに私にはあらゆる清浄なるものの成就が速やかに実現するでしょう、と。（八）

このゆえにあらゆる利益が生じ、善き功徳の修得を成就し、この喜ぶべき無限の功徳をもつ一切智者への道を私は衆生たちに説くでありましょう。（九）

無量の功徳の人よ、あなたは私の師であり、私を一切智者の法に導く人です。コーティ・ナユタ・阿僧祇数もの劫をかけても、聖者よ、私はあなたの恩に報いることはできません。（一〇）

（一一）

そこで善財童子は、以上の詩頌を述べてから、その夜の女神に尋ねた。「女神よ、あなたはこのような不可思議な菩薩の解脱の境界を私に解き明かしました。どうか教えて下さい、この解脱の名を。あなたが無上正等覚に向かって発心されてからどれほどの時が過ぎたのですか、またあとどれほどであなたは無上正等覚を完全にさとられるのでしょうか」

このように尋ねられた女神は、以下のように童子に答えた。「善男子よ、この解脱は、あらゆる衆生を成熟させ、（彼らの願いに応じて目覚めさせ）善根を産み出すように勧告する〔教化《きょうけ》衆生《しゅじょう》令《りょう》生《しょう》善根《ぜんこん》〕という名であります。私は、善男子よ、この解脱を修得しあらゆる法の自性の平等性に目覚め、あらゆる法の本性に悟入し無所依の法に依存して、私はあらゆる世間から離れたものとなり、諸法のみごとに区分され分配された美しさに悟入して、私は不調和のまったくない色相となり、色あせることなき色相となり、識別を超えた色相となり、青色でなく黄色でなく赤色でなく白色でなく、法性に悟入して、私の身体は多様な色彩が調和した美しさとなり、多彩な色彩をもつがすべてが調和した単一性をもち、異質性はなく、識別できず、青色でなく黄色でなく赤色でなく白色でなく、多様な色相であり、無量の色相であり、清浄な色相であり、あらゆる荘厳（の光）を放出する色相であり、普き（方向に）見える色相であり、あらゆる衆生に相似する色相であり、あらゆる世間に現前して余りある色相であり、普き（方向に）光明によって顕現する色相であり、見て好ましい色相であり、相好でよく清められた色相であり、申し分なき行状の輝きをもつ色相であり、大力勇猛を示す色相であり、近づき難く深遠な色相であり、あらゆる世間が(賞讃しても)尽きることのない色相であり、心刹那ごとに変色する色相であり、多様な色彩の雲を現す色相であり、多様な美しい容貌の色相であります。

無量の神変を演じる色相であり、とてもすばらしく光り輝く色相であり、あらゆる美しい容姿を増大する色相であり、あらゆる衆生を成熟させるのに適切な色相であり、それぞれの願いに応じて教化されるべき(衆生の下に)現前し教化されたものとするのに巧みな色相であり、無礙自在に普き(方向に)顕現する色相であり、清らかで無垢で寂静な輝きの色相であり、不可思議な法の真実《ナヤ》を明らかにする色相であり、何物にも凌駕されることなくあらゆる点で卓越した色相であり、闇の暗い陰なき色相であり、あらゆる闇黒を破る色相であり、あらゆる清浄なものによって獲得された色相であり、偉大な功徳の海の色相であり、過去の尊師を崇拝して獲得された色相であり、卓越した志願の虚空の如く清浄な(色相)であり、最高で最善で最も広大な色相であり、切断されることなく尽きることなき功徳の海を示現する色相であり、あらゆる世界に依存せず混合することなき色相であり、無礙自在にあらゆる方向に遍満する色相であり、不可説数の国土海に心刹那に広がり多数の多様な身体の海を示現する色相であり、あらゆる衆生に大きな喜びの興奮を増大させる色相であり、あらゆる衆生の海を摂取する色相であり、あらゆる毛孔から放出された雲が余すことなく仏の功徳の海を響きわたらせる色相であり、あらゆる衆生の志願と浄信の海を清める色相であり、あらゆる法の確定された意味を明らかにする色相であり、多様な色彩の光線の網で光り輝く色相であります。

広がる限りの虚空に無垢に輝く色相であり、清らかな摩尼の王のように汚れや曇りのない光明を基盤とする色相であり、無垢の法性が現れ出る色相であり、無類の色身の真実の海が多彩に現れ出る色相であり、普くあらゆる方向に光り輝く色相であり、時に応じて衆生の前に現れて(しかも衆生と)混合しない色相であり、寂滅と自制の力から生じた色相であり、あらゆる煩悩を鎮める色相であり、あらゆる衆生に福徳の田を示現する色相であり、あらゆる恐怖を鎮める色相であり、(身体の)効能があらゆる衆生に遍満する色相であり、偉大な智の威力を示現する色相であり、無礙自在の身体でもって普く遍満する色相であり、普く(遍満して)崇高な身体の効能を衆生たちに示現する色相であり、大悲の海に到達した色相であり、大福徳の須弥山に到達した色相であり、いかなる世界にも居住せずにあらゆる輪廻の境涯に姿を現す色相であり、大智の力で(世間を)浄化する色相であり、あらゆる世間を憶念し衆生とともに住む色相であり、あらゆる宝石のように輝く色相であり、普き光を内蔵することを示現する色相であり、あらゆる衆生が浄信するのにふさわしい色相であり、一切智者性の形相が現前する色相であり、ほほえむ眼で衆生が浄信する色相であり、あらゆる宝石で荘厳され美しく輝く色相であり、惜しみなき光明にあらゆる衆生が凝視できない色相であり、制限されることなく固定されることなき色相であります。

威神力による神変の威力を示現する色相であり、あらゆる種類の神変の威力を示現する色相であり、如来の善根を照らし出す色相であり、過誤なきあらゆる法界の真理の海に広がる色相であり、あらゆる仏の説法会に赴き姿を現す色相であり、多様な色彩の海を完成した色相であり、善行より流出し生まれ出た色相であり、教化にふさわしい指導をする色相であり、あらゆる世界が見飽きることのない色相であり、多彩な美しい輝きで光る色相であり、あらゆる三世の色彩の海を示す色相であり、あらゆる色彩の光線の海を放出する色相であり、不可説数の色彩の光明の輪の海の多様な意味の異質性を示す色相であり、あらゆる芳香の光明によってあらゆる世界を超越する色相であり、一々の毛孔より不可説数の仏国土の微塵の数に等しい日輪の雲を現す色相であり、無垢の月輪の形の雲を威神力で現しだす色相であり、須弥山の雲のような無数の光り輝く華を放出する色相であり、多様な華鬘を産出する樹木の雲からあらゆる装飾の華鬘の雨を放出する色相であり、あらゆる宝石の蓮華の雲を示す色相であり、あらゆる芳香と香煙の霧状の雲であらゆる法界に遍満する色相なのであります。

私は、一念の瞬間ごとに、あらゆる抹香の蔵の雲を威神力で現しだして、十方のあらゆる法界の真理の海に遍満し、見ることによって教化されるべき衆生たち、あるいは聞くことによって教化されるべき衆生たち、あるいは記憶することによって教化されるべき衆生たち、あるいは法輪の化現を演じることによって教化されるべき衆生たち、あるいは親しく仕えた後成熟させる時がきて教化されるべき衆生たち、あるいは色身を示すことによって教化されるべき衆生たち、あるいは奉仕させることによって教化されるべき衆生たち、あるいは理解させることによって教化されるべき衆生たち、あるいは種々の神変の奇蹟を演じることによって教化されるべき衆生たち、あるいは不可思議な神変の奇蹟を現し演じることによって教化されるべき衆生たち、これらの衆生たちが、志願を得るために、(教化にふさわしい)時に出会うために、不善行を捨て去るために、善行を生じ善行を定着させるために、往昔の大誓願を成就するために、一切智者性の威力を得るために、菩薩の解脱の広大な神変を得る法のために、あらゆる衆生を救済するために成就された大悲の威力を産み出すために、大慈の海の清浄さを産み出す志願のために、如来の威神力を受けんがために、(以上の種々の色相を)私は完成します。

こうして私は、この教化衆生令生善根という菩薩の解脱に安住し、区分されることなき法性に悟入し、周辺も中央もない身体の色相の有り様を明らかにし、一々の修行(を示現するために)身体から周辺も中央もない色相の海の輝きを示現し、一々の修行(を示現するために)色相の周辺も中央もない光線の雲を放出し、(一々の光線から周辺も中央もない)仏国土の影像を示現し、一々の仏国土において周辺も中央もない如来の出現を示現し、一々の如来が演じる周辺も中央もない神変を示現しながら、私の過去世での善根を(衆生たちに)勧めます。さらに私は、未だ植えられていない善根はこれを植え、既に植えられた善根はこれを成長させ、成長した善根はこれを成熟させます。そして心刹那ごとに、周辺も中央もない衆生界を無上正等覚という不退転の地に安住させます。

さらにまた善男子よ、あなたはまたこうも尋ねました。「女神よ、あなたが無上正等覚に向けて発心してどれほどになるのですか、何百劫も以前からあなたは菩薩の修行を修めているのですか」と。その問いについても、私はあなたのために、仏の威力によって説き明かしましょう。菩薩たちの智の輪《マンダラ》は、善男子よ、妄想や妄分別の領域を離れています。そこにおいては輪廻が長いとも輪廻が短いとも想定され、認識されることもありません。劫が汚れることも劫が清められることも、劫が減少することも劫が増大することも、劫が多数となることも、劫が多様になることも、劫が雑多になることも、劫が各々異質になることもありえず、またそういう知識もありません。

それは何故でありましょうか。菩薩たちの智の輪は、善男子よ、本来的本性的に清められており、あらゆる観念の網から解放されており、あらゆる障害の山を越え、思いのままに昇ります。それはまた、あらゆる教化されるべき衆生のために、それぞれの願いに応じて成熟させるにふさわしい時に、光明で照らします。それはあたかも、善男子よ、日輪そのものには昼夜が数えられることなく昼夜が共住することはありませんが、日輪が没した時に夜が知られ夜(の数)が増大し、日輪が昇った時に昼が知られ昼(の数)が増大するように、善男子よ、妄分別を離れた菩薩の智の輪にもまたあらゆる妄想や妄分別や誤った分別などありえず、あらゆる生死流転の世界(の区別)や住む場所(の区別)も意識されず、またあらゆる三世(の区別)も知られないのです。

しかしながら、菩薩の志願から発する妄分別を離れた智の輪の光明によって、あらゆる衆生をふさわしい時に成熟させるという動機から、劫(の区別)や住む場所(の区別)や生死流転の世界(の区別)が意識され数えられる数も増大します。そして、妄分別を離れた智の輪の中に過去の果てから未来の果てに至るまでの劫(の区別)や、住む場所(の区別)が意識されその数も増大するのです。またそれはあたかも、善男子よ、空中高く昇っていても日輪は、あらゆる宝石の山に、あらゆる宝石の樹木に、あらゆる宝石の王に、あらゆる宝石の蔵に、あらゆる海の中に、あらゆる泉や湖の中に、あらゆる美しく澄んだ水槽の中に、あらゆる衆生の心の中に、その影像を現して認識されるように、衆生たちの眼前に見えるものとなります。さらに日輪は、(国土の)微塵の数に等しいあらゆる宝石の中にその影像を現すのが見られます。

しかしながら、日輪は宝石の山の中にあるのではなく、あるいは宝石の樹木の中にでもなく、乃至、(国土の)微塵の数に等しいあらゆる宝石の中に入り込むのでもありません。摩尼宝石の粒の中に入るのでもなく、宝石の蔵に入るのでもなく、海に入るのでもなく、あらゆる水の容器の中に入り込むのでもありません。しかし、あらゆる所に入り込んでいるのが見られるように、善男子よ、生存の海から出離した菩薩摩訶薩《ぼさつまかさつ》もまた、如来の法界という虚空に昇っていても、法の自性という虚空に住んでいても、寂静という虚空に居住していても、衆生たちを成熟させ教化するという目的のために、あらゆる衆生と同じ身体をもってあらゆる生存の境涯の中に誕生するのが見られます。

しかし、輪廻の汚点に汚されることなく、生死流転の苦しみに苦しめられることもなく、妄想や妄分別と結び付くこともなく、またそういう菩薩には劫についても長いとか短いとかの思いは生じません。それは何故でありましょうか。実に菩薩は、徹頭徹尾いかなる錯乱もなく、観念と心と見解の錯乱を超越しています。あらゆる世界は夢の如しと真実の智によってあるがままに見て、あらゆる世界は幻の如しと洞察し、無衆生界の智を得ており、あるがままに法を見ていますが、とても広大な慈悲の心と偉大な誓願とに促され、衆生を成熟させ教化するという目的のために、あらゆる衆生の眼前に姿を現します。

善男子よ、あたかも大河などの水面に絶えず衆生を渡すことに従事して休息することのない渡し船があって、その船は寿命ある限り、この岸にも停泊せず、彼方の岸にも停泊せず、また河の中流にとどまることもないように、善男子よ、菩薩は、大きな波羅蜜という船の力でもって、輪廻という河の流れからあらゆる衆生を救済する道を進んでおり、菩薩はこの岸を恐れることもなく、彼方の岸を安穏とも思いません。それでも菩薩は、無量のあらゆる劫に亘って揺るがぬ決意でもって菩薩行から離れず、絶えず衆生を救済する道を進んで、それぞれの劫の異質性に執着する(ことなく、あらゆる)劫を超える長い時間という思いにも執着せずに、菩薩行を修めます。

善男子よ、あたかも法界のように広大な空界の虚空の全領域《マンダラ》は、あらゆる世界が帰滅する時にも、生成する時にも、あるいは経過する時にも、妄分別なく、本性的に清浄であり、汚染されることなく、閉鎖されることなく、退くことなく、長も(短も)なく、洞察されることもなく、未来の果ての時まであらゆる(仏)国土を支えているように、善男子よ、菩薩の志願および智という天穹の全領域は、偉大な誓願という旋風(風輪)に乗って、あらゆる邪悪な境涯に落ちないように衆生たちを支えながら疲れることなく、善い境涯への道に導きながらひるむことなく、一切智者性への道に安住させながら衰弱することなく、あらゆる煩悩に当惑することなく、輪廻の汚点に汚染されることもありません。善男子よ、あたかも魔法によって化作された人には、すべての肢体を満足させてはいても、身体に宿る十法が認知されない(ように)。

十法とは何か。即ち、入息、出息、寒、熱、飢え、渇き、悦び、憂いに包まれた状態、生老病死、そして苦痛(であり、これらの十法が)認知されません。このように、善男子よ、菩薩は智によって幻に熟達した肉体をもち、雑乱なき法界を身体となし、あらゆる生存の境遇に生まれ出でて、あらゆる劫に亘ってあらゆる衆生を成熟させるために衆生とともに生きているのですが、その肉体には十法は認知されません。十法とは何か。即ち、輪廻を願うこと、輪廻のあらゆる生存の境涯に生まれ出ることを厭うこと、快楽にふけり親しむこと、憎しみをいだくこと、享楽を求めること、あらゆる煩悩によって苦しむこと、苦痛を感じること、悪趣に生まれることに対する恐怖、生存を願うこと、そして(生存への)執着であります。

さらにまた私は、善男子よ、未来の菩薩たちが広大な菩薩の誓願(を成就して)その力を助長するようにと願って、仏の威力によって、次のことを説き明かしましょう。

法輪音虚空燈王如来と善伏王子の因縁譚　昔、善男子よ、世界海の微塵の数に等しい劫をさらに超えた過去の時に、ラトナプラバー〔宝光〕という名の世界がありました。さ

374

らに、善男子よ、その宝光という名の世界には、スプラバ〔善光〕という名の劫が生じました。さらにこの善光という名の劫において、一万もの仏たちが出現しました。実に、善男子よ、その一万もの仏たちの最初に、ダルマチャクラ・ニルゴーシャ・ガガナ・プラディーパラージャ〔法輪音虚空燈王〕と号する如来・応供・正等覚が世に出現しました。その如来は、明行足・世間解・調御丈夫・天人師・仏・世尊でありました。その彼によって最初に無上正等覚がさとられたのです。

さらに善男子よ、実にその如来は、四大州から成る世界の中央にあるラティヴューハー〔喜びの荘厳、宝荘厳〕という名の王宮の近くで生まれました。その宝荘厳という王宮の東には、スプラバ〔善光明〕という名の林がありました。その善光明という林の中に、ラトナ・クスマメーガ〔宝華〕という名の菩提道場がありました。その宝華という菩提道場に太陽の如き摩尼の蓮華台の獅子座〔善光明摩尼蓮華蔵獅子座〕が現れ出ました。まさにその座に座って、かの尊き法輪音虚空燈王如来は無上正等覚をさとったのです。そのとき、人間たちには、一万もの寿命がありました。さて世間においてあらゆる殺生が出現し、あらゆる偸盗、邪淫、妄語、綺語、両舌、悪口、貪欲、瞋恚、邪見が出現し、以上の十種の不善業道が増大し、定着していったときに、かの尊き法輪音虚空燈王如来は、千歳に満ちる間、菩提道場にて、過去の仏に奉仕した世間の王たちやジャンブ州に住む人間たちの善根を成熟させるために、菩薩たちに法を説いたのです。

そのとき、かの王宮には、ジャヤプラバ〔勝光〕という名の王がいました。その王によって多くの幾百千もの、盗みを犯す者たち、盗賊たち、犯罪者たち、殺生する者たち、邪淫を犯す者たち、妄語の者たち、綺語の者たち、両舌の者たち、悪口の者たち、貪欲の者たち、瞋恚の者たち、邪見の者たち、不法な快楽にふける者たち、邪悪な欲望に負けた者たち、不正や不法を犯す者たち、罪を犯す者たち、凶暴な者たち、善行をなさない者たち、恐れず大胆な者たち、母を敬わぬ者たち、父を敬わぬ者たち、沙門を敬わぬ者たち、婆羅門を敬わぬ者たち、聖者を敬わぬ者たちが、調伏のために、牢獄に投げ込まれていたのです。

さらにその勝光王にはヴィジターヴィン〔善伏〕という名の王子がいました。王子は、端正な容姿で魅力のある容貌をもち、最高の美形の卓越さを身につけ、二十八の大丈夫の相を帯びていました。さて、大勢の群なす侍女たちに囲まれて、サラスヴァティ・サンギーティ〔弁才天の楽堂〕という楼閣に上っていた王子は、牢獄に閉じ込められて、いろいろな締め具で堅く縛られているかの衆生たちの恐怖の叫び声を聞きました。それを聞いて、身震いし、恐ろしくなり、深く同情した彼は、楼閣から降り、その牢獄へ入り、牢獄の奥底に投げ込まれていた衆生たちを見ました。彼らは、いろいろな木の枷や鉄の枷や縄や輪や鎖や轡《くつわ》などの締め具で縛られ、互いに身体をつながれて深い闇に投げ込まれ、煤煙《ばいえん》の闇に覆われて悪い空気で身体を害し、手足は血脈が見えるほどに衰弱し、飢えと渇きに苦しめられ、裸体で衣類なく、砂や埃にまみれ、全身を毛髪に覆われ、腰は鉄の鎖で縛られ、いろいろな苦痛を苦しみながら、苦痛を味わいながら、（このような）種々の理由に基づいて、嘆きの言葉を発していました。王子は彼らを見て、深い同情の念を起こし、崇高な同情の思いをいだき、他人の幸福に専念するという奇特な心持ちになって、牢獄の奥底にいる衆生たちを慰めて、「捕縛は解かれるべし」と告げました。王子は、その衆生たちを安心させると、かの勝光王の下へ近づいて、次のように述べました。「王よ、知るべきであります。私は同情心から、牢獄につながれていた衆生たちに、安心を与えました。「王よ、知るべきであります。彼らは解放されるべきであります」と。そこで勝光王は、五百の大臣をすべて集めて、「汝らはいかに思うか」と諮問しました。彼らは答えて、「かの者たちは、王の宝蔵を破り、王の殺害を図り、王の後宮に踏み込んで捕えられました。彼らは死刑に値します。捕縛されている者たちの刑罰は、死刑かあるいは（牢獄での）死滅しかありません。彼らを救おうとする者もまた、王に危害を加える者でありましょう」と言いました。

そこでかの善伏王子は、深い同情心から心を痛めて、大臣たちに述べました。「まさしく汝らが述べたとおりでなければならぬ。しかしながら、汝らはかの罪を犯した男たちを放免せよ。この私が、彼らになり代わって、あらゆる苦しみに耐えることを引き受ける。汝らは、かの者たちが償うべきことを、私になさしめよ。私は、彼らを捕縛から解放するためには、種々の苦痛に苦しめられようとも身体や生命さえも捨てる。何故かというと、もし私がこの衆生たちを捕縛から解放できないならば、三界という牢獄にいる衆生たちを、渇愛という罠《わな》に捕えられ無知という密林に落ち込み迷妄という暗闇に投げ込まれた衆生たちを、貧困という苦しみに悩み、深い密林のような邪悪な境遇に落ち込み、醜悪な姿の身体となり、あらゆる感官の働きが消滅し、心は放逸となり、(輪廻からの)出離を求めず、(智の)光明を失い、三界に執着し、福徳と智との資糧を具えず、智の領域から迷い出て、種々の煩悩によって心が汚され、苦という鳥かごに投げ込まれ、誘惑〔魔〕に支配され、生、老、死、憂、悲、苦、愁、悩に圧迫されている衆生たちを、どうして解放することができようか」と。

そこで王子は自分の生命を捨てることによって、あらゆる侍者とあらゆる財産の山(を捨てること)によって、捕縛されていた衆生たちをすべて牢獄から放免しました。王子が彼らを放免すると、彼らに苦をもたらしていたものがすべて消え去り、それが再び戻ってくることはなかったのです。

さてかの五百の大臣たちは、腕を挙げ、声高に叫びながら、勝光王の下へ近づいて、次のように述べました。「王よ、知るべし。善伏王子の意向によって王の宝蔵が破られ、われわれすべての生命もまた危険です。王よ、もし善伏王子が処罰されないならば、王の生命もまもなくなくなりましょう」と。

そこで勝光王は、立腹し、善伏王子を処刑するために、かの罪を犯した男たちと一緒に(牢獄に)送りました。王子の産みの親である母は、これを聞くと嘆き悲しみ、千の侍女に囲まれて、髪を振り乱し、肢体から装身具をはずし、顔(の化粧)を落とし、胸を打ちながら、頭は砂塵にまみれ、号泣しながら、苦悩の叫びをあげながら、侍女たちとともに王の下に近づいて、王の両足にひれ伏して、「王よ、どうか善伏王子を解放して下さい。王よ、どうか王子に命を与えて下さい」と懇願しました。そこで王は、善伏王子を面前に立たせて、「王子よ、かの罪人たちを見捨ててしまえ。もしお前が見捨てないならば、その罪人たちの代りにお前が死刑を受けることになろう」と述べました。王子は、一切智者性の基盤を求めていたがゆえに、他人の利益に向けられる深い慈悲の心に導かれていたがゆえに、ひるむことなく、狼狽《ろうばい》することなく、すでに死刑を覚悟していました。王子の母は勝光王に、「王子は半月の間、誰であれ布施を求める人に布施を行なうべきであり、その後に王の思い通りに処罰されるべきでしょう」と、半月間の観察を懇願しました。王は「それでよろしい」と許しました。

さて、宝荘厳と名づけられた王宮の北方に、もともとは昔の祭式場〔施場〕であった大きな遊園があり、スーリヤプラバ〔日光〕という名でありました。王子はその遊園へ赴いて、布施を求める人に求めるものを与えました。彼は無制限の犠牲祭を執行して、半月の間に多種多様な布施の儀式が遂行されました。食物を求める人々には食物が、飲物、衣、華、華鬘、塗香、抹香、袈裟、傘蓋、幢、幡、宝飾品、多種多様な装身具、あらゆる必需品が、それらを求める人々に与えられました。

そして(半月の)最後の日には、あらゆる人々の群が集まって来ました。国王、大臣、女たちの群、長者、家長、地方の人々、そしてあらゆる異教徒たちが集まって来ました。かの尊き法輪音虚空雲燈王如来は、衆生を成熟させ教化するのにふさわしい時が来たと知って、神々の王の群に囲まれ、龍王の群に囲まれ、龍王に供養され、ヤクシャ王の群に頂礼され、ガンダルヴァ王に讃嘆され、アスラ王は身を屈めて頂礼し、頭髪を宝石で飾り、清浄な心のガルダ王は供養の数々を撒き散らし、歓喜の心のキンナラ王によって供養され、讃嘆の合唱でせきたてられ、マホーラガ王によって顔面を凝視され仰ぎ見られて、その施場へと近づきました。そこに集まっていた大群衆と善伏王子は、遠くから近づいてくる尊き法輪音虚空(雲)燈王如来・応供・正等覚を眼にしました。(そのとき、如来は）端正端麗であり、感官は寂静であり、心は寂静であり、あたかも調教された象のように（感官は）防御され、感官は調伏されており、清らかな湖のように平穏にして無垢であり、仏の神変の大神通と仏の大威神力によってすべてを照らしながら、仏の自在力によってすべてを凌駕しながら、仏の大威厳によってすべてを照明しながら、身体は仏の偉大な相好で装飾され荘厳されており、あらゆる世間を仏の光輪《マンダラ》の光輝で充満させながら、仏の光線で照明しながら、あらゆる毛孔より香の宝焰の車輪を放出しながら、仏国土の震動によってあらゆる世界を震わせながら、あらゆる荘厳の雲を雨と降らせながら、仏の闊歩でもって、あらゆる衆生の煩悩を除滅させながら、仏の威儀でもって、あらゆる衆生の喜びの興奮を増大させながら、仏にまみえることを実現させながら、近づいてきました。それを見た後、彼らは世尊の面前で浄信の心を確立したのです。

さて善伏王子とその大群衆は、尊き法輪音虚空（雲）燈王如来を遠方より迎えると、清浄な心で五体を大地に投じ、両足に頂礼し、多種多様な供養で供養してから、「世尊よ、ようこそ。善逝よ、ようこそ。如来はわれわれに注意を向けられた。善逝はわれわれに寵愛を示された」と述べました。また善伏王子は、かの世尊に上座を指し示して、「世尊はここに設けられたこの座にお座り下さい」と述べました。世尊がそれに歩み寄ると、その座は奇蹟的に、仏の威力をうけて、浄蔵身衆の神々たち〔浄居諸天〕によって、芳香の摩尼王の蓮華台の座〔香摩尼蓮華座〕に変えられました。かの如来はその座に座り、座の周りを取り囲んで菩薩たちが座りました。その如来にまみえることによって、その場に集まっていたすべての衆生のあらゆる疾患が癒され、あらゆる障害や苦悩が消え去り、それ以後聖法《しょうぼう》を受け入れるにふさわしい容器となりました。

さてかの如来は、彼ら衆生たちが（聖法にふさわしい）容器となったのを知ると、当然の順序として、彼らに経を説きました。即ち、「因の輪の光明」〔普照因輪〕と名づけられた経文を説き明かしたのです。如来は、千の音響を伴いあらゆる法の要素を伴うあらゆる衆生の言葉の海や語義の説明の音声の轟きを、その口から発しました。その間、そこに集まっていた者のうち八十ナユタもの生物が塵を離れ垢を離れて、法を見るための法《ほう》眼《げん》を得ました。また多くのナユタもの生物が、もはや学ぶ必要のない段階〔無《む》学《がく》地《じ》〕に到達しました。また一万もの生物が大乗の教えにおいて教化されました。即ち、普賢菩薩行の大いなる誓願とを成就する道に悟入しました。同様に、かの世尊が偉大な仏の神変でもって法輪を転じている間に、十方にある百千の仏国土の微塵の数に等しい衆生たちが大乗の教えにおいて教化されました。また様々な仏国土の果てにまで遍満する十方の世界において、無量無辺の衆生たちが、悪しき境涯を離脱しました。また計算できないほどの衆生たちが、天上に生まれるための道に安住させられました。そして善伏王子は、この教化衆生令生善根という菩薩の解脱を獲得したのです。

善伏王子の過去世　実に、善男子よ、あなたは思うかもしれません。そのときの善伏王子、自分の身体と生命を捨てて、あらゆる財産の山と侍者を捨てて、あらゆる人間の安楽と生物の世界の安楽を捨てて、捕縛されていた衆生たちを束縛から解放し、無制限の犠牲祭を執行したかの王子、またかの尊き法輪音虚空(雲)燈王如来・応供・正等覚を喜ばせ、その如来にまみえることによって無上正等覚を求める心が生じ、そして教化衆生令生善根という菩薩の解脱を獲得した王子は、誰か別の人だったと。しかしそう考えてはなりません。この私が、そのときの善伏王子だったのです。善伏王子だった私は、深い慈悲の念に駆り立てられてあらゆる衆生の利益のために行動し、三界に依拠せず、果報を期待せず、名誉や名声を希求せず、自己を讃えず、他人を誹《そし》らず、あらゆる事物に執着せず、生存の意識を超越し、三界を希求せず、世間的な幸福から顔を背け、如来の境界からは顔を背けることなく、菩提の志願によって浄化され、金剛のように堅い志願を完成し、あらゆる衆生に大きな好意を実践し、あらゆる衆生に深い慈悲の念をいだき不幸を鎮めることに専心し、如来の力によって堅い志願を修得し、菩薩の道を浄化しながら、大乗の教えの荘厳による出離の道を荘厳しながら、一切智者性への道を見つめながら、このような難行を行ないました。こうして、善男子よ、私は長い時間をかけてこの菩薩の解脱を獲得したのです。

善男子よ、どう思いますか。そのときの五百の大臣たちは、かの勝光王に不実を告げ、この私を殺害せんと図った大臣たちは、誰か別の者たちだったのでありましょうか。そう考えてはなりません。彼らは、デーヴァダッタ〔提婆達多〕とともに、世尊を殺害しようと図った五百人の者たちなのです。彼らもまた世尊によって教化されて、無上正等覚が予言されます。「汝らは、未来に、須弥山の微塵の数に等しい劫を超えるはるか未来の時に、善光と名づけられる劫において、五百の仏たちとなるであろう。それぞれに異なった仏国土の功徳と荘厳をもち、異なった出生の環境や家族や家系に生まれ、父母の称号も異なり、出生の神変をそれぞれに異なって演じ、出家の神変を異なって演じ、菩提樹の光明を異なって示し、それぞれに異なった菩提道場に歩み行く門をもち、降魔《ごうま》を異なって示し、正等覚をさとる神変を異なって演じ、それぞれに異なった転法輪の方法と名称と発言をもち、異なった仕方で経を説き、異なった言語道や音声で話し、異なった説法会の荘厳をもち、異なった光明の輪の光明の荘厳を放ち、異なった寿命をもち、異なった教義に立脚し、異なった教義の名称をもち、異なった名号をもつ、しかしすべてが深い慈悲の心の体現者である。

それら（五百の仏たち）のまず第一は、マハーカルニカ〔大悲〕と号する如来であり、宝光世界において無上正等覚をさとるであろう。またその同じ世界において、二番目にサルヴァ・ジャガッド・ディタ・プラニダーナ・チャンドラ〔あらゆる衆生の利益の誓願の月、饒益月〕と号する如来が現れるであろう。三番目は、マハーカルナー・シンハ〔大悲師子〕と号する如来が現れるであろう。四番目は、サルヴァローカ・ヒターイシン〔あらゆる世界の利益を願う、救護衆生《くごしゅじょう》〕と号する如来が現れるであろう。そしてついに最後に、ヴァイディヤラージャ〔医王〕と号する如来が現れるであろう」と。

善男子よ、どう思いますか。そのときの、王に害をなした犯罪者たち、死刑に処される運命にあった者を、この私が自己の身体と生命とを捨てて束縛より解放した犯罪者たちは、誰か別の者たちだったのでしょうか。そう考えてはなりません。彼らは、クラクッチャンダ〔拘留孫《くるそん》〕仏を初めとする賢劫に属する千の如来たちであり、またさらに百千阿僧祇数の菩薩たちであり、彼らは、アナンタバラ・ヴィグシュタ・ニルナーディタ・シュリーサンバヴァ・マティ〔無量精進力妙徳慧〕如来にまみえることによって、無上正等覚を求める心が生じ、今現在、十方の世界において菩薩行に励んでいます。また彼らは、教化衆生令生善根という菩薩の解脱を瞑想し、それを増大させています。

善男子よ、どう思いますか。そのときの勝光王は、誰か別人だったのでしょうか。そう考えてはなりません。かの大論師サティヤカ〔薩遮尼《さっしゃに》乾子《けんし》〕がそのときの勝光という名の王だったのです。善男子よ、どう思いますか。そのときの王の侍者たちや後宮の女たちや守衛たちの集団や随行者たちは、誰か別人だったのでしょうか。そう考えてはなりません。彼らは、六万のジャイナ僧〔尼乾子〕たちであり、彼らは、論師の幢を手にもつ大論師サティヤカに率いられ、世尊の面前に世尊との論争のためにやって来ます。彼らのすべてが（世尊に論破されて）、世尊によって無上正等覚が予言されます。彼らは如来として、それぞれに異なった仏国土の荘厳をもち、それぞれに異なった劫に、それぞれに異なった名号でもって、世界に現れるでありましょう。

さらに善男子よ、善伏王子（だったこの私）は、かの捕縛されていた衆生たちを解放した後、父母に許可されて、財産や黄金や宝石に富む広大な国土を捨て去り、妻子を捨てて、かの尊き法輪音虚空（雲）燈王如来の下で出家しました。出家してから五千年の間、禁欲〔梵行〕を実行しました。この間に、一万の三昧門を修得し、一万の陀羅尼門を獲得し、一万の神通の道に踏み込み、一万の菩薩の大宝蔵を得ました。また彼には一万の一切智者性の勢いが生じ、彼によって一万の忍辱門が浄化され、一万の心の瞑想が修習され、一万の菩薩の力の身体が増大され、一万の菩薩の智の門に踏み込み、そういう彼には一万の般若波羅蜜の道が生じ、一万の仏にまみえるための一万の方位が彼に現前し、彼によって一万の菩薩の誓願が成就されました。このような法を身につけた彼は、心刹那ごとに、十方にある一万の仏国土に歩み行きました。そして一々の世界において、一々の心刹那に、過去と未来の果てまでの一万の仏を思い出しました。またその如来たちの一万の十方にあふれ出る仏の化現の海に悟入しました。一々の心刹那に、一万の仏国土に所属するあらゆる衆生を見ました。彼らは、多種多様な境涯に生まれており、死んでは再び生まれており、あるいは下劣、あるいは優秀であり、あるいは善き境涯に赴いており、あるいは悪い境涯に赴いており、あるいは美しくあるいは醜悪であり、それぞれの欲望に応じた〔境涯に〕遭遇している。そういう衆生たちの死と再生とに悟入しました。〔そういう衆生たちの〕心の変化、心の行動、思考の無間断性、志願の多様性、機根の海、修行の拡大、業の終結、〔彼らを〕成熟させ教化する時期にも悟入しました。

さらに善男子よ、善伏王子は、その生から死すると、ジャンブ州のラティヴューハー〔宝荘厳〕という王宮で王の家系に再生して、転輪聖王の位を獲得しました。転輪聖王となった彼は、かの尊き法輪音虚空〔雲〕燈王如来が完全な涅槃に入るとすぐに、ダルマ・ガガナービウドガタ・シュリーラージャ〔法虚空妙徳王〕と号する如来を供養しました。その次に彼は帝釈天となって、まさにかの〔宝華という名の〕菩提道場において、デーヴェーンドラ・ガルバ〔天王蔵〕と号する如来を供養しました。その次に彼は夜摩天王となって、まさにかの〔宝光という名の〕世界で、ダラニーシュリー・パルヴァタ・テージャス〔大地威力山〕と号する如来を供養しました。その次に彼は兜率天王となって、その同じ世界で、ダルマチャクラ・プラバ・ニルゴーシャ・ラージャ〔法輪光音声王〕と号する如来を供養しました。その次に彼は化楽天王となって、その同じ世界で、ガガナ・カーンタ・ラージャ〔虚空の魅力の王、虚空智燈王〕と号する如来を供養しました。その次に彼は他化自在天王となって、その同じ世界で、アナヴァマルダ・バラケートゥ〔破壊されることなき力の旗、不可壊幢〕と号する如来を供養しました。その次に彼はアスラ王となって、その同じ世界で、サルヴァダルマ・ニガルジタ・ラージャ〔一切法雷音〕と号する如来を供養しました。その次に彼は梵天となって、その同じ世界で、ダルマチャクラ・ニルマーナ・サマンタ・プラティバーサ・ニルゴーシャ〔法輪化普光音〕と号する如来を供養しました。こうして、善男子よ、かの宝光（という名の）世界に、かの善光（という名の）劫の間に、以上の如来たちを初めとする一万の仏たちが現れました。そして、その如来のすべてが善伏王子によって供養されました。

さらにまた、善男子よ、善光という大劫の次には、スラシュミ〔日光〕という名の劫がありました。そしてその劫の間に一万の仏たちが現れました。この私は、その劫では、マハーマティ〔大慧〕という名の王であったのです。私はその王となって、ラクシャナシュリー・パルヴァタ〔相好功徳山〕と号する如来を供養しました。その次には、その同じ劫において、私は家長〔居士〕となってサンヴリタ・スカンダ〔肩が覆われた、円満肩〕と号する如来を供養しました。その次には、その同じ劫において、私は大臣となってヴィマラ・ヴァトサ〔離垢童子〕と号する如来を供養しました。その次には、その同じ劫において、私はアスラ王となってヴェーシャ・ダーリン〔勇猛持〕と号する如来を供養しました。その次には、その同じ劫において、私は樹木神となってラクシャナ・スメール〔須弥相〕と号する如来を供養しました。その次には、その同じ劫において、私は商主となってヴィマラバーフ〔離垢臂〕と号する如来を供養しました。その次には、その同じ劫において、私は都城神となってシンハ・ヴィクラーンタ・ガーミン〔師子遊歩〕と号する如来を供養しました。その次には、その同じ劫において、私は毘沙門天王となってデーヴェーンドラ・チューダ〔神々の王の髻、宝髻〕と号する如来を供養しました。その次には、その同じ劫において、私はガンダルヴァ王となってダルモードガタ・キールティ〔法から出た名声、法上名称〕と号する如来を供養しました。その次には、その同じ劫において、私はクンバーンダ王となってアヴァバーサ・マクティン〔光明冠〕と号する如来を供養しました。

こうして私は、善男子よ、その日光という劫において、以上の十如来を初めとする六十コーティの仏たちを供養しました。私は、種々の再生と身体を受けて、それらの如来のすべてを供養しました。私は、一々の如来の下に親近し奉仕して、その周辺も中央もない衆生界を無上正等覚へと成熟させました。私は、一々の如来の下に親近し奉仕して、種々の三昧門を獲得しました。種々の陀羅尼門を、種々の目的成就の道を、種々の無礙智の方便の成就を、種々の一切智者たることへの方便の通達を、種々の法の光明門を獲得する方便を、種々の智の方便に通達する熟慮を、種々の方向の海に入る光明を、種々の国土の海に証入する光明を、種々の如来にまみえることの海を示現する光明を獲得し、それらに踏み込み、それらを浄化し増大させ流布させ拡大させました。

さらにあらゆる世界で世界海の微塵の数に等しい劫において多くの如来たちが現れて、（宝光とは）別の世界からやって来て、法を説きましたが、私はその現れた限りの如来たちの下で説法を聞き、聞いた後にそれを護持しました。そして、私はその如来たちのすべてを、かの宝光世界で日光劫において如来たちを供養したのと同様に、供養し、喜ばせました。私はその尊き仏たちの教誡を護持し、またその如来たちすべての下で、種々の獲得の方便《ナヤ》や解脱の方便門でもって、かの教化衆生令生善根という菩薩の解脱を獲得したのです」

さてその夜の女神は、そのとき、その解脱の方便を説明し説き明かそうと、善財童子に詩頌でもって語りかけた。

あのように熱心にあなたは、この不可思議にして最高の解脱を私に問うています。

善逝の威力をうけて、私が今それを説き明かす間に、すべてを正しく聞きなさい。（一二）

無限で広大で不可思議数の劫を過ぎ、そして無比で無数のすべての国土海を過ぎ行きて、美しい宝石の輝きがありました。それは確かに（宝光）世界でありました。（一三）

その世界に善光という名称をもつ劫があり、無量の勝者たちが現れました。この解脱を修習しようとする私は、その牟尼尊たちを供養しました。（一四）

そこには、ラティヴューハー〔喜びの荘厳、喜厳〕という名をもつ広大で鮮やかな色彩のすばらしい王宮がありました。そのときそこには、心の清らかな衆生たちもいれば、邪悪な行ないの衆生たちもいました。（一五）

王宮には、法に従って衆生たちを統治する王がいて、勝光という名でありました。王の息子は、善伏という名であり、容姿端麗で肢体は大丈夫の相で彩られていました。（一六）

そのとき、千人もの犯罪者たちがいて、彼らを処刑するために、王によって（牢獄に）送られていました。王子はそれを見て、憐れみの情に動かされて、彼らを解放するために王に懇願しました。（一七）

それを聞くと、王はすぐに多くの大臣たちを呼びよせて、彼らにすべてを話しました。大臣たちのすべてが、王に平伏して、「王よ、その実行は王自身に危害を及ぼすことになります」と述べました。（一八）

王は、そのとき、こうして大臣たちにそそのかされて、その王子を処刑するために(牢獄に)送ったのです。王子は、悲しい顔もせず、自分が殺されることにも頓着せず、処刑されるべき人たちを見捨てませんでした。（一九）

そのとき、王子の母は、処刑が許可されたと聞くと、後宮の女たちとともに悲しんで、「王よ、半月の間、世間にあらゆる布施を施すために、王子を解放して下さい」と王に哀願しました。（二〇）

その王によってそれを許された王子は、人々の望み通りの施物を施しました。半月の間、夜も昼も、諸方から集まって来た異教徒たちにも施物を与えて、望んでいる人があれば望んだ物をその人に与えました。そして処刑の準備が整いました。悲嘆の叫びが発せられ、王宮から人々の群が一団となって出てきました。（二一・二二）

そのとき、菩提樹下に座っていた善逝なる法輪音虚空燈王如来は、衆生たちの機根が成熟したのを知ると、慈悲の心をいだいてその施場へ赴いたのです。（二三）

その善逝は、如来にふさわしい荘厳な神変でもって、その大衆の下に現れると、法

の燈火の雲の法音なる経文の王〔法燈普照修多羅〕を説きました。　（二四）
如来はそのとき、周辺も中央もない人々を教化して、彼らに至高の菩提を予言しました。そしてかの善伏王子は、喜悦して、最高至高の菩提に向けて出立しました。　（二五）
王子は、多くの仏に奉仕し、仏に供養を捧げて、歓喜して、私は衆生たちの避難所に、調教師に、逃避所に、帰依所に、そして保護所になろう、と誓いました。　（二六）
王子は、菩提への道を探し求め、法の自性を見究めようとして、その如来の下で出家して、百劫に亘って修行をし続けました。　（二七）
王子は、苦海に落ちて助けを得られぬ人々の群を余すことなく憐れんで、菩提への道を修得した後に、そのときに、かの解脱を獲得するのです。　（二八）
浄信の王子は、多くの善逝たちがその劫〔善光劫〕において現れ出たが、そのすべてに余すことなく奉仕し、またその善逝たちに最上の供養を行ない、法輪を護持しました。　（二九）
王子はそのとき、さらにそれに続く多くの劫の海において、国土海の微塵の数にも等しい劫において、間断なく続いて現れ出た仏たちを余すことなく供養し、そして

彼らに奉仕しました。（三〇）
この私がその善伏という名の王子だったのです。王子だった私は、牢獄につながれている人々を見て、彼らを解放するために身体を捨てた後に、そのときに、この解脱が私のものとなったのです。（三一）
その解脱は、周辺も中央もない無類の方便でもって、国土海の微塵の数ほどの劫の大海において繰り返して修習され、また刹那ごとに増大させられたのです。（三二）
（その間に）私は出会った限りの多くの牟尼尊たち、その仏たちを順次訪問しましたが、彼らのすべての下で、種々の方便門でもってこの解脱が私に説き明かされました。（三三）
私は、彼らの下でコーティ劫に亘って、不可思議な解脱の真実を学んだのです。（そしてついに）その解脱に安住した私（の諸々の身体）は、勝者たちが放つ（無量の）正法の雲を、一時に飲み干すのです。（三四）
私の諸々の身体は、無礙自在であり、あらゆる方向のあらゆる国土に遍満して、刹那ごとに（あらゆる）国土に到達し、不可思議数の三世の（諸仏の）名号と系譜に悟入します。（三五）
三世の余すことなき勝者の海のそれぞれの面前に立ち、諸々の姿を映して勝者たち

に自己の身体の雲を示現します。　(三六)
あらゆる方向のあらゆる如来の下に歩み行き、あらゆる荘厳の雨を降らせながら光り輝き、勝者たちに供養を捧げます。　(三七)
無数の仏たちの海に広大で無限の質問の海を発して、勝者たちが雨と降らせる無量の法の雲を護持します。　(三八)
法の説法会が視界に入れば、すべての方向に余す所なく赴き、多種多様な座に座って、種々の神変を示現します。　(三九)
無限の色相をもつ身体でもって、あらゆる方向に、幾千様にも遍満し、周辺も中央もない色相を一身体の上に示現します。　(四〇)
一々の毛孔から無数の光線の大海を放ち、あらゆる衆生の煩悩の火の熱悩を多様な手段でもって、消しとめます。　(四一)
この解脱に安住する私は、一々の毛孔から(無数の)化身の雲を放ちながら、その驚異の身体でもってあらゆる方向に遍満し、法の雨を雨降らせて衆生たちを教化します。　(四二)
これは不可思議な入門であり、あらゆる仏子が依拠するところであります。彼らはその解脱に安住して、あらゆる国土において未来の果ての劫まで、菩薩行を修めま

す。（四三）

彼らは、衆生の願いに応じて法を説いて、邪見の網から衆生たちを呼び戻します。（四四）

彼らを天界の至福に導き、一切智者の位を説き明かします。

不可思議な無限の色相の身体でもって、衆生が再生するあらゆる世間に(現れ)、それぞれの衆生に似た姿をして、彼らの願いに応じて法を説きます。（四五）

彼らは、寂静なる解脱を獲得して、同様にその他の無量の国土海の微塵に等しい不可思議な色相の大海を恐れることなく(示現します)。（四六）

「善男子よ、私はこの教化衆生令生善根という菩薩の解脱を知っています。しかし私は、次のような菩薩たちの行については知ることができず、またその功徳の海に悟入することも、その智の勇猛さや思考の安定を完全に知ることも、その三昧の自在力に到達することも、その解脱の神変に通達することもできません。その菩薩たちとは、あらゆる世間の境涯を超越し、あらゆる世間に生まれ、諸々の身体を獲得し、一切智者の智を妨げる障害の山の粉砕に専念し、あらゆる法の自性と相とに了達し、あらゆる煩悩という障害の闇の除去に専念し、あらゆる法を検討して善根を成就し、無我の法の智が眼前にあり、あらゆる衆生を成熟させ教化して止むことなく、不二の法界の門によく了達し、あらゆる言語道の方便の海をことごとく理解する、このような菩薩たちであります。

行きなさい、善男子よ、ここジャンブ州にルンビニーの森〔嵐毘尼林《らんびにりん》〕があり、そこにステージョー・マンダラ・ラティシュリー〔すばらしい威光の輪の歓喜の栄光、妙徳円満愛敬《みょうとくえんまんあいぎょう》〕という名のルンビニーの森の女神が住んでいます。その女神を訪れて、いかにして菩薩たちは如来の家系に生まれるのかを尋ねなさい。いかにして世界の光明となるのかを、いかにして未来の果てに至る劫の間、菩薩行に励んで倦怠することがないのかを尋ねなさい」

そこで善財童子は、夜の女神の両足に頂礼し、女神の周りを幾百千回も右遶して、礼拝し、敬礼し、合掌し、女神の下を去った。

訳　注

第十八章

（1）「六十四種の技芸」は、「六十四芸」「六十四能」ともいう。歌唱、演奏、舞踊などで『カーマ・スートラ』などに見られる。

（2）「ピシャーチャ」piśāca は、屍肉を喰う悪鬼で持国天の支配下にあるという。

第十九章

（1）「灌頂を受けた菩薩」――インドで帝王が即位の際、頭頂に海水をそそぐ儀式を「灌頂」というが、仏を帝王になぞらえて、次に仏の位に進む第十地の菩薩をこのようにいう。

第二十章

（1）「九十六の種々の見解」――九十六種の異教の立場、見解をいう。一説によれば、釈尊在世の頃の六人の異教の指導者（六師《ろくし》外道《げどう》）に各々十五名の弟子があり、それらが異なった立場を主張したので、六師と合わせて九十六の異教の見解があったという。

第二十五章

(1)「遊女」の原語は、「バーガヴァティー」bhāgavatī であり、文字通りには「尊き女性」あるいは「女性のヴィシュヌ教徒」を意味する。漢訳は「女人」であるが、ここは内容から「遊女」と訳した。古来インドにおいては「遊女」の地位が高く、豪商たちと並び称される仏教の外護者であったことは、初期仏典からもよく知られている。

第二十七章

(1)「カーコールダ」kākhorda は悪鬼の一種で、しばしばヴェーターラとともに述べられる。上巻第十六章注(2)参照。

(2)「プータナ」pūtana は、「富単那」と訳され、餓鬼の中で福の最も優れたものという。

第三十章

(1) この「大地の女神スターヴァラー」は、釈尊の菩提道場での成道を目撃した大地神を一般化したものであろう。

第三十三章

(1) 以下に「色界の十八天」が挙げられるが、ここでは無想天が広果天に含まれており、したがって「十七天」ということになる。

第三十四章

(1) 原語の「サマンタ・ジュニャーナ・ラトナールチ・シュリーグナ・ケートゥ(普智の宝石の焔の栄光と功徳を目印とする)王という如来」は、先に言及された「普智宝焔妙徳幢如来」と若干名称の違いがあるが、同一の如来のことである。以下同様の現象が見られるが、いちいち注記しない。

(2) 表現は若干異なるが、先に言及された「毘盧遮那威徳吉祥世界」のことである。

(3) 「サミターユス」は、漢訳・チベット語訳のいずれとも対応せず、意味不明である。また、これら一連の詩頌で挿入した漢訳は、他所でも同様であるが、比較的サンスクリット語に近いものを選んだだけであり、必ずしも正確に対応しているわけではない。

第三十五章

(1) 「世界系譜」は原語 lokadhātuvaṁśa の訳である。これも世界の区分の一つであろう。漢訳は、「世界性」(六十巻)、「世界種」(八十巻、四十巻)である。第三章(上巻)に出てくる世界観参照。

(2) ここに、過去七仏のうち、シャーキャムニ(釈迦牟尼)の直前の三仏があげられている。本経本章の後の記述からもわかるように、これらの四仏は、われわれが属しているこのバドラ(賢)劫の仏たちである。

第三十六章

（1） 以下に散文の内容が繰り返されるが、固有名詞あるいは称号は、韻文ではかなり違っているものもあるので、散文の漢訳を挙げた。

解説

梶山雄一

一　シュラーヴァスティーの神変

雨をふくめる黒雲を
狂える象の背《せな》とみて、
きらめく光は旗印《はたじるし》
ひびく雷《いかずち》太鼓とし
王者の威容堂々と
光輝にみちて　今こそは
雨の季節ぞめぐり来ぬ。（一）

空を被《おお》える雨雲の

黒もとりどり面白や、
彼方《かなた》にうかぶ蒼黒《あおぐろ》は
ウトパラ蓮華《れんげ》の花に似て、
此方《こなた》に見ゆる黒色は
細《こま》かに砕くアンジャナ粉《アイシャドー》
またみごもれる若妻の
乳房の色も偲ばるる。(二)

さてまた雲はおそろしく
ひびく雷《いかずち》太鼓とし、
インドラ天の弓さながらに
きらめく稲妻を弦として
はげしく注ぐ雨を矢に
旅人の心をつよく貫《つらぬ》く。(四)

蔓草と紛《まが》う稲妻　インドラ天の

弓にも似たる虹にかざられ
雨水重くたれし雲、
帯に映《は》え　宝石《たま》鏤《ちりば》めし頸環《くびわ》もて
粧《よそお》いこめし女のありて
ひとしく旅人の心をうばう。（一九）

（カーリダーサ『季節のめぐり』二「雨季」より。田中於菟彌訳(1)）

インドの気候と自然は、日本のそれとは較べることのできないほどに、激しく、かつ華麗なものであるが、とくに乾季の終りから雨季へ移り変わる時期は、恐ろしく、そして美しい。八カ月もの間、一粒の雨も降らず、夏の太陽の焔の光に大気は焼かれ、大地は田も畑もふくめて砂漠と化しているのだが、六月末のある日、かすかな黒点が遠い空にポッと浮かぶ。その黒点はみるみるうちに傘となり、山となり、大洋のように大きな雲となって空一面に広がり、稲妻が走り、雷鳴が轟く中を、大粒の雨が無数の矢のように落ち始める。昨日の砂漠はたちまちのうちに洪水の海となり、泥水は土の家々を溶かし、食器、筵《むしろ》、押し倒された木々を運んで怒濤のように流れる。人々は頭の上に大事な家財を載せて、サリーやドーティーの裾をたくしあげながら中洲をめざして逃げまわる。

四、五日続いた雨がひとやみすると、久しぶりの日の光が雲をつき抜いて走る無数の光線となって輝き、インドラ〔帝釈天〕の弓とよばれる虹の大橋が空にかかり、夕べには西の地平線に恐ろしく巨大な夕日が真赤に染まった雲を従えて沈んでゆく。地に潜んでいた蛇や蠍《さそり》やトカゲが這い出てきて（密林ならば虎や大蛇も）、コブラが秘かに交尾を始める。アッという間に草が萌え、花が咲き、木々は緑に装う。その急激な変化は一夜にして天地が転倒し、変容したとしかいいえない。私は『華厳経』の諸章に現れる仏の神変を読むたびに、インドの雨季の初めを思うのである。

「入法界品」で、釈迦牟尼如来は北インドのコーサラ国の首都、シュラーヴァスティー〔舎衛城《しゃえじょう》〕の郊外にある祇園精舎の大荘厳重閣講堂に、普賢、文殊を初めとする五千人の菩薩たち、舎利弗《しゃりほつ》、目連《もくれん》を初めとする五百人の声聞たち、並びに世間の諸王たちとともにいた。これらの会衆《えしゅ》は、自らの能力では仏の智慧や力を理解できない世間の人々のために、如来が往昔、菩薩であったときに行なった波羅蜜行を初めとする類い稀な修行とその完成によって得た境涯と衆生救済の方法を示してくれるとよいのだが、と考える。その思いを知った如来は、四肢を屈めて威力を示すライオンにたとえられる「獅子奮迅三昧」に入る。すると、大荘厳重閣講堂も祇園精舎も辺際もないほど広大になり、大地も講堂もあらゆる宝石によって飾られ、香水の河が流れ、宝石の蓮華や樹木が群生し、光明によって満たされた。天空には種々様々な神々しい形をした宝石の雲が無数に現れて、そこから如来を讃える合奏が響き、真珠の雲から華や宝が降りしきった。これらはすべて如来が過去世において植えた清浄な善根の集積の功徳であり、如来の神変、威神力の不可思議な力によるのであった。

祇園精舎だけが清浄になっただけではなくて、無辺に広大となった祇園の十方にあって宇宙の果てに至るまでの一切の世界も清浄に美化され、無数の菩薩たちで満たされた。如来は一切世界を一身で覆い、一切世界の一切の仏たちが如来の一身に収まった。如来の一本の身毛の先端に全宇宙にあるすべての仏国土が入り、それらの無数の仏国土は互いに相映じ、あたかもインドラの網の結び目にあるあらゆる珠玉の一々に他のすべての珠玉が映り、映った珠玉の一々にまた他のすべての珠玉が映り、重々無尽に相映じて相《そう》即相入《そくそうにゅう》しているようであった。要するに、如来の一身に全宇宙のあらゆる事象が入り、また全宇宙のあらゆる事象の一々の中に如来は在ったのである。

この釈迦如来の世界の東、南、西、北、北東、東南、南西、西北、下、上の十方の無限のかなたにある十の仏国土のそれぞれから、既に真理を洞察する智慧を得ている偉大な十人の菩薩が、その仏国土の仏の許しを得て、無数の眷属の菩薩たちを引き連れ、無数の華の雲、宝石の雲、旗、幢、幡の雲、如来を讃嘆する響きを放つ雲を輝かしながら、この娑婆世界に近づいてきて、祇園精舎の釈迦牟尼如来の説法会に参加した。全宇宙の無数の仏国土のエリートたちがここ、祇園精舎に参集したのである。これらの菩薩たちは既に、あらゆる現象に実体はなく、夢、幻のように空であり、空とは縁起であり、縁起とは仏の神変であり威神力であると知り、空なるものはあらゆる形として化現するのである、とさとっていた。宇宙の一切世界を一身で覆うことができ、一微塵の中に一切世界を影現させ、あらゆる事象の相即相入を理解することができた。彼らは、祇園精舎という一地域に全宇宙の一切世界の一切のものを収めている、この釈迦牟尼如来の神変こそが宇宙の真理の自己顕現であることを理解していた。しかし、同じ場所においておなじ説法会に加わっていながら、舎利弗、目連などの小乗の声聞たちはこの神変を見ることも、さとることもできなかった。

二 『華厳経』の宇宙観

「入法界品」に描かれるこの釈迦如来の神変と類似したものは、「入法界品」とともに大本『華厳経』の最古層をなす「十地経」にも、仏位に至る直前である菩薩の最高位にある第十地の菩薩の神変として現れるが(「大乗仏典」インド篇8『十地経』、中央公論社、三

○九―三二四頁参照)、これは省略し、いまは、大本『華厳経』の初めの部分(「寂滅道場会」)にも説かれる神変に眼を移そう。そこでは釈迦如来は、インド、マガダ国の寂滅道場に無数の諸菩薩、諸天、諸王に囲まれている。その寂滅道場の一帯は金剛、宝輪、宝華、摩尼、宝樹、妙香、十方に普き広博厳麗の宮殿楼閣などによってこの世ならぬ有り様に飾られていた。菩薩などの会衆が心中に、如来がその境界、仏行、仏力などを示してくれるとよいのだが、と思うと、如来は菩薩たちの思いを知って、面門および一々の歯の間から無数の光明を放つ。一々の光明が十仏国土の微塵の数に等しい国々を照らし出し、それらの国土にいる菩薩たちは、この間の蓮華蔵世界(蓮華蔵荘厳世界海、華蔵荘厳世界海)を見ることができたのである。この蓮華蔵世界の東、南、西、北、北東、東南、南西、西北、下、上の十方向にそれぞれ仏国土があり、その一々の仏国土から一人ずつの菩薩が無数の菩薩たちを引き連れて、種々の神々しい供養の雲を現しながら、釈迦如来の下にやって来てその集会に加わる。(2)

　この十方の仏国土が何であるかは、「光明覚品《こうみょうかくぼん》」(3)に至ってさらに明瞭となる。ここで、釈迦如来は両足の千輻輪相《せんぷくりんそう》から百億の光明を放って三千大千世界(われわれの銀河系)を普く照らし出す。百億の須弥山《しゅみせん》、百億ずつの(南《なん》)閻浮提州《えんぶだいしゅう》、(西《さい》)牛貨州《ごけしゅう》、(北《ほっ》)倶盧州《くるしゅう》、(東《とう》)勝身州《しょうしんしゅう》、百億ずつの四大王天、乃至《ないし》、色究竟天《しきくきょうてん》、要するに百億の四大州(小世界＝

太陽系）が悉く顕現する。この光明はこの世界を過ぎて東方十仏国土を遍照する。その一々の世界の中には百億の閻浮提、乃至、百億の色究竟天があった、と。南、西、北、四維上下（の方角にある十仏国土）もそのように顕現する。

仏教の宇宙観によると、われわれの住むこの世界（地球、但し円盤状）は須弥山を中央にして八つの大海と八つの山脈（須弥山を入れれば九山脈）が取り巻き、第八海、外海鹹《げかいかん》水《すい》の上、最も外側にある第九山の鉄囲山《てっちせん》（金剛囲山）の内側に閻浮提（インド世界）を初めとする四つの大陸がある。須弥山の山頂から上空にかけて四大王天から色究竟天に至るまでの欲界、色界の二十四の天界があり（無色界の四天は非物質的な世界であるからここでは除く）、天空には日月星辰がある。このようなわれわれの太陽系に相当する世界を四大州あるいは小世界という。四大州を千個集めたものを小千世界といい、小千世界を千個集めたものを中千世界といい、中千世界を千個集めたものを三千大千世界という。三千大千世界は、したがって四大州の 1000^3 つまり十億個の四大州の集合体である。昔の中国の数の単位では一千万のことを億といったから、いまの十億を百億と表した。上述の『華厳経』大本で三千大千世界について、百億の閻浮提、百億の色究竟天などといっているのはそのためである。(4)

先の「寂滅道場会」の文によると、宇宙の東西南北四維上下の十方にある諸仏国土は蓮華蔵世界の周囲にある。そして直前の「光明覚品」の文によると、その十方諸仏国土の一々は三千大千世界である。仏教の宇宙観では、三千大千世界よりも大きく、無数の三千大千世界から成る世界こそが十方(一切)世界とよばれる全宇宙に他ならない(5)。『華厳経』が法界《ほっかい》(ダルマダートゥ)というとき、それは宇宙の真理であるとともに、具体的に全宇宙世界に言及しているのである。

『華厳経』大本にしばしば現れる(6)「蓮華蔵世界」は、経文の上では明瞭には規定されていない。大本によると、蓮華蔵世界は毘盧遮那仏(ヴァイローチャナ仏)がもと菩薩行を修めたとき、阿僧祇数の世界にある微塵の数に等しい劫、つまり無限ともいえる時間に亘って厳浄《ごんじょう》したものであって、その世界の須弥山は微塵の数にも等しい無数の風輪(空気層)によって支えられ、その最上層の風輪の上に香水海があり、その中の大蓮華に支えられて蓮華蔵世界がある、という。これは無数の前世に亘って菩薩行を修めた釈迦牟尼がこの閻浮提州に生まれてついに仏となった、という物語になぞらえたものであろう。円盤状の世界が金輪《こんりん》(蓮華蔵世界の場合には大蓮華が金輪に当る)、水輪、そして最下に風輪に支えられるというのも四大州の特徴であるから、毘盧遮那仏も四大州で正覚をさとって仏陀となった色身仏《しきしんぶつ》(四大州に現れる肉体をもった仏)であり、その蓮華蔵世界も四大州に当るようにも思われる。しかし、後にも触れるように、四世紀以前のインド仏教では小乗、大乗の別なく、一人の仏は一つの三千大千世界の主となる、と考えられていたから、四大州においてさとりを得た仏はそのままその四大州を含む三千大千世界の教主でもある。けれども、大蓮華を法界真如の象徴と考えることもできるし、(7)『華厳経』が、釈迦牟尼仏が(したがって毘盧遮那仏も)法身《ほっしん》(宇宙的真理そのものとしての色形のない仏)に等しく、法界に充満することを説くことをも合わせ考えれば、毘盧遮那仏は法身であり、蓮華蔵世界は法界、即ち十方一切世界である、とすることもできる。『華厳経』にははっきりとした規定はない。この経は三身説を知らなかったから、毘盧遮那仏を受用身《じゅゆうしん》(報身《ほうじん》。法身を依り所として現れ、色形はあるが、この世ではなく、十方世界において菩薩たちの集会において法を説く仏)に当てることはできない。『華厳経』には釈迦牟尼如来と毘盧遮那仏とは一体である、という表現が常に現れる。すべての仏陀は、それぞれの名は別であるとしても、同一の法界の真理を分けもつものとして一体である、という考え方は既に西紀前、過去《かこ》七仏《しちぶつ》思想の形成と同時に現れていた。(8)マガダ国の寂滅道場においてこの世ならぬ神々しい荘厳に飾られ、普賢を初めとする十仏国土の大菩薩、諸天、神々、諸王その他の者たちと一緒にいる釈迦如来がそれらの会衆たちに讃嘆されているうちに、この寂滅道場は突如として、如来の威神力によって、蓮華蔵世界に変わり、六種十八相に震動する(「大正」、巻一一、四〇五頁上)。これは次のようにも解釈できる。釈迦如来はこの四大州のインド、マガダ国の寂滅道場で正覚をさとって仏陀となったが、その瞬間にこの四大州を含む三千大千世界の教主となった。その三千大千世界は蓮華蔵世界と名づけられ、その世界の教主、毘盧遮那仏は釈迦如来の別名である。なぜなら、両者は同じ法身を分けもつからである、と。

また上に触れたように、釈迦如来が神変によって両足の輪相から光明を放つとその光明はこの三千大千世界を照らし、さらに他の十方の諸三千大千世界に及び、それらの全宇宙の諸三千大千世界からそれぞれの仏国土を代表する菩薩が無数の眷属の菩薩たちを伴って釈迦如来の説法会に集まってくるという。そして、これらの十方の諸三千大千世界は蓮華蔵世界の周りにあるという。このように見てくると、蓮華蔵世界とは、マガダ国の寂滅道場のあるこのわれわれの四大州を含み、釈迦如来の両足の光明が直接に照らし出すこのわれわれの三千大千世界(銀河系)であろう。しかも、この三千大千世界の周囲の宇宙の十方世界にある仏国土を代表する菩薩たちが集合してくる、このわれわれの三千大千世界である。釈迦如来はその中のマガダ国の寂滅道場にいるのであり、全宇宙からの菩薩たちも寂滅道場に降りてくるのであるから、マガダ国の寂滅道場がそのままに全宇宙、いいかえれば法界に満たされることになる。要するに、蓮華蔵世界を媒介にしてマガダ国の寂滅道場は全宇宙と一体となり、釈迦如来は蓮華蔵世界の主である毘盧遮那仏と一体であることを介して法界(全宇宙)からの顕現者となる。

しかし、このような光景は『華厳経』だけの特色ではなくて、既にその経に先行する『法華経』の神変の記述にも現れる。その神変は同経の「序品」(『大乗仏典』インド篇4『法華経』I、中央公論社、一二―一三頁参照)にも見えるが、いまは「見宝塔品《けんほうとうほん》」に現れるものを簡単に紹介しておく。そこでは、釈迦牟尼仏の前に、多宝如来《たほうにょらい》の宝塔が地から湧き出て、宝塔の中からの声が『法華経』を説いている釈尊を賞讃したとき、釈尊が眉間の白毫より光を放つと、東方においてガンジス河の砂の数にも等しい無数の国土にいる諸仏、その水晶づくりの国土、宝樹、宝衣などの荘厳が見え、そこに満ちあふれる無数の菩薩も、説法する諸仏の様子も見えた。同じ有り様は他の九つの方角の無数の仏国土においても起こった。十方の諸仏は多宝如来の塔に供養するためにみなこの娑婆世界にやってくるのだが、娑婆世界は変容して清浄となり、瑠璃を地となし、あらゆる荘厳を具えるようになる。釈尊はなお収容しきれない仏たちを入れるために、さらに二度までも諸方角に仏国土を拡大する。そして、これら無数の仏国土は通じて一つの国土のように配置される(詳しくは、同上5『法華経』II、二六頁以下参照)。

このような釈迦牟尼の神変は、『華厳経』とほぼ同時代の編纂と思われる『二万五千《にまんごせん》頌般若経《じゅはんにゃきょう》(大品般若経《だいぼんはんにゃきょう》)』の「序品」にも描かれている。そこ(「大正」、巻八、二一八頁上)

では、釈迦牟尼世尊は口から光を放って三千大千世界を照らす。この光のために、この間の三千大千世界の衆生はみな東方にあるガンジス河の砂の数ほどの無数の諸仏と僧伽《そうぎゃ》を見、逆に東方の無数の仏国土の中の衆生はこの三千大千世界の釈迦如来を見た。南西北四維上下の方向の無数の国土についても同じことが起こった、と。釈迦如来を教主とするこの三千大千世界と全宇宙の諸国土の諸仏と衆生とが相互に見合うというのである。『大品般若経』はさらに続ける。この三千大千世界の東の方角の果てにある宝積如来の仏国土から、普明という菩薩がこの光を見て、宝積仏の許しと委託を得て無数の出家、在家の菩薩や童男童女を引き連れてこの釈迦如来の所へ来て供養し、その集会に参加する。同じように南西北四維上下の方向の諸国からも一人ずつの菩薩がやって来る。即ち、この三千大千世界と全宇宙の諸三千大千世界とが相互に影現しあうというのである。「入法界品」に見られるような釈尊の神変は、初期の大乗経典から既に始まっていたイメージであるといえる(但し『八千頌般若経《はっせんじゅはんにゃきょう》(小品般若経《しょうぼんはんにゃきょう》)』にはない)。

四世紀末葉頃から、『摂大乗論』を初めとする瑜伽《ゆが》行《ぎょう》唯識《ゆいしき》学派《がくは》の諸論書が、一人の、そしてただ一人の仏が一時に四大州に出現するが、二人の仏が一つの四大州に同時に併存することはない、しかし、四大州には仏はただ一人しかいないとしても、全宇宙にある無数の三千大千世界の中の無数の四大州を考えれば、十方一切世界には無数の仏が現在いることになる、といい出した。それまでは、小乗仏教の説一切有部《せついっさいうぶ》系の諸学派は、仏は一時には一つの三千大千世界に出現するが、仏の教化力は無限であるから、その仏が十方一切世界の教主である、いいかえれば、仏は全宇宙に一人いるだけで、同時に二人の仏が宇宙に現れることはない、と主張していた。それに対して、大衆部《だいしゅぶ》系の諸派および大乗仏教は、仏の教化力にも限界のあることを考え、仏はただ一人三千大千世界にしか出現し、そこに二仏が併存はしないが、十方一切世界には無数の三千大千世界があるから、すべてを合わせれば、全宇宙には無数の仏が同時に存在し得る、と主張するに至った。この論争については別の論稿で詳説したからここには繰り返さないが、『大品般若経』およびそれに対する鳩摩羅什《くまらじゅう》の注釈『大智度論』から、上記の論述を支持する文例の一、二を本稿末尾の注に記しておく。(9)(10)

『大智度論』には数多い議論が展開されているが、要するに、説一切有部系の小乗仏教は、一仏は一つの三千大千世界に出現するが、仏力は無限であるから、その教化力は十方無量世界(全宇宙)に及び、したがって全宇宙にも一仏のみがいて、同時に二仏はいない、と主張していること、他方中観派《ちゅうがんは》を初めとする大乗諸派が、一仏世界は一つの三千大千世界ではあるが、十方無量世界には多数の仏が同時に存在する、と主張した事情がうかがえよう。瑜伽行唯識学派はこの説をさらに変更して、四大州に一仏が存在し、全宇宙には無数の仏が現在するといったのである。

三　『華厳経』の仏身観

上に述べた『華厳経』の仏国土観、即ち宇宙観は小乗説一切有部と大乗の後期瑜伽行唯識学派(無着《むじゃく》以後)との中間の、いわば初期大乗仏教の仏国土観を示すものであり、それは大衆部、中観派、『瑜伽師地論』「菩薩地」の仏国土観と一致する(この点についても先の論稿、注(9)参照)。それと同じように『華厳経』の仏身観も初期大乗仏教のそれと一致するので、簡単に触れておくことにする。

小乗仏教では、釈迦如来の肉身を「色身《しきしん》」(ルーパカーヤ)とよび、その教え、即ち経典を「法身《ほっしん》」(ダルマカーヤ)とよんだ。この意味での法身の語は最初期の大乗経典、たとえば『道行般若経《どうぎょうはんにゃきょう》』『般舟三昧経《はんじゅざんまいきょう》』などにも現れる。しかし、大乗仏教が「あらゆるものは空である」ということ、いいかえれば般若波羅蜜を宇宙的真理と同定し、それを仏陀の一切智と解釈したのにつれて、法界、真如、仏性が法身とよばれ、この世に現れる仏陀の肉身である色身と一対にされるようになった。この段階の思想は経典では『小品般若経』などに、論書ではナーガールジュナ(龍樹、一五〇—二五〇年頃)の著作などに現れるようになる。(11)『華厳経』の仏身観も、この時期に属する、法身、色身の二身説である。

しかし、法身は空そのものであり、あらゆる思惟(分別)と言語と行為とを超越し、色も形もないものであるから、龍樹がいうように「あらゆる認識は寂滅し、多様な言葉も寂滅して、平安である。(法身の)仏陀はいかなる処でも、いかなるものに対しても、いかなる教えをも説かない」(『中論』二五・二四)仏身であった。法身は釈迦牟尼仏という色身から、その存在根拠として考え出された真理そのものであったのであるが、その法身が教化活動をしないとなると、逆に、法身からの顕現としての化身(ニルマーナカーヤ)が、思惟し、言語を語り、衆生救済の行為をして、この世で実際の教化を行なう仏陀と考えられるようになった。ここにいう化身は、釈迦牟尼のような肉身の仏を初め、神々、菩薩その他種々の権化、変化を含む広い概念である。色身と化身とには微妙な差異があるが、仏身論の発展の大筋においては同義語であると考えておいてよい。この化身が産み出されるのは、最高の実在(勝義)としての法身を背景とすることはいうまでもないが、同時に、仏がその前世において菩薩として修行していた時の本願と回向(自己の功徳を衆生に振り向けること)にも基づいている。(12)『華厳経』において、蓮華蔵世界は毘盧遮那仏が菩薩であったときの行によって厳浄された、といわれるのは、毘盧遮那仏とその国土は、その仏の前世における菩薩行——本願と回向の果報であることを示すとともに、それが法身の顕現として荘厳されていることをも表している。

この色も形もなく、思惟、言語、行為を超えた法身と実際に衆生救済に従う色身との関係は、『大品般若経』や『華厳経』では色身仏、具体的には釈迦牟尼如来の神変によって現される。釈迦如来はまったく語らず、ただ必ず三昧に入って法身と一体となり、その身体から無量の光明を放つ。太陽のような、そして四大州を照らすだけでなく、全宇宙にも及ぶ光を放つ点では太陽をも超えた、この光明が神変の主役である。光明とは宇宙的真理の智慧の具象化である。この光明に照らされると、四大州は神々しい荘厳に満たされ、三千大千世界が観察され、そして十方一切世界(全宇宙)が顕現し、三者は一体となり、相即相入する。光明とは宇宙的真理が仏陀の智慧となって働き出すことの象徴である。

中観派は最後まで二身説を守ったが、『摂大乗論』を初めとする後期瑜伽行唯識学派は、四、五世紀において、法身、受用身(報身)、変化身《へんげしん》の三身説を展開した。行者の心識の根拠であるアーラヤ識がその菩薩行の最後に転換(転依)すると、アーラヤ識は大円《だいえん》鏡智《きょうち》となり、自我意識は平等性智《びょうどうしょうち》に変わり、意識(第六識)は妙観察智《みょうかんさつち》と成り、前五識(眼耳鼻舌身の五知覚)は成所作智《じょうしょさち》に浄化される。大円鏡智は法身を形成し、平等性智と妙観察智とは受用身をなし(異説もあるが、いまは触れない)、成所作智が変化身を成す。受用身は法身を根拠とし、色形をもってはいるが、固定せず、大菩薩たちの集会に現れ、また時と場所と衆生の種類に応じて変動する形で現れる。法身は物質的世界(色界)の最高天である色究竟天において再度さとりを現証(現等覚)して、兜率天に下り、場所を選んで四大州に出生し、成仏して変化身の仏陀(たとえば釈迦牟尼仏)となり、成所作智を働かせて衆生を救済し、この世を教化してやがて入滅する。

後期瑜伽行派が受用身を考え出したのは、初期大乗経典の二身説においては、法身と色身が一方では隔絶し、他方ではその交渉を神変と光明の象徴でしか語りえなかった不便を解消するためであった。しかし『華厳経』も『大品般若経』も、二身説は知ってはいたが、三身説は知らなかった。

四 「入法界品」の思想

「入法界品」ひいては『華厳経』全体の柱になっている思想は三つある。一つは空の思想であり、二つは唯心論であり、三つは神変の思想である。これらの三つは、原始経典にも萌芽的には存在していた思想であるが、「入法界品」は空の思想を『般若経』から引き継ぐとともにそれをきわめて積極的に解釈した。また原始仏典の唯心論的傾向を深化し徹底して、後に続く瑜伽行派の唯識思想の先駆となった。神変は原始仏典にも見えるとはいえ、『法華経』『大品般若経』とともに「入法界品」が、上の二つの思想を結合させて開発したものである。

物理的、精神的なあらゆる事物が不変、不滅の本質、あるいは実体をもたず、ただ多くの原因、条件の総体に依存して生じ、原因、条件の欠落によって滅するものであり、したがってすべては幻術、陽炎、蜃気楼、夢、影像《ようぞう》、山彦、水に映った月影、水泡、空中の華、旋火輪《せんかりん》(火を空中に振りまわしてできる輪)のように実体のないものである。仏や菩薩とその智慧も例外ではない。『般若経』や龍樹においてはこの空の真理は否定的、消極的な側面が目立っていたが、「入法界品」では空の積極的側面が強調されるようになる。その一つの理由は空の思想が唯心論と結合したからである。「入法界品」と並んで『華厳経』の古層をなす「十地品《じゅうじぼん》」において、「この三種の迷いの世界(三界、全世界)は心のみから成る」という著名なことばが現れるように、唯心思想は『華厳経』の核心をなすものであった。この空の思想と唯心論とを結合すると、あらゆる現実存在が実体をもたず、夢幻に等しいとすれば、逆に心中に現れるあらゆる影像や表象も現実存在と等価である、ということになる。

仏教に限らず、インドの諸宗教では、苦行や瞑想によって行者は超自然的な神通力を得ることができると考えられていた。空中を飛行したり、行くことなしに到達したり、ここで没入してかしこに現れたり、一瞬のうちに目的地に到達したりする移動の超能力、大きなものを小さくし、小さいものを大きくし、一つのものを多数にし、多数のものを一つにしたりする変化の超能力、不浄なものを清浄にしたり、逆に清浄なものを不浄にしたりする聖如意などの如意通《にょいつう》は精神集中(定《じょう》)の修習《しゅじゅう》によって得られる。同じように遠いもの近いもの、粗大なもの微細なものなど、あらゆるものを照らす天眼《てんげん》、一切の音を聞く天耳《てんに》、過去の生存を記憶する宿命通《しゅくみょうつう》、他人の心を知る他心通《たしんつう》なども得られる(13)。あらゆるものは空であり、逆に、心の顕現である影像は実在である、という思想は古来の神通力の理想を一挙に現実化した。しかも、仏、菩薩の真理と一体になった智慧の表象は宇宙的な真理の具象化である神変を可能にしたのである。

『華厳経』において普賢菩薩は宇宙の全世界が因縁(縁起)によって生成し、存在することを多くの原因、条件をあげて説明するが、それらの一切世界の成立の因縁の第一は「如来の神力」即ち仏の神変であり、それが法性、衆生の行業などの他の条件に先行している。このことは『華厳経』が縁起を仏の神変と解釈したことを示している(14)。

『八千頌般若経』(その初期形態は『道行般若経』乃至『小品般若経』)には仏の神変は

ほとんど現れない。しかし、その発展した形である『二万五千頌般若経』(『大品般若経』)では神変が主要なモチーフとなっている。それは二世紀から四世紀に至る間に大乗仏教において、神変の観念が急激に発展したことを示している。「入法界品」は同じ期間に生成した経典である。

注

(1) 田中於菟彌『酔花集――インド学論文・訳詩集』(新版、春秋社、一九九一年、二八九頁以下)。

(2) 『六十華厳』、「大正新脩大蔵経」(略称「大正」)、巻九、四〇五頁以下。『八十華厳』、同、巻一〇、二二六頁以下。

(3) 『六十華厳』、「大正」、巻九、四二二頁以下。『八十華厳』、同、巻一〇、六二二頁以下。

(4) 『倶舎論』「世間品」、山口益・舟橋一哉『倶舎論の原典解明・世間品』(法蔵館、一九五五年、三六五頁以下)参照。

(5) 山口・舟橋上掲書、四八〇―四八一頁、四八七頁注4参照。

(6) 『六十華厳』、「大正」、巻九、四一二頁上中。『八十華厳』、同、巻一〇、三九頁上中。

(7) 『摂大乗論《しょうだいじょうろん》』では受用身の浄土について十八円満(円浄)を語るが、その第十八円満は、浄土は「無量の徳の集積によって飾られた、大なる宝から成る蓮華の王の壮麗なるを依り所としている」という。同論世親《せしん》釈の真諦《しんだい》訳はこの浄土の基盤である大蓮華とは「大乗の顕す法界真如に譬える」という。真諦は十八円浄(円満)の記述は『浄土経』と『華厳経』の序文によって書かれたともいうので、その浄土は『華厳経』の蓮華蔵世界と無関係ではない。蓮華蔵世界を法界真如の象徴とする解釈の可能性はここにある(『大正』、巻三一、二六四頁上参照)。

(8) 吹田隆道「『大本経』に見る仏陀の共通化と法レベル化」(前田恵学編『渡辺文麿博士追悼記念論集・原始仏教と大乗仏教』、永田文昌堂、一九九三年、上二七四頁以下)参照。

(9) 梶山雄一「浄土の所在」、上掲書、下一頁以下参照。

(10) 『大智度論』「初品」第十五(『大正』、巻二五、一二四頁中)「(説一切有部が)曰う。ただ釈迦牟尼一仏あり、十方仏なし。何を以ての故に。是の釈迦牟尼仏に無量の威力、無量の神通ありて能く一切衆生を度す。更に余仏なし……仏、時に即ち阿難の心の所念を知って、即ち日出時を以て日出三昧に入る。その時仏身の一切の毛孔より諸光明を出す。亦た日の辺より諸光明を出すがごとし。その光あまねく閻浮提の内を照らし、その明満ち已れば四天下を照らし、四天下を照らして満ち已れば三千大千世界を照らし、三千大千世界を照らして満ち已れば十方無量世界を照らす……是のごとく種々に方便して一時に頓に能く十方無量の衆生を度す」

同論、同品(同、一二五頁中)「(中観派がいう)百億の須弥山、百億の日月、名づけて三千大千世界となす。是の如き十方恒河沙等の三千大千世界(の一々)、是を名づけて一仏世界となす。実に一の釈迦牟尼仏、是の一仏世界中にあって常に諸仏・種々の法門・種々の身・種々の因縁・種々の方便を化作して以て衆生を度す。是を以ての故に多持経の中に、一時一世界に二仏なし、というも、十方に仏なしとは言わず」

(11)『小品般若経』(「大正」、巻八、五八四頁、中一〇)、『宝行王正論』(「大乗仏典」インド篇14『龍樹論集』、中央公論社、一九七四年、第三章、一一―一三頌)参照。

(12) 詳しくは、「大乗仏典」中国・日本編22『親鸞』(中央公論社、一九八七年、解説三九三頁以下)参照。

(13)『大智度論』(「大乗仏典」中国・日本篇1、中央公論社、一九八九年、九四―九八頁)参照。

(14) 六十華厳、「大正」、巻九、四〇九頁下。八十華厳、「大正」、巻十、三五頁上参照。

梵文和訳《ぼんぶんわやく》 華厳経《けごんきょう》 入法界品《にゅうほっかいぼん》（中）〔全 3 冊〕

2021 年 8 月 17 日　第 1 刷発行

訳注者　梶山雄一《かじやまゆういち》　丹治昭義《たんじてるよし》　津田真一《つだしんいち》
田村智淳《たむらちじゅん》　桂《かつら》 紹隆《しょうりゅう》

発行者　坂本政謙

発行所　株式会社 岩波書店
〒101-8002 東京都千代田区一ツ橋 2-5-5
案内 03-5210-4000　営業部 03-5210-4111
文庫編集部 03-5210-4051
https://www.iwanami.co.jp/

印刷・三秀舎　カバー・精興社　製本・中永製本

ISBN 978-4-00-333452-2　　Printed in Japan

読書子に寄す

――岩波文庫発刊に際して――

岩波茂雄

真理は万人によって求められることを自ら欲し、芸術は万人によって愛されることを自ら望む。かつては民を愚昧ならしめるために学芸が最も狭き堂宇に閉鎖されたことがあった。今や知識と美とを特権階級の独占より奪い返すことはつねに進取的なる民衆の切実なる要求である。岩波文庫はこの要求に応じそれに励まされて生まれた。それは生命ある不朽の書を少数者の書斎と研究室とより解放して街頭にくまなく立たしめ民衆に伍せしめるであろう。近時大量生産予約出版の流行を見る。その広告宣伝の狂態はしばらくおくも、後代にのこすと誇称する全集がその編集に万全の用意をなしたるか。千古の典籍の翻訳企図に敬虔の態度を欠かざりしか。さらに分売を許さず読者を繋縛して数十冊を強うるがごとき、はたしてその揚言する学芸解放のゆえんなりや。吾人は天下の名士の声に和してこれを推挙するに躊躇するものである。このときにあたって、岩波書店は自己の責務のいよいよ重大なるを思い、従来の方針の徹底を期するため、すでに十数年以前より志して来た計画を慎重審議この際断然実行することにした。吾人は範をかのレクラム文庫にとり、古今東西にわたって文芸・哲学・社会科学・自然科学等種類のいかんを問わず、いやしくも万人の必読すべき真に古典的価値ある書をきわめて簡易なる形式において逐次刊行し、あらゆる人間に須要なる生活向上の資料、生活批判の原理を提供せんと欲する。この文庫は予約出版の方法を排したるがゆえに、読者は自己の欲する時に自己の欲する書物を各個に自由に選択することができる。携帯に便にして価格の低きを最主とするがゆえに、外観を顧みざるも内容に至っては厳選最も力を尽くし、従来の岩波出版物の特色をますます発揮せしめようとする。この計画たるや世間の一時の投機的なるものと異なり、永遠の事業として吾人は微力を傾倒し、あらゆる犠牲を忍んで今後永久に継続発展せしめ、もって文庫の使命を遺憾なく果たさしめることを期する。芸術を愛し知識を求むる士の自ら進んでこの挙に参加し、希望と忠言とを寄せられることは吾人の熱望するところである。その性質上経済的には最も困難多きこの事業にあえて当たらんとする吾人の志を諒として、その達成のため世の読書子とのうるわしき共同を期待する。

昭和二年七月

《東洋思想》〔青〕

易経 全二冊　高田真治・後藤基巳訳
論語　金谷治訳注
孔子家語　藤原正校訳
孟子 全二冊　小林勝人訳注
老子　蜂屋邦夫訳注
荘子 全四冊　金谷治訳注
新訂 孫子　金谷治訳注
荀子 全二冊　金谷治訳注
韓非子 全四冊　金谷治訳注
史記列伝 全五冊　司馬遷／小川環樹・今鷹真・福島吉彦訳
春秋左氏伝 全三冊　小倉芳彦訳
塩鉄論　曾我部静雄訳註
千字文　小川環樹・木田章義注解
大学・中庸　金谷治訳注
孫文革命文集　深町英夫編訳
実践論・矛盾論　毛沢東／松村一人・竹内実訳
仁学 ―清末の社会変革論　譚嗣同／西順蔵・坂元ひろ子訳注
章炳麟集 ―清末の民族革命思想　西順蔵・近藤邦康編訳
梁啓超文集　岡本隆司・石川禎浩・高嶋航編訳
マヌの法典　田辺繁子訳
ガンディー獄中からの手紙　森本達雄訳
随園食単　袁枚／青木正児訳註
ウパデーシャ・サーハスリー ―真実の自己の探求　シャンカラ／前田専学訳

《仏教》〔青〕

ブッダのことば ―スッタニパータ　中村元訳
ブッダの真理のことば・感興のことば　中村元訳
般若心経・金剛般若経　中村元・紀野一義訳註
法華経 全三冊　坂本幸男・岩本裕訳注
日蓮文集　兜木正亨校注
浄土三部経 全二冊　中村元・早島鏡正・紀野一義訳註
大乗起信論　宇井伯寿・高崎直道訳注
天台小止観 ―坐禅の作法　天台大師／関口真大訳注
臨済録　入矢義高訳注
碧巌録 全三冊　入矢義高・溝口雄三・末木文美士・伊藤文生訳注
無門関　西村恵信訳注
法華義疏 全二冊　聖徳太子／花山信勝校訳
往生要集 全二冊　源信／石田瑞麿訳注
教行信証　親鸞／金子大栄校訂
歎異抄　金子大栄校注
正法眼蔵 全四冊　道元／水野弥穂子校注
正法眼蔵随聞記　懐奘編／和辻哲郎校訂
道元禅師清規　大久保道舟訳注
一遍上人語録 ―付 播州法語集　大橋俊雄校注
一遍聖絵　聖戒編／大橋俊雄校注
南無阿弥陀仏 ―付 心偈　柳宗悦
蓮如文集　蓮如／笠原一男校注
蓮如上人御一代聞書　稲葉昌丸校訂
日本的霊性　鈴木大拙／篠田英雄校訂
新編 東洋的な見方　鈴木大拙／上田閑照編
禅堂生活　鈴木大拙／横川顕正訳

大乗仏教概論　鈴木大拙／佐々木閑訳
浄土系思想論　鈴木大拙
神秘主義 キリスト教と仏教　鈴木大拙／坂東性純／清水守拙訳
禅の思想　鈴木大拙
ブッダ最後の旅 —大パリニッバーナ経—　中村元訳
仏弟子の告白 —テーラガーター—　中村元訳
尼僧の告白 —テーリーガーター—　中村元訳
ブッダ神々との対話 —サンユッタ・ニカーヤⅠ—　中村元訳
ブッダ悪魔との対話 —サンユッタ・ニカーヤⅡ—　中村元訳
驢鞍橋　鈴木正三／鈴木大拙校訂
禅林句集　足立大進校注
ブッダが説いたこと　ワールポラ・ラーフラ／今枝由郎訳
ブータンの瘋狂聖ドゥクパ・クンレー伝　ゲンドゥン・リンチェン編／今枝由郎訳

《音楽・美術》〔青〕

ベートーヴェン 音楽ノート　小松雄一郎訳編
ベートーヴェンの生涯　ロマン・ロラン／片山敏彦訳
音楽と音楽家　シューマン／吉田秀和訳
モーツァルトの手紙 —その生涯のロマン— 全二冊　柴田治三郎編訳
レオナルド・ダ・ヴィンチの手記 全二冊　杉浦明平訳
ゴッホの手紙 全三冊　硲伊之助訳
ロダンの言葉抄　高村光太郎訳／高田博厚／菊池一雄編
ビゴー日本素描集　清水勲編
ワーグマン日本素描集　清水勲編
葛飾北斎伝　飯島虚心／鈴木重三校注
ヨーロッパのキリスト教美術 —十二世紀から十八世紀まで— 全二冊　エミール・マール／柳宗玄／荒木成子訳
近代日本漫画百選　清水勲編
ドーミエ諷刺画の世界　喜安朗編
デューラー 自伝と書簡　前川誠郎訳
蛇儀礼　ヴァールブルク／三島憲一訳
迷宮としての世界 —マニエリスム美術— 全二冊　グスタフ・ルネ・ホッケ／種村季弘／矢川澄子訳
日本洋画の曙光　平福百穂
江戸東京実見画録　長谷川渓石画／進士慶幹／花咲一男注解
映画とは何か 全二冊　アンドレ・バザン／野崎歓／大原宣久／谷本道昭訳
漫画 坊っちゃん　近藤浩一路
漫画 吾輩は猫である　近藤浩一路
ロバート・キャパ写真集　ICPロバート・キャパ・アーカイブ編
北斎 富嶽三十六景　日野原健司編
日本漫画史 —鳥獣戯画から岡本一平まで—　細木原青起
世紀末ウィーン文化評論集　ヘルマン・バール／西村雅樹編訳

《哲学・教育・宗教》〔青〕

- ソクラテスの弁明・クリトン　プラトン　久保勉訳
- ゴルギアス　プラトン　加来彰俊訳
- 饗宴　プラトン　久保勉訳
- テアイテトス　プラトン　田中美知太郎訳
- パイドロス　プラトン　藤沢令夫訳
- メノン　プラトン　藤沢令夫訳
- 国家　全二冊　プラトン　藤沢令夫訳
- プロタゴラス —ソフィストたち　プラトン　藤沢令夫訳
- パイドン —魂の不死について　プラトン　岩田靖夫訳
- アナバシス —敵中横断六〇〇〇キロ　クセノポン　松平千秋訳
- アリストテレス ニコマコス倫理学　全二冊　高田三郎訳
- アリストテレス 形而上学　全二冊　出隆訳
- アリストテレス 弁論術　戸塚七郎訳
- アリストテレース詩学・ホラーティウス詩論　松本仁助・岡道男訳
- 物の本質について　ルクレーティウス　樋口勝彦訳
- エピクロス —教説と手紙　出隆・岩崎允胤訳

- 生の短さについて 他二篇　セネカ　大西英文訳
- 怒りについて 他二篇　セネカ　兼利琢也訳
- エピクテトス 人生談義　全二冊　國方栄二訳
- マルクス・アウレーリウス 自省録　神谷美恵子訳
- 老年について　キケロー　中務哲郎訳
- 友情について　キケロー　中務哲郎訳
- 弁論家について　全二冊　キケロー　大西英文訳
- キケロー書簡集　高橋宏幸編
- 方法序説　デカルト　谷川多佳子訳
- 哲学原理　デカルト　桂寿一訳
- 精神指導の規則　デカルト　野田又夫訳
- 情念論　デカルト　谷川多佳子訳
- パンセ　全三冊　パスカル　塩川徹也訳
- 知性改善論　スピノザ　畠中尚志訳
- スピノザ エチカ（倫理学）　全二冊　畠中尚志訳
- モナドロジー 他二篇　ライプニッツ　谷川多佳子・岡部英男訳
- 学問の進歩　ベーコン　服部英次郎・多田英次訳

- ハイラスとフィロナスの三つの対話　バークリ　戸田剛文訳
- 市民の国について　全二冊　ヒューム　小松茂夫訳
- 自然宗教をめぐる対話　ヒューム　犬塚元訳
- 人間機械論　ド・ラ・メトリ　杉捷夫訳
- 聖トマス 形而上学叙説 —有と本質とに就いて　高桑純夫訳
- エミール　全三冊　ルソー　今野一雄訳
- ルソー 告白　全三冊　桑原武夫訳
- 孤独な散歩者の夢想　ルソー　今野一雄訳
- 人間不平等起原論　ルソー　本田喜代治・平岡昇訳
- ルソー 社会契約論　桑原武夫・前川貞次郎訳
- 政治経済論　ルソー　河野健二訳
- 学問芸術論　ルソー　前川貞次郎訳
- 演劇について —ダランベールへの手紙　ルソー　今野一雄訳
- 言語起源論 —旋律と音楽的模倣について　ルソー　増田真訳
- ディドロ、ダランベール編 百科全書 —序論および代表項目　桑原武夫訳編
- ディドロ 絵画について　佐々木健一訳
- 道徳形而上学原論　カント　篠田英雄訳

- 啓蒙とは何か 他四篇　カント　篠田英雄訳
- 純粋理性批判 全三冊　カント　篠田英雄訳
- カント 実践理性批判　波多野精一・宮本和吉・篠田英雄訳
- 判断力批判 全二冊　カント　篠田英雄訳
- 永遠平和のために　カント　宇都宮芳明訳
- プロレゴメナ　カント　篠田英雄訳
- 学者の使命・学者の本質　フィヒテ　宮崎洋三訳
- シュライエルマッハー 独白　木場深定訳
- 哲学史序論 ―哲学と哲学史　ヘーゲル　武市健人訳
- ヘーゲル 政治論文集 全二冊　金子武蔵訳
- 歴史哲学講義 全二冊　ヘーゲル　長谷川宏訳
- 法の哲学 ―自然法と国家学の要綱 全二冊　ヘーゲル　上妻精・佐藤康邦・山田忠彰訳
- 人間的自由の本質　シェリング　西谷啓治訳
- 自殺について 他四篇　ショウペンハウエル　斎藤信治訳
- 読書について 他二篇　ショウペンハウエル　斎藤忍随訳
- 知性について 他四篇　ショーペンハウエル　細谷貞雄訳
- 将来の哲学の根本命題 他二篇　フォイエルバッハ　松村一人・和田楽訳

- 反復　キルケゴール　桝田啓三郎訳
- 不安の概念　キェルケゴール　斎藤信治訳
- 死に至る病　キェルケゴール　斎藤信治訳
- 体験と創作 全二冊　ディルタイ　柴田治三郎・小牧健夫訳
- 眠られぬ夜のために 全二冊　ヒルティ　草間平作・大和邦太郎訳
- 幸福論 全三冊　ヒルティ　草間平作・大和邦太郎訳
- 悲劇の誕生　ニーチェ　秋山英夫訳
- ツァラトゥストラはこう言った 全二冊　ニーチェ　氷上英廣訳
- 道徳の系譜　ニーチェ　木場深定訳
- 善悪の彼岸　ニーチェ　木場深定訳
- この人を見よ　ニーチェ　手塚富雄訳
- プラグマティズム　W・ジェイムズ　桝田啓三郎訳
- 宗教的経験の諸相 全二冊　W・ジェイムズ　桝田啓三郎訳
- 純粋現象学及現象学的哲学考案 全二冊　フッセル　池上鎌三訳
- デカルト的省察　フッサール　浜渦辰二訳
- 愛の断想・日々の断想　ジンメル　清水幾太郎訳
- 笑い　ベルクソン　林達夫訳

- 物質と記憶　ベルクソン　熊野純彦訳
- 時間と自由　ベルクソン　中村文郎訳
- ラッセル教育論　安藤貞雄訳
- ラッセル幸福論　安藤貞雄訳
- 存在と時間 全四冊　ハイデガー　熊野純彦訳
- 学校と社会　デューイ　宮原誠一訳
- 民主主義と教育 全二冊　デューイ　松野安男訳
- 歴史と自然科学・道徳の原理に就て・聖 「プレルーディエン」より　ヴィンデルバント　篠田英雄訳
- 我と汝・対話　マルティン・ブーバー　植田重雄訳
- アラン 幸福論　神谷幹夫訳
- アラン 定義集　神谷幹夫訳
- 英語発達小史　H・ブラッドリ　寺澤芳雄訳
- 日本の弓術　オイゲン・ヘリゲル述　柴田治三郎訳
- 饒舌について 他五篇　プルタルコス　柳沼重剛訳
- ことばのロマンス ―英語の語源　ウィークリー　寺澤芳雄・出淵博訳
- 天才・悪　ブレンターノ　篠田英雄訳
- 人間の頭脳活動の本質 他一篇　ディーツゲン　小松摂郎訳

岩波文庫の最新刊

豊川斎赫編
丹下健三建築論集

人間と建築にたいする深い洞察と志。「世界のTANGE」と呼ばれた建築家による重要論考を集成する。二巻構成のうちの建築論篇。
〔青五八五-一〕 **定価九二四円**

カッシーラー著／熊野純彦訳
国家と神話（上）

非科学的・神話的な言説は、なぜ合理的な思考より支持されるのか？ 国家における神話と理性との闘争の歴史を、古代ギリシアから現代まで徹底的に考察する。（全二冊）〔青六七三-六〕 **定価一三二〇円**

ドーデー作／桜田佐訳
風車小屋だより

ドーデー（一八四〇-一八九七）の二十四篇の掌篇から成る第一短篇集。「アルルの女」「星」「スガンさんの山羊」等を収録。改版。（解説＝有田英也）
〔赤五四二-一〕 **定価八五八円**

……今月の重版再開……

イブン＝ハルドゥーン著／森本公誠訳
歴史序説（三）
定価一三二〇円 〔青四八一-三〕

イブン＝ハルドゥーン著／森本公誠訳
歴史序説（四）
定価一三二〇円 〔青四八一-四〕

定価は消費税10％込です　2021.7

岩波文庫の最新刊

梶山雄一・丹治昭義・津田真一・田村智淳・桂紹隆 訳注

梵文和訳 華厳経入法界品（中）

大乗経典の精華。善財童子が良き師達を訪ね、悟りを求めて、遍歴する雄大な物語。梵語原典から初めての翻訳、中巻は第十八章―第三十八章を収録。（全三冊）〔青三四五-二〕 定価一一七七円

ヴァルター・ベンヤミン著／今村仁司、三島憲一 他訳

パサージュ論（五）

事物や歴史の中に眠り込んでいた夢の力を解放するパサージュ・プロジェクト。「文学史、ユゴー」「無為」などの断章や『パサージュ論』をめぐる書簡を収録。全五冊完結。〔赤四六三-七〕 定価一一七七円

今月の重版再開

ヘミングウェイ作／谷口陸男訳

武器よさらば（上）

〔赤三二六-二〕 定価七九二円

ヘミングウェイ作／谷口陸男訳

武器よさらば（下）

〔赤三二六-三〕 定価七二六円

定価は消費税 10% 込です　2021. 8